Intersection

Mathématique
Culture, société et technique

2e cycle du secondaire
3e année

Manuel de l'élève

Jean-François Bernier
Valérie Rodrigue

GRAFICOR
CHENELIÈRE ÉDUCATION

Intersection
Mathématique, 2e cycle du secondaire, 3e année
Culture, société et technique

Jean-François Bernier, Valérie Rodrigue

© 2010 Chenelière Éducation inc.

Édition : Christiane Odeh
Coordination : Marie Hébert, Marie-Noëlle Hamar
Révision linguistique : Nicole Blanchette, André Duchemin
Correction d'épreuves : Caroline Bouffard
Conception graphique et couverture : Matteau Parent graphisme
   et communication inc.
Infographie : Linda Szefer, Interscript
Illustrations : Serge Rousseau, Jacques Perrault, Michel Rouleau,
   Martin Gagnon
Impression : Imprimeries Transcontinental

Remerciements

Nous tenons à remercier Adolphe Adihou, professeur au département de la didactique des mathématiques de l'Université du Québec à Rimouski (UQAR), et Jean Turgeon, professeur titulaire à la retraite au département des mathématiques et statistique de l'Université de Montréal, qui ont agi à titre de consultants pour la réalisation de cet ouvrage.

Un merci tout spécial à Emmanuel Duran pour sa collaboration à la partie Outils technologiques ainsi qu'à Eugen Pascu et Marie-Josée Bélanger pour leurs précieux commentaires.

Pour leur contribution à divers chapitres et pour leurs commentaires avisés, nous tenons également à remercier Sophie René de Cotret, Jacques Provost et Christian Léger.

Pour le soin qu'ils ont porté à leur travail d'évaluation, nous remercions Christian Boily, enseignant, Polyvalente de St-Georges, Nadine Cyr, enseignante, Polyvalente Le Carrefour, Pierre Dansereau, enseignant, École secondaire Marie-Clarac, Serge de L'Église, enseignant, École secondaire de l'Odyssée, Jean-Guy Labbé, enseignant retraité, Anik Philippe, enseignante, École secondaire Mont-Bleu, Martin Plourde, enseignant, École secondaire du Mont-Bruno, Cynthia Rioux, enseignante, C.S. des Hauts-Cantons et C.S. Des Sommets, David Roux, enseignant, Polyvalente Le tandem boisé, Mélanie Ratelle, enseignante, Séminaire Sainte-Marie.

GRAFICOR

CHENELIÈRE ÉDUCATION

7001, boul. Saint-Laurent
Montréal (Québec) Canada H2S 3E3
Téléphone : 514 273-1066
Télécopieur : 450 461-3834 / 1 888 460-3834
info@cheneliere.ca

ISBN 978-2-7652-1410-6

Dépôt légal : 2e trimestre 2010
Bibliothèque et Archives nationales du Québec
Bibliothèque et Archives Canada

Imprimé au Canada

1 2 3 4 5 ITIB 14 13 12 11 10

Nous reconnaissons l'aide financière du gouvernement du Canada par l'entremise du Programme d'aide au développement de l'industrie de l'édition (PADIÉ) pour nos activités d'édition.

Gouvernement du Québec – Programme de crédit d'impôt pour l'édition de livres – Gestion SODEC.

Membre du CERC

Membre de
l'Association nationale
des éditeurs de livres

ASSOCIATION NATIONALE DES ÉDITEURS DE LIVRES

Table des matières

Organisation du manuel

Le début d'un chapitre

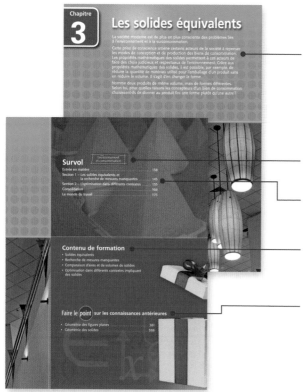

L'ouverture du chapitre te propose un court texte d'introduction qui porte sur le sujet à l'étude du chapitre et qui établit un lien avec un domaine général de formation.

Le domaine général de formation abordé dans le chapitre est précisé dans le survol.

Le survol te présente le contenu du chapitre en un coup d'œil.

L'ouverture du chapitre te présente aussi le contenu du programme de formation à l'étude dans le chapitre.

La rubrique *Faire le point sur les connaissances antérieures* te renvoie aux pages qui présentent un résumé théorique des connaissances à réactiver pour aborder ce chapitre.

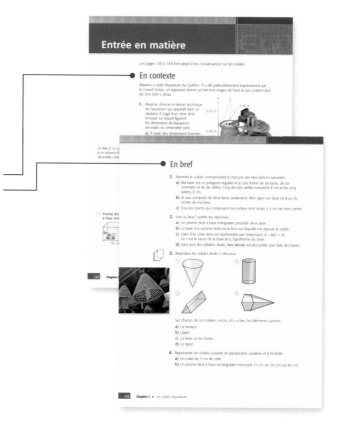

L'*Entrée en matière* fait appel à tes connaissances au moyen des situations et des questions de réactivation des rubriques *En contexte* et *En bref*. Ces connaissances te seront utiles pour aborder les concepts du chapitre.

Les sections

Chaque chapitre est composé de plusieurs sections qui portent sur le sujet à l'étude. L'ensemble des activités d'exploration proposées dans ces sections te permettent de développer tes compétences.

Une situation de compétence t'amène à découvrir les concepts et les processus mathématiques qui seront approfondis dans la section, ainsi qu'à développer différentes stratégies de résolution de problèmes.

Les concepts et les processus à l'étude sont inscrits dans un encadré, au début de chaque activité d'exploration.

Chaque activité d'exploration te permet d'aborder certains concepts et processus à l'étude.

La rubrique *Ai-je bien compris ?* te donne l'occasion de vérifier ta compréhension des concepts abordés au cours de l'activité d'exploration.

Les pages intitulées *Faire le point* présentent la synthèse des concepts et des processus abordés dans la section, avec des exemples clairs. Facilement repérables, ces pages peuvent t'être utiles lorsque tu veux te rappeler un sujet bien précis.

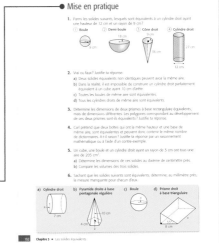

La *Mise en pratique* réunit un grand nombre d'exercices et de problèmes qui te permettent de réinvestir les concepts et les processus abordés dans la section.

La fin d'un chapitre

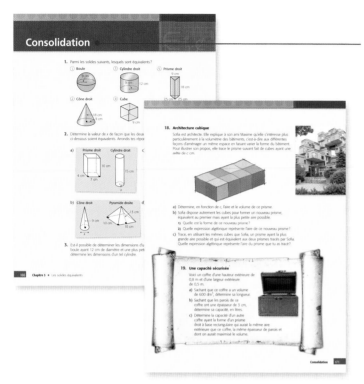

La *Consolidation* te propose une banque d'exercices et de problèmes supplémentaires qui te permettent de réinvestir les concepts et les processus abordés dans l'ensemble des sections du chapitre et de continuer à développer tes compétences.

Le dernier problème de la *Consolidation* met en contexte un métier et permet de développer une compétence liée à un domaine général de formation.

Dans *Le monde du travail*, on trouve une courte description d'un domaine d'emploi lié à la séquence *Culture, société et technique*.

L'*Intersection*

L'*Intersection* te permet de réinvestir les apprentissages des chapitres précédents au moyen de situations riches, qui ciblent plus d'un champ mathématique à la fois.

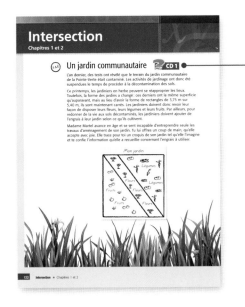

Les situations d'apprentissage et d'évaluation te permettent de réinvestir certains concepts et processus abordés au cours des chapitres précédents.

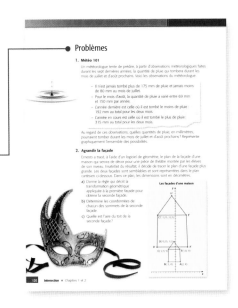

Une banque de problèmes te permet de réinvestir les concepts et les processus des chapitres précédents et de continuer à développer tes compétences.

Les pages *Défis mathématiques* des deux premières intersections présentent des énigmes et des jeux pour t'aider à développer ta logique mathématique.

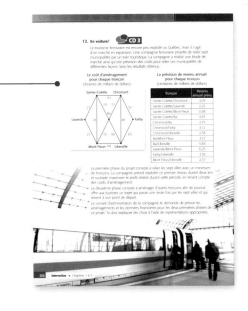

Les situations de compétence dans la troisième intersection te permettent de développer les trois compétences liées à la mathématique en réinvestissant les concepts et processus du programme de formation.

Les *Outils technologiques*

Ces pages te présentent les fonctions de base de certains outils technologiques. ———————

Les pages *Faire le point sur les connaissances antérieures*

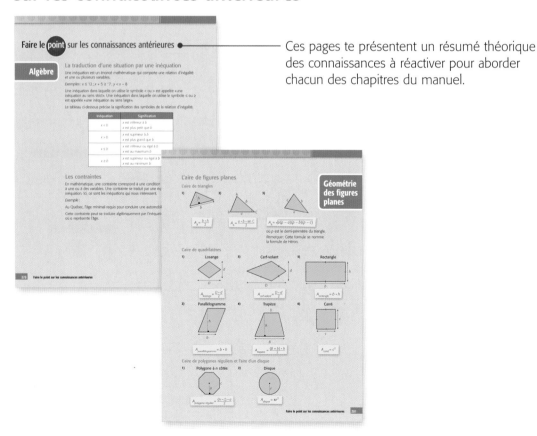

Ces pages te présentent un résumé théorique des connaissances à réactiver pour aborder chacun des chapitres du manuel.

Les rubriques

Pièges et astuces

On arrondit les résultats à l'unité près seulement à la fin des calculs. Les arrondir à chaque étape affecte la précision du...

Te présente une méthode de travail, des erreurs courantes et des stratégies de résolution de problèmes.

Fait divers

Certaines plantes, comme les poinsettias, ont besoin d'une obscurité totale pendant une certaine période pour fleurir. Un seul ra...

Relate une anecdote ou un fait intéressant lié au sujet à l'étude.

Point de repère

Bonaventura Cavalieri

Élève de Galilée, le mathématicien et géomètre italien Bonaventura C...

Te présente des personnages et des faits historiques liés à l'étude de la mathématique.

Environnement et consommation

Les musées d'histoire naturelle sont des lieux privilégiés pour enrichir nos connaissances sur les science...

Te propose de l'information et des questions relatives à l'un des domaines généraux de formation suivants : santé et bien-être, orientation et entrepreneuriat, environnement et consommation, médias, vivre-ensemble et citoyenneté.

TIC

La calculatrice à affichage graphique permet de représenter des inéquations dans lesquelles la variable y a été isolée. Pour en savoir plus, consulte la pag... ce manuel.

T'invite à mieux connaître l'une des technologies de l'information et de la communication (TIC) ou à l'utiliser dans la résolution d'un problème.

Polygone de contraintes

Région-solution d'un système d'inéquations du premier degré à deux variables. Cette région-solution peut être un ensemble...

Te donne une définition qui vise à préciser un concept. Le mot défini est en bleu dans le texte courant pour en faciliter le repérage.

Les pictogrammes

 **CD 1**

Problème qui cible toutes les composantes de la compétence disciplinaire *Résoudre une situation-problème.*

 **CD 2**

Problème qui cible toutes les composantes de la compétence disciplinaire *Déployer un raisonnement mathématique.*

 **CD 3**

Problème qui cible toutes les composantes de la compétence disciplinaire *Communiquer à l'aide du langage mathématique.*

Au besoin, utiliser la fiche reproductible disponible.

CD 1

Problème qui cible une ou plusieurs composantes de la compétence disciplinaire *Résoudre une situation-problème.*

CD 2

Problème qui cible une ou plusieurs composantes de la compétence disciplinaire *Déployer un raisonnement mathématique.*

CD 3

Problème qui cible une ou plusieurs composantes de la compétence disciplinaire *Communiquer à l'aide du langage mathématique.*

L'optimisation à l'aide de la programmation linéaire

Chaque jour, tout le monde est appelé à prendre des décisions en pesant le pour et le contre, en analysant différentes variables et en tenant compte de certaines contraintes. Par exemple, un adolescent se questionne sur le temps qu'il doit consacrer à son travail et à ses études; la gestionnaire d'une entreprise se demande comment maximiser le profit en fonction des ressources humaines et matérielles à sa disposition; un responsable de chantier veut s'assurer de la bonne marche des travaux en respectant l'échéancier du projet à un coût minimal.

Afin de prendre une décision éclairée de façon objective, il peut être utile de modéliser une situation à l'aide d'une fonction à optimiser et d'un système d'inéquations. Ces modèles s'avèrent des outils puissants pour analyser différents types de situations.

De quelles contraintes dois-tu tenir compte pour planifier ton horaire? Selon toi, ces contraintes peuvent-elles aussi être présentes dans le processus décisionnel des gestionnaires d'entreprises?

Survol

Orientation et entrepreneuriat

Contenu de formation

- Représentation d'une situation à l'aide d'un système d'inéquations du premier degré à deux variables
- Polygone de contraintes
- Calcul des coordonnées des sommets du polygone de contraintes
- Fonction à optimiser
- Détermination, à partir d'un ensemble de possibilités, de la ou des meilleures solutions pour une situation donnée
- Validation et interprétation de la solution selon le contexte
- Modification des conditions de la situation

Faire le (point) sur les connaissances antérieures

Entrée en matière

Les pages 4 à 8 font appel à tes connaissances en géométrie analytique et en algèbre.

En contexte

De nos jours, il existe plusieurs sortes d'emplois et divers types de rémunération.

1. Philippe occupe deux emplois. Il travaille dans un centre d'appels pour le service à la clientèle d'une entreprise à un taux de 10 $/h. Il fait également des appels pour une firme de sondage où il est payé 15 $/h. Dans les deux cas, le nombre d'heures travaillées varie beaucoup d'une semaine à l'autre. Son revenu est donc très irrégulier.

Par exemple, la semaine dernière, sa rémunération a été de 300 $, alors que la semaine précédente il avait gagné 450 $.

Soit les variables suivantes.

> x : le temps travaillé, en heures, au service à la clientèle durant une semaine
> y : le temps travaillé, en heures, à la firme de sondage durant la même semaine

a) À l'aide des variables x et y, trouve l'équation qui décrit la rémunération de Philippe la semaine où il a gagné 300 $.

b) À partir de l'équation trouvée en **a**, détermine trois valeurs possibles pour x et y.

c) Trace la droite associée à l'équation trouvée en **a** dans un plan cartésien.

d) Trouve l'équation qui décrit la rémunération de Philippe la semaine où il a gagné 450 $. Trace la droite associée à cette équation dans le même plan cartésien qu'en **c**.

e) Que peux-tu dire au sujet de la position relative des deux droites tracées en **c** et en **d** ? Justifie ta réponse.

f) La semaine prochaine, Philippe prévoit gagner moins de 450 $. Quelle région du plan cartésien peux-tu associer à cette situation ?

2. Jenny est designer graphiste. Elle a sa propre entreprise. Elle travaille à la conception de publicités et de produits promotionnels pour les événements culturels de sa région. Son revenu dépend uniquement de ses contrats. La moyenne de ses gains des mois de juillet et août a été de 3 750 $. Elle a gagné deux fois plus d'argent au mois d'août qu'au mois de juillet.

   a) Traduis cette situation par un système d'équations, sachant que x et y représentent respectivement les revenus de Jenny pour les mois de juillet et août.

   b) Quel a été le revenu de Jenny durant chacun de ces deux mois?

3. Caroline est agente immobilière. Lorsque des propriétaires lui donnent le mandat de vendre leur maison, elle en détermine la valeur marchande et s'occupe ensuite de la mise en marché. Si elle vend la maison elle-même, elle reçoit 5 % du prix de vente. Parfois, la vente est réalisée par un autre agent immobilier. Dans ce cas, les deux agents partagent la commission. Caroline reçoit alors 2,5 % du prix de vente.

   L'année dernière, Caroline a vendu plusieurs maisons dont les valeurs ont totalisé 1,8 million de dollars. Ces ventes lui ont rapporté un revenu de 72 000 $.

   À l'aide d'un système d'équations, détermine la valeur des ventes que Caroline a réalisées sans l'intermédiaire d'un autre agent.

Orientation et entrepreneuriat

Il existe différents types de rémunération. Dans la fonction publique ou dans le secteur industriel, le salaire est généralement basé sur un taux horaire, hebdomadaire ou annuel. Le salaire à la commission, principalement dans le domaine de la vente, et le salaire avec pourboire, en tourisme et en restauration, sont d'autres types de rémunération. Par ailleurs, certaines personnes, tels les gens qui exploitent une entreprise ou pratiquent une profession (les plombiers, les avocats et les artistes, à titre d'exemples) gagnent leur vie en vendant leurs services.

Quel métier aimerais-tu exercer et pour quelles raisons? Connais-tu le type de rémunération associé à ce métier?

En bref

1. Soit les équations suivantes.

   1) $y = 4x - 8$

   2) $y = 10 - 2x$

   3) $x - y = 2$

   4) $2x + 5y = 20$

   5) $2y = 5x$

   6) $3y = 2(x - 1)$

   7) $y = 5$

   8) $x + 2 = 10$

   a) Détermine la pente, l'ordonnée à l'origine et l'abscisse à l'origine des droites associées à chacune de ces équations.

   b) Trace les droites représentées en **a** dans un plan cartésien.

2. Détermine l'équation générale de chacune des droites suivantes.

   a) Sa pente est $\frac{-3}{4}$ et elle passe par le point $P(6, 3)$.

   b) La droite passe par les points $P_1(2, 0)$ et $P_2(5, 9)$.

   c) Son ordonnée à l'origine est 8 et son abscisse à l'origine est 4.

   d) Sa pente est 2 et son abscisse à l'origine est 3.

   e) La droite est verticale et elle passe par le point $P(2, 6)$.

3. Si deux droites sont parallèles, que peux-tu dire au sujet de leur pente ? Illustre ta réponse à l'aide d'un exemple.

4. Parmi les équations suivantes, lesquelles sont associées à des droites parallèles ?

   ① $2x - 4y = 1$ ② $x - 2y = 4$ ③ $4x - y = 1$

   ④ $y = 4x - 1$ ⑤ $2y = x + 4$

5. Soit x, la taille de Mathieu, en mètres.

   a) Traduis chacune des affirmations suivantes par une inéquation en choisissant le signe d'inégalité approprié ($<$, $>$, $\leq$ ou $\geq$).

   1) Mathieu mesure plus de 1,6 m.

   2) Sa taille ne dépasse pas 1,8 m.

   3) Avec 5 cm de plus, il mesurerait au moins 1,78 m.

   4) Il mesure 10 cm de plus que son frère, qui a une taille inférieure à 1,65 m.

   b) Détermine une taille possible de Mathieu qui satisfasse toutes ces inéquations.

   c) Détermine l'intervalle dans lequel peut se situer la taille de Mathieu.

6. Résous les inéquations suivantes.

   a) $4x - 3 < 15$

   b) $6 - x \leq 3$

   c) $2x + 9 > 5x + 6$

   d) $^-2(x - 1) \geq 6$

7. Quelle inéquation peux-tu associer à chacun des demi-plans représentés ci-dessous?

a)
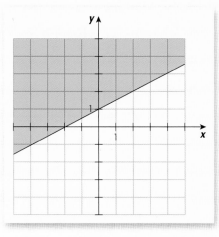

c)
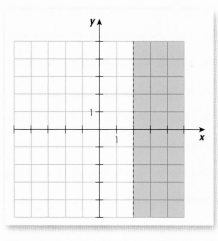

b)
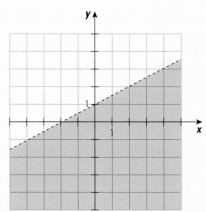

d)
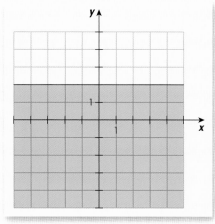

8. Représente graphiquement l'ensemble-solution des inéquations suivantes.

a) $y \leq 2x$ c) $x - y > 2$ e) $3x > 2y$ g) $4 - 3y \leq 4x - 8$

b) $2x + 3y \geq 12$ d) $2x < 4 - 3y$ f) $4x + 3y - 15 \leq 0$ h) $2y - x > 2(y - 3)$

9. Une enseignante observe le nombre de filles et de garçons dans un groupe d'élèves. Elle décrit ses observations dans les énoncés suivants.

1) Il y a deux fois plus de filles que de garçons.

2) On compte 10 garçons de moins que de filles.

3) Cinq élèves portent des lunettes, soit 15 % des filles et 20 % des garçons.

4) S'il y avait deux fois moins de filles et cinq garçons de plus, le groupe compterait 25 élèves.

a) Traduis chacun de ces énoncés par une équation à deux variables en représentant par x le nombre de filles et par y le nombre de garçons.

b) Dans un même plan cartésien, trace les droites associées aux équations trouvées en **a**.

c) Combien de filles et de garçons y a-t-il dans le groupe?

10. Quelles sont les dimensions d'un rectangle dont le périmètre est de 38 cm et dont la largeur mesure 5 cm de moins que la moitié de sa longueur?

11. Résous graphiquement les systèmes d'équations suivants.

a) $\begin{cases} y = x + 3 \\ y = 3x - 1 \end{cases}$
b) $\begin{cases} y = x - 2 \\ x + 2y = 14 \end{cases}$
c) $\begin{cases} 2x + 3y = 30 \\ x + y = 13 \end{cases}$

12. Résous algébriquement les systèmes d'équations suivants.

a) $\begin{cases} y = 3x - 12 \\ y = 7x - 25 \end{cases}$
c) $\begin{cases} y = 3x + 1 \\ 4x - y = 2 \end{cases}$
e) $\begin{cases} 12x + 7y = 78 \\ 5x + 10y = 63 \end{cases}$

b) $\begin{cases} y = 2x - 7 \\ 2y = 2x - 5 \end{cases}$
d) $\begin{cases} x - 5y = 19 \\ 3x + y = 9 \end{cases}$
f) $\begin{cases} 4x - 2y = 7 \\ 9x - 6y = 8 \end{cases}$

13. Samuel a essayé de résoudre le système d'équations ci-dessous, mais il n'y est pas arrivé.

a) Quelle méthode Samuel a-t-il utilisée pour résoudre le système d'équations? A-t-il fait une erreur?

b) Quel est l'ensemble-solution de ce système d'équations?

c) Que peux-tu dire au sujet des deux droites associées aux équations de ce système?

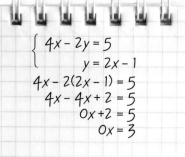

$\begin{cases} 4x - 2y = 5 \\ y = 2x - 1 \end{cases}$
$4x - 2(2x - 1) = 5$
$4x - 4x + 2 = 5$
$0x + 2 = 5$
$0x = 3$

14. Dans chaque cas, détermine les coordonnées du point de rencontre des deux droites représentées ci-dessous à l'aide d'une méthode de résolution algébrique.

a)

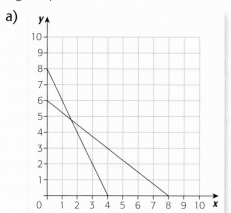

b)

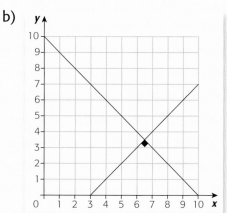

Le polygone de contraintes

Prendre de l'assurance  CD 1

Zoé est étudiante en administration. Elle effectue un stage dans la division des ressources humaines d'une compagnie d'assurance. Son premier mandat consiste à déterminer le nombre de conseillers et d'agents de bureau qui ont travaillé pour la compagnie au cours d'une même période. Cette importante donnée permettra à la division de toujours disposer, à l'avenir, du personnel nécessaire.

En faisant ses recherches, Zoé constate :

- qu'il y a toujours eu au moins 20 conseillers et 8 agents de bureau ;

- qu'il n'y a jamais eu plus de 60 employés occupant au même moment les postes de conseillers et d'agents de bureau.

Comme Zoé, détermine le nombre maximal d'agents de bureau ayant travaillé pour la compagnie au cours d'une même période. Qu'en est-il du nombre maximal de conseillers ?

> **Orientation et entrepreneuriat**
>
> Les compagnies d'assurance proposent plusieurs produits, qu'on peut regrouper en deux grands types : l'assurance de personnes, comme l'assurance vie ou l'assurance invalidité, et l'assurance de biens, comme l'assurance automobile ou habitation. La personne assurée paie des cotisations à la compagnie d'assurance en fonction des produits qu'elle désire. Ce sont les conseillers en assurance qui se chargent de proposer les produits, mais plusieurs autres types d'emplois sont liés à ce domaine : programmeurs-analystes, actuaires, agents de bureau, avocats et comptables, par exemple.
>
> Selon toi, quelles sont les diverses tâches que doivent accomplir les employés d'une compagnie d'assurance, mis à part le travail des conseillers ?

- **Système d'inéquations**
- **Représentation graphique d'une situation**
- **Contraintes d'un problème**

Fera-t-il plus chaud demain ?

Le réchauffement de la planète est un sujet qui fait souvent les manchettes. Depuis quelques années, les recherches scientifiques s'intensifient et les rencontres politiques visant à élaborer des plans d'action se multiplient.

Une équipe de chercheurs a la difficile tâche de déterminer les véritables effets du réchauffement de la planète. Voici deux extraits de son rapport d'étude qui concerne les émissions de dioxyde de carbone, le gaz responsable de l'effet de serre.

1er extrait

> La concentration moyenne en dioxyde de carbone (CO_2) dans 25 ans devrait avoir augmenté d'au moins 150 parties par million (ppm) par rapport à la concentration moyenne calculée cette année.

2e extrait

> La concentration moyenne de CO_2 dans 25 ans devrait, au plus, avoir doublé par rapport à ce qu'elle est aujourd'hui.

A Au moment de l'étude, la concentration moyenne de CO_2 est de 350 ppm. Selon le premier extrait, cette concentration pourrait atteindre 500 ppm ou même 800 ppm 25 ans plus tard. En te basant sur le deuxième extrait, donne des exemples de concentrations moyennes de CO_2 qui pourraient être mesurées 25 ans après l'étude.

B Si x représente la concentration moyenne de CO_2, en parties par million, au moment de l'étude et y, celle qui pourrait être mesurée 25 ans plus tard, quelles inéquations traduisent chacune des prévisions de l'étude ?

C Dans un même plan cartésien, trace le demi-plan associé à chacune des inéquations établies en **B**.

D Indique si les couples suivants vérifient une des inéquations, les deux inéquations ou aucune des inéquations établies en **B**.

1) (150, 550)   **2)** (375, 400)   **3)** (200, 380)   **4)** (432, 575)

La résolution du **système d'inéquations** que tu as trouvé en **B** permet de déterminer les concentrations moyennes de CO_2 qui pourraient avoir été mesurées au moment de l'étude et celles qui pourraient être observées 25 ans plus tard.

E Selon la représentation graphique que tu as faite en **C**, indique la région du plan cartésien correspondant à l'**ensemble-solution** de ce système.

F Identifie trois autres points différents de ceux présentés en **D** qui font partie de la **région-solution**.

Dans leur rapport, les chercheurs expliquent aussi les répercussions de l'activité humaine sur la température moyenne de la Terre. Ils prévoient que, dans 25 ans, la température moyenne planétaire aura augmenté d'au moins 0,5 °C. Toutefois, cette température n'augmentera pas de plus de 2 °C.

G Traduis ces prévisions par un système d'inéquations en définissant clairement les deux variables utilisées.

H Représente graphiquement l'ensemble-solution du système établi en **G**.

I Nomme un couple qui fait partie de cet ensemble-solution et explique sa signification.

> ### Orientation et entrepreneuriat
>
> Il est aujourd'hui admis que l'activité humaine sous toutes ses formes a des répercussions sur l'environnement. Cette prise de conscience environnementale s'est amplifiée au cours des dernières années alors que des mesures collectives ont été prises pour réduire les sources de pollution. Plusieurs emplois «verts», notamment dans le secteur des énergies renouvelables, ont ainsi été créés pour répondre à cette nouvelle réalité.
>
> Outre le secteur de l'énergie, dans quels domaines les emplois «verts» ont-ils été créés? Énumère quelques-uns de ces emplois.

> **Système d'inéquations**
> Ensemble d'inéquations qui doivent être vérifiées simultanément.

> **Ensemble-solution d'un système d'inéquations à deux variables**
> Ensemble formé de tous les couples dont les composantes vérifient chacune des inéquations du système.

> **Région-solution**
> Représentation graphique de l'ensemble-solution.

Ai-je bien compris?

1. **a)** Sachant que x représente l'âge actuel de Julie et y, l'âge actuel de Francis, traduis chacun des énoncés suivants par une inéquation.

   1) Julie est plus jeune que Francis.

   2) La somme de leur âge est supérieure ou égale à 25 ans.

   3) La différence d'âge entre Francis et Julie n'atteint pas 5 ans.

   4) Il y a 10 ans, Francis avait au moins le double de l'âge de Julie.

   b) En tenant compte de tous les énoncés précédents, quel pourrait être l'âge actuel de Julie et de Francis? Donne au moins deux exemples de réponse pour chacun.

2. La somme de deux nombres est inférieure ou égale à 12. Leur différence est de 3 ou plus.

   a) Quel système d'inéquations traduit cette situation?

   b) Représente graphiquement l'ensemble-solution de ce système.

Polygone de contraintes

La création sous contraintes

Une entreprise a commandé une œuvre à une artiste peintre. Cette œuvre ornera le hall d'entrée du siège social de l'entreprise. La toile doit être rectangulaire et ses dimensions doivent respecter les contraintes suivantes.

— La longueur de la toile, à l'intérieur du cadre, doit être supérieure ou égale à sa largeur, sans toutefois dépasser le double de cette largeur.

— La largeur de la toile, à l'intérieur du cadre, doit être d'au moins 1,5 m.

Ces deux contraintes sont traduites par le système d'inéquations suivant, où chaque inéquation correspond à une contrainte.

$$\begin{cases} x \geq y \\ x \leq 2y \\ y \geq 1,5 \end{cases}$$

Contraintes de positivité

Contraintes indiquant que les variables représentées par x et y ne peuvent prendre que des valeurs positives, c'est-à-dire $x \geq 0$ et $y \geq 0$.

A Que représentent les variables x et y dans ce système d'inéquations ?

B En tenant compte des **contraintes de positivité**, représente graphiquement ce système d'inéquations. Mets en évidence la région-solution en traçant clairement ses limites.

C Que peux-tu dire de la forme de la région-solution ? Cet ensemble de points est-il borné ?

Dans un plan cartésien, un ensemble de points est borné si on peut l'inclure complètement à l'intérieur d'un disque.

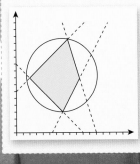

L'entreprise ajoute de nouvelles contraintes.

> — La longueur de la toile doit être d'au plus 3,5 m.
>
> — L'encadrement nécessite que le contour de la toile mesure 12 m ou moins.

D Quelles inéquations faut-il ajouter au système d'inéquations précédent pour tenir compte de ces deux nouvelles contraintes?

E Représente graphiquement l'ensemble-solution du nouveau système d'inéquations obtenu après l'ajout des deux nouvelles contraintes. Mets en évidence la région-solution en traçant clairement ses limites.

F En quoi cette région-solution est-elle différente de celle tracée en **B**?

G En choisissant trois points à l'intérieur du **polygone de contraintes** tracé en **E**, indique trois dimensions que pourrait avoir la toile.

H Quelle largeur maximale pourrait avoir la toile?

Polygone de contraintes

Région-solution d'un système d'inéquations du premier degré à deux variables. Cette région-solution peut être un ensemble borné ou non borné.

Ai-je bien compris?

Voici trois systèmes d'inéquations.

① $\begin{cases} x \geq 0 \\ y \geq 2 \\ y \geq 9 - 2x \\ y \leq 2x + 1 \end{cases}$
② $\begin{cases} x \geq 0 \\ 4y \geq 5x \\ x + y \leq 12 \\ 4x + y \leq 24 \end{cases}$
③ $\begin{cases} x > 6 \\ y \leq 20 \\ y \geq 0,5x + 8 \\ y + 25 \geq 3x \end{cases}$

Pour chacun de ces systèmes d'inéquations:

a) trace le polygone de contraintes qui y est associé en identifiant clairement les limites de la région-solution;

b) détermine, si elles existent, la valeur minimale et la valeur maximale que peut prendre la variable x dans ce polygone de contraintes.

Une description précise

Judith a tracé le polygone de contraintes associé au système d'inéquations suivant.

Coordonnées des sommets du polygone de contraintes

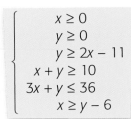

$$\begin{cases} x \geq 0 \\ y \geq 0 \\ y \geq 2x - 11 \\ x + y \geq 10 \\ 3x + y \leq 36 \\ x \geq y - 6 \end{cases}$$

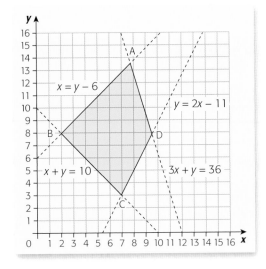

Le résultat est le polygone **ABCD**.

Judith veut déterminer les coordonnées exactes des sommets de ce polygone.

A Pour aider Judith dans sa tâche, reproduis et complète le tableau suivant.

	Sommet **A**	Sommet **B**	Sommet **C**	Sommet **D**
Les droites qui se croisent à ce sommet	AB et AD			
Le système d'équations associé				

B Détermine les coordonnées exactes du sommet **A** en résolvant le système d'équations qui lui est associé. Pour ce faire, utilise la méthode qui te paraît la plus appropriée.

C Détermine les coordonnées des sommets **B**, **C** et **D** du polygone.

Ai-je bien compris?

Dans le premier quadrant d'un plan cartésien, trace le polygone de contraintes associé au système d'inéquations ci-contre. Ensuite, détermine les coordonnées des sommets de ce polygone.

$$\begin{cases} y \leq 4x - 10 \\ 3y \geq 2x \\ 2x - 3y + 120 \geq 0 \\ x + y \leq 100 \end{cases}$$

Faire le point

Les systèmes d'inéquations du premier degré à deux variables

Un système d'inéquations est un ensemble d'inéquations qui doivent être vérifiées simultanément. Certaines situations peuvent se traduire par un système d'inéquations du premier degré à deux variables. Dans ce cas, l'ensemble-solution est formé des couples dont les composantes vérifient simultanément toutes les inéquations du système.

Exemple :

La somme de deux nombres est inférieure à 8. L'un des nombres est supérieur à l'autre d'au moins 3. La variable x représente le plus grand de ces deux nombres et la variable y, le plus petit.

On peut traduire cette situation par le système d'inéquations suivant.

$$\begin{cases} x + y < 8 \\ x \geq y + 3 \end{cases}$$

Le couple (5, 2) fait partie de l'ensemble-solution, car $5 + 2 < 8$ et $5 \geq 2 + 3$.

Si l'on cherche des nombres naturels, alors l'ensemble-solution contient exactement neuf couples : {(3, 0), (4, 0), (4, 1), (5, 0), (5, 1), (5, 2), (6, 0), (6, 1), (7, 0)}.

Toutefois, si l'on cherche des nombres qui peuvent prendre toutes les valeurs des nombres réels, alors l'ensemble-solution contient une infinité de couples.

La représentation graphique d'un système d'inéquations

Pour résoudre un système d'inéquations du premier degré à deux variables, il faut représenter graphiquement le système d'inéquations dans un plan cartésien en superposant les demi-plans associés à chacune des inéquations. L'intersection des demi-plans est la région-solution.

Exemple :

Voici la représentation graphique du système d'inéquations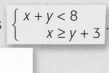

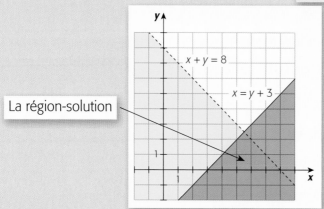

La région-solution

Pièges et astuces

Pour mettre en évidence la région-solution d'un système d'inéquations, il faut représenter uniquement les points qui en font partie.

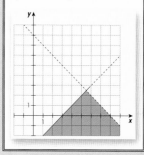

Les contraintes d'un problème

Une contrainte est implicite si elle n'est pas exprimée clairement ou explicitement par un énoncé. Elle doit alors être déduite à partir de l'information fournie.

Un problème mathématique peut contenir plusieurs contraintes. Chacune d'elles correspond à une inéquation. Il est possible que certaines contraintes soient implicites, comme c'est le cas quand les variables ne prennent que des valeurs positives à cause du contexte (contraintes de positivité).

Exemple : Christiane veut repeindre un mur de sa chambre en vert. Pour ce faire, elle a 2,5 L de peinture jaune et 3 L de peinture bleue. Dans son mélange, Christiane veut qu'il y ait plus de jaune que de bleu, mais le rapport du jaune au bleu ne doit pas dépasser 2. Elle estime qu'elle a besoin d'au moins 2 L de peinture. Quelle quantité de peinture de chaque couleur Christiane doit-elle mélanger ?

Cette situation peut être traduite par le système d'inéquations suivant, où x représente la quantité de peinture jaune, en litres, et la variable y, la quantité de peinture bleue, en litres.

$$
\begin{cases}
x \geq 0 \,;\, y \geq 0 & \rightarrow \text{Contraintes de positivité} \\
x \leq 2,5 \,;\, y \leq 3 & \rightarrow \text{Christiane a 2,5 L de peinture jaune et 3 L de peinture bleue.} \\
x > y & \rightarrow \text{Christiane veut qu'il y ait plus de jaune que de bleu.} \\
\dfrac{x}{y} \leq 2 & \rightarrow \text{Le rapport du jaune au bleu ne doit pas dépasser 2.} \\
x + y \geq 2 & \rightarrow \text{Christiane a besoin d'au moins 2 L de peinture.}
\end{cases}
$$

Remarque : Afin de résoudre le problème, il faut déterminer l'ensemble-solution de ce système d'inéquations.

Le polygone de contraintes

En optimisation, la région-solution d'un système d'inéquations du premier degré à deux variables est appelée un «polygone de contraintes». Il s'agit plus spécifiquement d'un ensemble de points qui peut être borné ou non.

Exemples :

1) Le polygone de contraintes associé à la situation de Christiane est un ensemble borné.

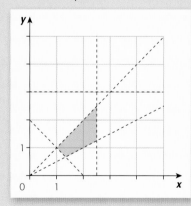

2) Ce polygone de contraintes n'est plus borné si l'on retire du système d'inéquations les contraintes liées à la quantité de peinture disponible ($x \leq 2,5 \,;\, y \leq 3$).

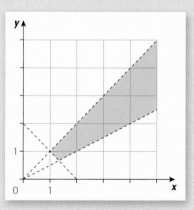

Pour déterminer algébriquement les coordonnées d'un sommet d'un polygone de contraintes, on identifie les deux droites qui se croisent à ce sommet, puis on résout le système d'équations associé à ces droites.

Mise en pratique

1. Stéphanie et Marc-André travaillent tous les deux sur un plateau de cinéma. Sachant que *x* représente le nombre d'heures travaillées le mois dernier par Stéphanie, à 20 $ l'heure, et que *y* représente le nombre d'heures travaillées le mois dernier par Marc-André, à 25 $ l'heure, traduis les énoncés suivants par des inéquations.

   a) Stéphanie a travaillé plus de 100 heures.

   b) Marc-André a travaillé au plus 120 heures.

   c) Stéphanie a travaillé autant ou plus d'heures que Marc-André.

   d) Stéphanie et Marc-André ont gagné, ensemble, au moins 3 000 $.

   e) Marc-André n'a pas gagné moins de 1 500 $.

   f) Stéphanie a gagné au moins 300 $ de plus que Marc-André.

2. Chantal et Karine sont les deux seules candidates à s'être présentées pour représenter la 3e année du 2e cycle au conseil étudiant de leur école. Sachant que *x* représente le nombre de votes obtenus par Chantal et que *y* représente le nombre de votes obtenus par Karine, traduis les énoncés suivants par des inéquations.

   a) Chantal a obtenu au minimum 40 votes.

   b) Karine a obtenu moins de 75 votes.

   c) Les 120 élèves de la 3e année du 2e cycle auraient pu voter, mais tous ne l'ont pas fait.

   d) Karine a remporté les élections par au moins 20 votes de plus que Chantal.

   e) Le nombre de votes obtenus par Karine représente plus d'une fois et demie le nombre de votes obtenus par Chantal.

   f) Chantal est déçue, car elle n'a pas atteint son objectif qui était d'obtenir plus de 40 % des votes.

3. Un site Internet permet de créer un réseau d'amis. Sachant que *x* représente le nombre d'amis du réseau de Peter et que *y* représente le nombre d'amis du réseau de Sophie, exprime dans tes mots ce que signifie chacune des inéquations suivantes.

   a) $x \geq y$ b) $x < 2y$ c) $x + y \leq 400$ d) $x - y > 100$

Pièges et astuces

Pour traduire un énoncé par une inéquation, on ne doit pas se fier uniquement aux mots clés qu'il contient, par exemple «moins» et «plus». Il faut avant tout chercher à bien comprendre le sens de l'énoncé. Remplacer les variables par des nombres est une bonne stratégie pour comprendre un énoncé.

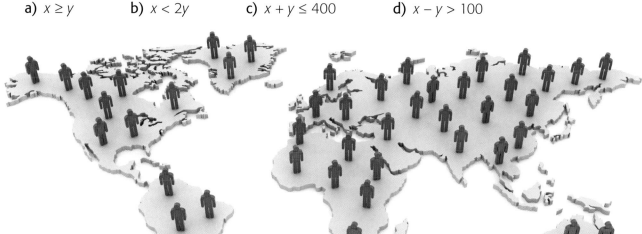

4. Représente graphiquement l'ensemble-solution de chacun des systèmes d'inéquations suivants.

a) $\begin{cases} x \geq 3 \\ y \leq 2x + 1 \end{cases}$
b) $\begin{cases} y \geq {}^-x + 5 \\ y \leq 10 - x \end{cases}$
c) $\begin{cases} y < 2x - 6 \\ 3x + 2y \geq 0 \end{cases}$
d) $\begin{cases} x + 2y < 10 \\ y > {}^-2x + 12 \end{cases}$

5. Les droites d'équations $y = x + 2$ et $y = {}^-2x + 8$ partagent le plan cartésien ci-contre en quatre régions identifiées par les lettres **A**, **B**, **C** et **D**. Détermine le système d'inéquations dont l'ensemble-solution correspond à chacune de ces régions (en incluant les limites de ces dernières).

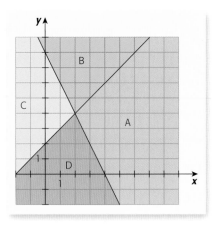

6. Voici trois représentations graphiques comportant les mêmes droites comme limites des demi-plans.

①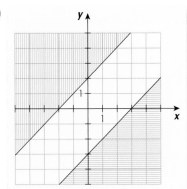

③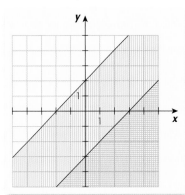

②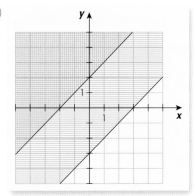

Détermine le système d'inéquations associé à chacune de ces représentations graphiques.

7. Trace le polygone de contraintes associé à chacun des systèmes d'inéquations suivants. Ensuite, détermine les coordonnées des sommets de chacun des polygones.

a) $\begin{cases} y \leq x + 12 \\ y \leq 2x \\ 2x + y \geq 30 \end{cases}$
b) $\begin{cases} x \geq 0 \\ y \geq 0 \\ 3x + 2y \leq 42 \\ y \geq 2x - 7 \end{cases}$
c) $\begin{cases} x \geq 0 \\ y \geq x \\ x - y + 5 \geq 0 \\ 3x + y - 30 \geq 0 \end{cases}$

8. À partir de la représentation graphique ci-dessous, détermine le système d'inéquations associé à la région :

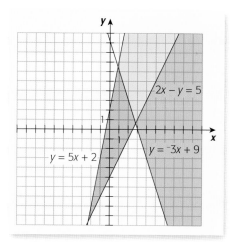

a) orange ;

b) verte ;

c) jaune.

9. Parmi les systèmes d'inéquations ci-dessous, détermine ceux pour lesquels le point (8, 2) fait partie de l'ensemble-solution.

① $\begin{cases} x \leq 12 \\ 2x - y \geq {}^-3 \\ 4x + y > 34 \end{cases}$

③ $\begin{cases} 4y \geq x \\ y \leq \frac{3}{2}x + 4 \\ x - 3y > {}^-18 \end{cases}$

② $\begin{cases} y > {}^-8 \\ 2y - x \geq {}^-4 \\ y \leq \frac{x}{2} \end{cases}$

④ $\begin{cases} x + y \geq 9 \\ x - 5y < 4 \\ y \geq 0{,}5x \end{cases}$

10. Détermine lesquels de ces systèmes d'inéquations ont le même ensemble-solution.

① $\begin{cases} x - 2y + 6 \geq 0 \\ y \geq {}^-3x + 5 \\ y \geq \frac{1}{2}x - 2 \end{cases}$

③ $\begin{cases} 3x - 6y \leq 12 \\ {}^-3x - y \leq {}^-5 \\ {}^-6 \leq x - 2y \end{cases}$

② $\begin{cases} y \leq \frac{1}{2}x + 3 \\ 0{,}5x - y - 2 > 0 \\ y \geq \frac{x}{2} - 2 \end{cases}$

④ $\begin{cases} x - 2y - 4 \leq 0 \\ y \leq \frac{1}{2}x + 3 \\ 3x + y \geq 5 \end{cases}$

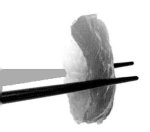

11. À partir des droites du graphique suivant, détermine un système d'inéquations formé de deux ou trois inéquations dont l'ensemble-solution est :

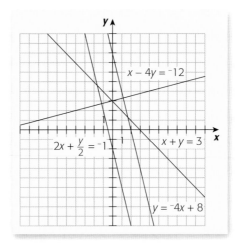

L'ensemble vide ({∅} ou { }) est un ensemble qui ne contient aucun élément.

a) vide ;

b) un demi-plan ;

c) compris entre deux droites parallèles.

12. Dans chacun des systèmes d'inéquations suivants, détermine laquelle des contraintes n'est pas nécessaire pour trouver l'ensemble-solution.

a)
$$\begin{cases} x \geq 0 \\ x > 8 \\ 2x - 4y \geq 54 \end{cases}$$

b)
$$\begin{cases} 2x + y \geq 7 \\ x - 2y \geq 7 \\ y > {}^-2x + 4 \end{cases}$$

c)
$$\begin{cases} 4x + 6y \leq 3 \\ 4x - y < 6 \\ y \geq 4x + 6 \end{cases}$$

13. À partir des trois équations ci-dessous, détermine un système d'inéquations dont l'ensemble-solution :

$$y = {}^-3x - 4$$

$$x - 2y + 4 = 0$$

$$2x - y = 7$$

a) n'admet aucune solution ;

b) contient les points **A**(0, 1) et **B**(6, 5) ;

c) contient le point **A**(0, 1), mais pas le point **B**(6, 5).

14. Détermine 12 couples dont les coordonnées sont entières et qui font partie de l'ensemble-solution du système d'inéquations suivant.

$$\begin{cases} y < x \\ x + y \leq 4 \\ x - 5y \leq 2 \end{cases}$$

15. Associe chaque système d'inéquations avec le polygone de contraintes approprié.

a) $\begin{cases} x \geq 0 \\ y \geq 3 \\ y \leq \dfrac{^-x}{3} + 6 \\ y \geq 2x - 1 \end{cases}$

b) $\begin{cases} x \geq 0 \\ y \leq 3 \\ y \geq 2x - 1 \end{cases}$

c) $\begin{cases} y \geq 3 \\ y \leq 2x - 1 \\ y \leq \dfrac{^-x}{3} + 6 \end{cases}$

d) $\begin{cases} x \geq 0 \\ y \leq 3 \\ y \leq \dfrac{^-x}{3} + 6 \\ y \leq 2x - 1 \end{cases}$

①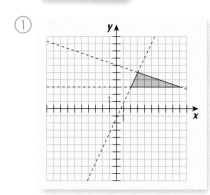

③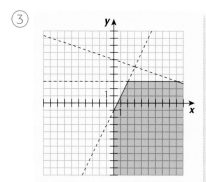

②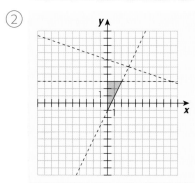

④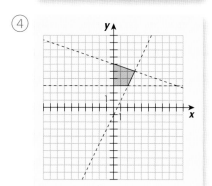

16. Pour chaque système d'inéquations, trace le polygone de contraintes qui lui est associé.

a) $\begin{cases} y < 2x + 4 \\ \dfrac{2}{5}x + y > 3 \\ 2x - y \leq 2 \end{cases}$

b) $\begin{cases} 3x + y \leq 2 \\ y \leq 4x + 9 \\ 3x - 4y - 8 \geq 0 \end{cases}$

c) $\begin{cases} 4x - 2y \leq 10 \\ x - 3y \leq {}^-9 \\ y \leq 9x + 22 \end{cases}$

17. Pour chaque polygone de contraintes, détermine le système d'inéquations qui lui est associé.

a)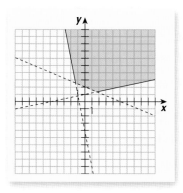

b)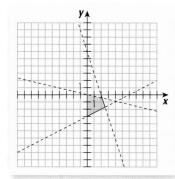

c)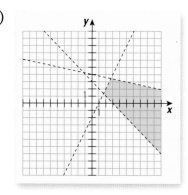

18. Détermine les coordonnées des sommets des polygones de contraintes suivants.

a)

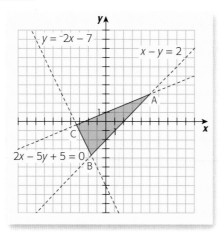

b)

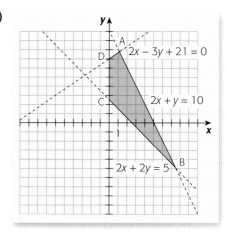

19. Pour chaque polygone de contraintes, détermine les coordonnées des sommets. Trouve ensuite quels sommets font partie de l'ensemble-solution.

a)

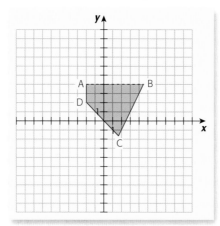

b)

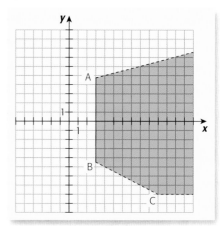

20. Détermine si les polygones de contraintes associés aux systèmes d'inéquations suivants sont bornés.

a) $\begin{cases} x \geq 0 \\ y \geq 0 \\ x + y \leq 8 \\ x + y \geq 3 \end{cases}$

b) $\begin{cases} x > 2 \\ x + y > 5 \\ 2x - y + 1 \geq 0 \\ x - 2y \leq 5 \end{cases}$

c) $\begin{cases} x \geq 6 \\ y \geq {}^-4 \\ y < 0,5x + 3 \end{cases}$

21. Soit les quatre situations suivantes.

① Une circulaire d'épicerie annonce la vente de raisins à 4 $ le kilogramme et de limes à 2 $ le kilogramme. Une cliente ou un client qui achète au plus 3 kg de ces fruits paye au maximum 8 $.

② Rodrigue fait son bilan financier. Il calcule son actif, soit la valeur de ses biens, de ses placements et autres crédits, puis son passif, soit l'ensemble de ses dettes. L'actif de Rodrigue s'élève à au moins le double de son passif. Son avoir, c'est-à-dire son actif moins son passif, est inférieur à 10 000 $.

③ Laurence veut acheter 5 stylos et 10 crayons de bois à la coopérative de son école. Le prix d'un stylo est au moins quatre fois plus élevé que le prix d'un crayon. Elle constate que les 10 $ qu'elle a en poche suffiront à payer les stylos et les crayons.

④ Le périmètre d'un triangle isocèle est, au minimum, de 30 cm. La mesure de chacun des côtés isométriques est supérieure ou égale à celle de la base.

Pour chacune de ces situations :

a) définis les deux variables en jeu ;

b) traduis les contraintes par un système d'inéquations ;

c) représente graphiquement l'ensemble-solution.

22. Voici deux captures d'écran d'une calculatrice à affichage graphique qu'Anaïs a obtenues en cherchant à résoudre un système d'inéquations.

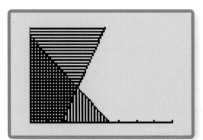 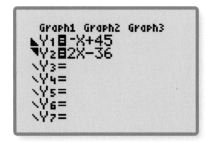

a) Si x et y sont nécessairement positifs, de quel système d'inéquations s'agit-il ?

b) Trace le polygone de contraintes associé à ce système d'inéquations et détermine les coordonnées de ses sommets.

c) Le couple (25, 20) est-il une solution de ce système d'inéquations ? Justifie ta réponse de deux façons différentes.

TIC

La calculatrice à affichage graphique permet de représenter des inéquations dans lesquelles la variable y a été isolée. Pour en savoir plus, consulte les pages 361 et 362 de ce manuel.

23. Les contraintes d'une situation sont représentées par le polygone de contraintes ci-contre. Combien de sommets de ce polygone font partie de la région-solution? Justifie ta réponse.

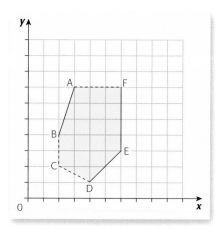

TIC

Il existe des logiciels qui permettent de tracer des polygones de contraintes associés à des systèmes d'inéquations. Pour en savoir plus, consulte les pages 363 à 365 de ce manuel.

24. Gloria et Eugen ont découvert dans Internet deux méthodes pour représenter graphiquement l'ensemble-solution du système d'inéquations ci-contre.

$$\begin{cases} x \geq 4 \\ 2y \geq x \\ 2y \leq x + 16 \\ 3x \leq y + 24 \\ x + y \leq 28 \end{cases}$$

Voici le résultat de leur démarche respective.

La méthode de Gloria

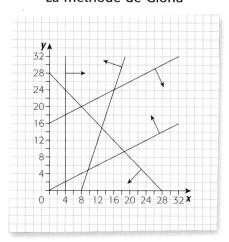

La méthode d'Eugen

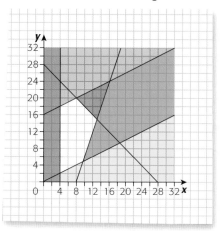

a) Que signifient les flèches que Gloria a tracées sur son plan cartésien?

b) Reproduis la représentation graphique de Gloria. Ensuite, mets en évidence la région-solution du système d'inéquations.

c) Eugen affirme qu'il a utilisé une méthode d'élimination pour représenter graphiquement le système d'inéquations. Explique comment il a procédé.

d) À l'aide de l'une ou l'autre des méthodes utilisées par Gloria et Eugen, représente graphiquement l'ensemble-solution du système d'inéquations ci-contre.

$$\begin{cases} y \leq 20 \\ y \geq x \\ y \leq 2x \\ x + 2y \geq 30 \\ 5x + 8y \leq 200 \end{cases}$$

e) Selon toi, quels sont les avantages et les inconvénients de l'utilisation de l'une ou l'autre de ces méthodes par rapport à d'autres façons de procéder?

25. Au cinéma, Christina a dû faire la file pendant au moins 10 minutes avant de pouvoir acheter un billet. William, qui est arrivé avant Christina, a attendu au moins 5 minutes de plus qu'elle. Cependant, aucun des deux n'a attendu plus de 20 minutes.

a) Traduis cette situation par un système d'inéquations.

b) Trace le polygone de contraintes associé à ce système d'inéquations.

c) Donne un exemple possible du temps d'attente de Christina et de William.

26. Patricia est agente de voyages. Elle gagne 12 $ l'heure et reçoit une commission de 1 % sur les ventes qu'elle effectue. Cette semaine, elle a travaillé de 30 à 40 heures. Le montant total de ses ventes est d'au moins 50 000 $. Le revenu de Patricia pour cette semaine, en incluant son salaire horaire et sa commission, n'a pas dépassé 900 $. Soit x, le temps, en heures, travaillé par Patricia, et y, la valeur totale de ses ventes en milliers de dollars.

a) Quel montant d'argent Patricia reçoit-elle en commission pour chaque millier de dollars de ventes?

b) À l'aide des données du problème et de ta réponse en **a**, traduis cette situation par un système d'inéquations.

c) Trace le polygone de contraintes associé à ce système d'inéquations.

d) Quelle a été, au maximum, la valeur totale des ventes de Patricia cette semaine?

27. Nicolas commente sa participation à un triathlon dans une entrevue accordée à une station de radio.

Je devais d'abord nager sur une distance de 1 km, puis franchir 20 km à vélo et finalement courir 5 km.

J'ai nagé pendant 16 minutes et 30 secondes.

Je ne me rappelle plus exactement le temps qu'il m'a fallu pour faire les 20 km à vélo et les 5 km à la course à pied.

Je sais cependant que ma vitesse moyenne à vélo était inférieure ou égale à 40 km/h et que le temps pendant lequel j'ai couru équivaut à au moins la moitié du temps pendant lequel j'ai roulé à vélo.

Mon temps de course à pied n'a toutefois pas dépassé 20 minutes.

Enfin, j'ai consacré plus de temps au vélo qu'à la nage et à la course mises ensemble.

a) Traduis cette situation par un système d'inéquations afin de déterminer les temps réalisés par Nicolas à vélo et à la course à pied.

b) Trace le polygone de contraintes associé au système d'inéquations trouvé en **a**.

c) Repère un point qui pourrait représenter le résultat de Nicolas. Selon les coordonnées de ce point, en combien de temps Nicolas a-t-il réalisé le triathlon?

On peut calculer la vitesse moyenne en divisant la distance parcourue par le temps mis à la parcourir.

28. L'article suivant a été publié dans un journal local.

> ### De nouveaux agents de la faune
>
> Hier, à l'école de la Faune, plus de vingt nouveaux agents de la faune ont reçu leur diplôme après une formation intensive de six mois. Parmi les diplômés, il y avait moins de cinq femmes. Le directeur de l'établissement a tenu à souligner que ces femmes représentent au moins 20 % du nombre d'hommes du groupe, ce qui est une nette augmentation par rapport à l'année dernière.

a) Traduis par un système d'inéquations la relation entre le nombre de femmes et d'hommes diplômés.

b) Sachant que les variables ne peuvent prendre que des valeurs entières positives dans cette situation, décris l'ensemble-solution de ce système d'inéquations.

c) Une lectrice qui a lu cet article de journal suppose qu'il y a en tout 24 diplômés, soit 20 hommes et 4 femmes. Quelle est la probabilité qu'elle ait raison?

29. Un groupe de 32 hommes et de 15 femmes doit prendre un ascenseur dans lequel on peut lire l'inscription ci-contre. Sachant qu'en moyenne les hommes pèsent 90 kg chacun et les femmes, 50 kg chacune:

a) traduis cette situation par un système d'inéquations et trace le polygone de contraintes qui y est associé;

b) détermine s'il est possible de transporter toutes ces personnes en utilisant seulement trois fois l'ascenseur.

CAPACITÉ MAXIMALE

16 personnes
1 150 kg

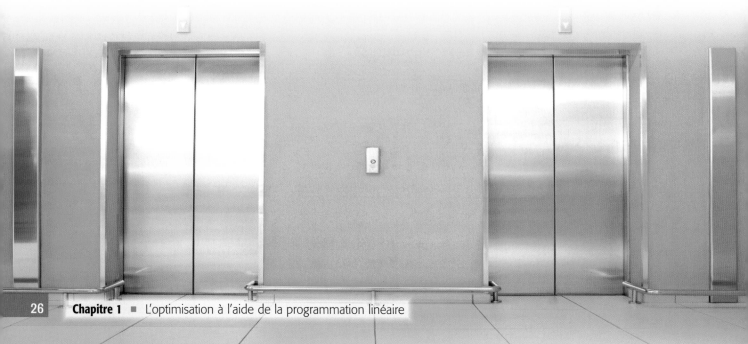

La recherche de la solution optimale

Une jeune entreprise  CD 1

Un groupe d'élèves d'une école secondaire fonde une entreprise dans le cadre d'un programme d'initiation au monde des affaires. L'entreprise a pour mission de recycler des affiches électorales en plastique pour fabriquer des nichoirs et des mangeoires d'oiseaux.

Les élèves doivent planifier le nombre de nichoirs et de mangeoires à produire chaque semaine. Pour ce faire, ils tiennent compte, en tout temps, du fait que :

- fabriquer un nichoir demande 1 heure de travail et nécessite 0,4 m² de plastique ;

- fabriquer une mangeoire demande 40 minutes de travail et nécessite 0,2 m² de plastique ;

- l'ensemble de la main-d'œuvre est disponible pour un total de 32 heures par semaine ;

- le profit réalisé est de 10 $ pour la vente d'un nichoir et de 6 $ pour la vente d'une mangeoire.

Les élèves savent qu'ils doivent ajuster ponctuellement la production des nichoirs et des mangeoires en fonction de la quantité de plastique disponible et des commandes passées à l'entreprise.

Le groupe te désigne comme responsable de la production. C'est donc à toi que revient la tâche de déterminer chaque semaine le nombre de nichoirs et de mangeoires à produire. Cette semaine, le plastique disponible provient de 15 affiches de 0,6 m sur 1,2 m et il faut produire au moins 6 nichoirs et 18 mangeoires pour satisfaire à la demande.

Détermine le nombre de nichoirs et de mangeoires d'oiseaux que l'atelier doit produire pendant la semaine pour que le profit de l'entreprise soit maximal. Justifie ta réponse.

Fait divers

Chaque année, l'organisation Jeunes Entreprises du Québec initie près de 2 000 élèves du secondaire au monde des affaires en les aidant à fonder leur propre entreprise.

Orientation et entrepreneuriat

La production et le marketing sont deux divisions importantes dans une entreprise. La production gère tous les aspects de la fabrication des produits que l'entreprise vend. Le marketing s'assure de bien comprendre le marché pour favoriser la vente des produits fabriqués par l'entreprise.

Connais-tu les différents postes qu'une personne peut occuper au sein d'une entreprise ? Nommes-en au moins trois. Quel poste choisirais-tu d'occuper dans une entreprise ? Justifie ta réponse.

Les mélanges de fruits séchés

Alex confectionne des mélanges de fruits séchés qu'il vend en sachets de 200 g dans les épiceries du quartier. Ces mélanges sont composés de raisins secs, de morceaux de mangues et de morceaux d'ananas. Le tableau suivant présente la composition précise de deux types de mélange qu'Alex confectionne.

Les mélanges de fruits séchés

	Raisin sec	Mangue	Ananas
Régulier	100 g	75 g	25 g
Exotique	50 g	75 g	75 g

Aujourd'hui, Alex confectionne des sachets de mélanges régulier et exotique à partir des 6 kg de raisins secs, des 6 kg de morceaux de mangues et des 4,5 kg de morceaux d'ananas dont il dispose.

Voici le système d'inéquations associé à cette situation.

$$\begin{cases} x \geq 0 \\ y \geq 0 \\ 100x + 50y \leq 6\ 000 \\ 75x + 75y \leq 6\ 000 \\ 25x + 75y \leq 4\ 500 \end{cases}$$

x: le nombre de sachets de mélange régulier confectionnés

y: le nombre de sachets de mélange exotique confectionnés

A Trace le polygone de contraintes associé à ce système d'inéquations.

B Les couples (10, 50), (22, 40), (30, 24), (40, 40) et (52, 18) appartiennent-ils tous à l'ensemble-solution de ce système d'inéquations ? Justifie ta réponse.

Pour déterminer le nombre de sachets de chaque mélange à confectionner, Alex doit par ailleurs tenir compte du fait qu'il réalise un profit de 1,30 $ par sachet de mélange régulier vendu et un profit de 1,90 $ par sachet de mélange exotique vendu.

L'objectif d'Alex est de maximiser son profit.

C Quel profit Alex réalise-t-il s'il vend 20 sachets de mélange régulier et 30 sachets de mélange exotique ?

Il existe une équation qui permet d'exprimer le profit *P* d'Alex en fonction de *x*, le nombre de sachets de mélange régulier vendus et de *y*, le nombre de sachets de mélange exotique vendus.

D Complète l'équation qui décrit la règle de cette **fonction à optimiser**.

$$P = \rule{3cm}{0.6cm}$$

E Détermine la valeur de *P* en fonction des couples retenus en **B**. Lequel de ces couples permet à Alex de réaliser le plus grand profit?

F Trouve un couple de l'ensemble-solution, autre que ceux retenus en **B**, qui permet à Alex de réaliser un profit encore plus important.

> **Fonction à optimiser**
>
> Fonction qui met en relation chaque couple de valeurs (x, y) et une quantité qu'on cherche à maximiser ou à minimiser.

Ai-je bien compris?

1. Dans un marché aux puces, Françoise veut acheter des livres de recettes à 3 $ chacun et des romans à 2,50 $ chacun. Françoise veut payer le moins cher possible, mais elle s'est tout de même imposé certaines contraintes. Ces contraintes sont traduites par le système d'inéquations ci-contre.

$$\begin{cases} x + y \geq 15 \\ x \leq 8 \\ y \leq 2x \end{cases}$$

x : le nombre de livres de recettes achetés

y : le nombre de romans achetés

   a) Qu'est-ce que Françoise cherche à minimiser?

   b) Quelle est la règle de la fonction à optimiser?

   c) Trace le polygone de contraintes associé à ce système d'inéquations.

   d) Les couples (6, 11), (7, 10) et (8, 7) appartiennent-ils tous à l'ensemble-solution de ce système d'inéquations? Détermine le coût associé à chacun de ces couples.

   e) Trouve un autre couple qui respecte les contraintes que Françoise s'est imposées.

2. Dans une situation donnée, l'objectif est de maximiser une quantité et la règle de la fonction à optimiser est $Z = 8 - 0,5x + 1,2y$. Les contraintes de la situation sont traduites par le système d'inéquations ci-contre.

$$\begin{cases} x \leq 20 \\ y \geq 0 \\ y \leq 3x \\ y \leq 0,5x + 8 \end{cases}$$

   a) Détermine la valeur de *Z* pour les couples (16, 15), (12, 14) et (10, 10), qui appartiennent tous à l'ensemble-solution de ce système d'inéquations.

   b) Trace le polygone de contraintes associé à ce système d'inéquations. Ensuite, propose un couple appartenant à l'ensemble-solution qui correspond à une solution plus avantageuse que les solutions correspondant aux couples énumérés en **a**.

Émettre des conjectures

Voici des exemples de modélisation résultant de trois problèmes d'optimisation.

① Une boutique achète et vend des disques compacts usagés.

L'objectif des propriétaires : maximiser leur revenu R, en dollars, exprimé par la règle $R = 8x - 3y$.

x : le nombre de disques compacts vendus

y : le nombre de disques compacts achetés

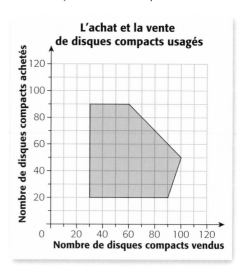

L'achat et la vente de disques compacts usagés

② Une enseignante planifie une sortie éducative pour son groupe de 12 élèves.

L'objectif de l'enseignante : minimiser le coût total C de la sortie, en dollars, exprimé par la règle $C = 12x + y + 30$.

x : le prix d'entrée d'une ou d'un élève

y : le prix d'entrée de l'enseignante

Le coût d'une sortie d'un groupe d'élèves

③ Un entraîneur achète des bouteilles d'eau de deux formats pour les membres de l'équipe de basket-ball.

L'objectif de l'entraîneur : maximiser la quantité d'eau Q, en litres, exprimée par la règle $Q = x + 0{,}5y$.

x : le nombre de bouteilles de 1 L

y : le nombre de bouteilles de 500 mL

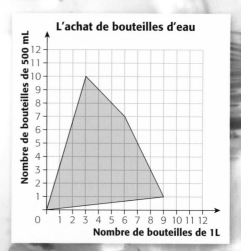

L'achat de bouteilles d'eau

A Pour chacun de ces trois exemples de modélisation :

1) détermine les coordonnées d'un point qui se trouve à l'intérieur du polygone de contraintes et évalue la fonction à optimiser pour les coordonnées de ce point ;

2) détermine les coordonnées d'un point qui se trouve sur un côté du polygone de contraintes et qui correspond à une solution aussi avantageuse ou plus avantageuse que la solution correspondant au point dont les coordonnées ont été déterminées en **1** ;

3) détermine les coordonnées d'un sommet du polygone de contraintes qui correspond à une solution aussi avantageuse ou plus avantageuse que la solution correspondant au point dont les coordonnées ont été déterminées en **2**.

B En poursuivant la démarche entreprise en **A**, détermine les coordonnées d'un point qui, selon toi, correspond à la **solution optimale** permettant d'atteindre l'objectif décrit dans chacun des exemples de modélisation.

> **Solution optimale**
> Couple de l'ensemble-solution qui permet d'atteindre un objectif d'optimisation.

C Qu'observes-tu au sujet du point qui correspond à la solution optimale ? Émets une conjecture quant à l'emplacement de ce point.

D Vrai ou faux ? Justifie ta réponse.

1) La valeur maximale de la fonction à optimiser correspond toujours au point le plus à droite ou le plus haut du polygone de contraintes.

2) La valeur minimale de la fonction à optimiser correspond toujours au point le plus près de l'origine du plan cartésien.

3) Il y a parfois plus d'une solution optimale à un problème d'optimisation.

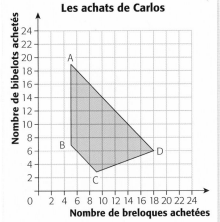

Ai-je bien compris ?

Carlos achète des breloques et des bibelots qu'il vend ensuite à des collectionneurs. Son objectif est de minimiser le coût total C de ses achats, en dollars, exprimé par la règle $C = 0,6x + 0,8y$. Les différentes contraintes qui s'appliquent à cette situation sont traduites par le système d'inéquations et représentées par le polygone de contraintes ci-dessous.

$$\begin{cases} x \geq 5 \\ 12 \leq x + y \leq 24 \\ 3y \geq x \end{cases}$$

x : le nombre de breloques achetées
y : le nombre de bibelots achetés

a) Détermine les coordonnées des sommets du polygone de contraintes.

b) Évalue la fonction à optimiser pour les coordonnées de chaque sommet de ce polygone de contraintes.

c) Combien de breloques et de bibelots Carlos doit-il acheter afin de minimiser le coût total de ses achats tout en satisfaisant aux contraintes ?

Les achats de Carlos

Nombre de bibelots achetés (axe vertical, gradué de 0 à 24)
Nombre de breloques achetées (axe horizontal, gradué de 0 à 24)

Sommets : A, B, C, D

Une balade en voiture

Méthode de la droite baladeuse

La fin de semaine, Cynthia voyage souvent en voiture. Samedi dernier, elle a emprunté des autoroutes, où elle a roulé à 100 km/h, et des routes secondaires, où elle a maintenu une vitesse moyenne de 50 km/h. On s'intéresse à la distance D parcourue par Cynthia, en kilomètres, exprimée par la règle $D = 100x + 50y$. Dans cette règle, x représente le temps passé à rouler sur des autoroutes et y, le temps passé à rouler sur des routes secondaires.

On a modélisé cette situation à l'aide du polygone de contraintes ci-dessous, à partir des renseignements sur les déplacements de Cynthia pour la journée de samedi dernier.

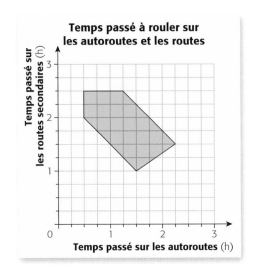

A Reproduis ce polygone de contraintes. Ensuite, ajoutes-y les points de coordonnées $\left(\frac{3}{4}, 2\frac{1}{2}\right)$, $(1, 2)$ et $\left(1\frac{1}{2}, 1\frac{1}{2}\right)$.

B Calcule la valeur de la distance D qui correspond à chacun des points ajoutés en **A**.

C Trace la droite qui passe par les points ajoutés en **A**. Quelle est la pente de cette droite? Quelle est l'équation de cette droite?

D Dans ce même plan cartésien, trace les droites décrites par les équations suivantes.

1) $100x + 50y = 150$ **2)** $100x + 50y = 250$

E Calcule la valeur de la distance D qui correspond à chacun des points ayant servi à tracer les droites en **D**.

F Que remarques-tu au sujet de la position relative des droites tracées en **C** et en **D**?

Imagine que les droites tracées en **C** et en **D** soient remplacées par une seule et même droite qui «se déplace» parallèlement dans le plan cartésien. Il est possible de «déplacer» cette **droite baladeuse** jusqu'aux points limites du polygone de contraintes.

G Quelles sont les coordonnées des points limites du polygone de contraintes touchés par la droite baladeuse? Trace la droite alors qu'elle se trouve à ces points limites et détermine son équation à chacune de ces positions.

H Quelles sont les distances minimale et maximale que Cynthia a pu parcourir samedi dernier?

I Est-il possible que la distance parcourue par Cynthia samedi dernier soit de 350 km? Cynthia a-t-elle pu parcourir seulement 125 km? Justifie tes réponses.

J Combien de temps Cynthia a-t-elle passé à rouler sur des autoroutes et sur des routes secondaires selon les distances minimale et maximale déterminées en **H**?

> **Droite baladeuse**
>
> Droite dont la pente est $\frac{^-a}{b}$ pour la fonction à optimiser dont la règle est $Z = ax + by + c$.

Ai-je bien compris?

Gabrielle prépare le sac à dos qu'elle apportera en vacances. On s'intéresse au volume V occupé par ses vêtements dans le sac à dos, en litres, exprimé par la règle $V = 0,9x + 1,2y$. Dans cette règle, x représente le nombre de chandails et y, le nombre de pantalons. Le polygone de contraintes ci-dessous représente cette situation.

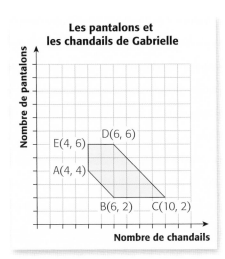

Les pantalons et les chandails de Gabrielle

Nombre de pantalons / Nombre de chandails
E(4, 6) D(6, 6) A(4, 4) B(6, 2) C(10, 2)

a) Reproduis ce polygone de contraintes. Ensuite, trace la droite baladeuse associée à la fonction à optimiser.

b) Trace la droite baladeuse aux points limites du polygone de contraintes qu'elle atteint lorsqu'on la déplace vers le haut ou vers le bas dans le plan cartésien.

c) Quels sont les volumes minimal et maximal que les chandails et les pantalons pourraient occuper dans le sac à dos de Gabrielle?

Rénover au moindre coût

Modification des conditions d'une situation

Karim veut recouvrir le plancher de sa cuisine avec des carreaux de céramique et des carreaux de porcelaine. Les carreaux de céramique coûtent 4 $ chacun et les carreaux de porcelaine, 6 $ chacun.

Karim s'impose certaines contraintes quant au nombre de carreaux à utiliser. Ces contraintes sont traduites par le système d'inéquations ci-contre.

$$\begin{cases} x \geq 30 \\ y \geq 50 \\ x \leq 2y \\ 2x + y \geq 170 \end{cases}$$

x : le nombre de carreaux de céramique
y : le nombre de carreaux de porcelaine

A Trace le polygone de contraintes associé à ce système d'inéquations. Ensuite, détermine le coût minimal du recouvrement du plancher.

Karim veut réduire encore plus le coût minimal du recouvrement du plancher. Pour ce faire, il envisage de retirer l'une des quatre contraintes qu'il s'est imposées.

B Karim réduira-t-il le coût du recouvrement du plancher s'il retire la contrainte traduite par l'inéquation $x \geq 30$? Justifie ta réponse.

C Retire tour à tour chacune des autres contraintes du système d'inéquations. Si un retrait a un effet sur le coût minimal du recouvrement du plancher, calcule ce nouveau coût.

D Quelle contrainte Karim devrait-il retirer du système d'inéquations pour réduire le plus possible le coût du recouvrement du plancher ? Quel est alors le coût minimal du recouvrement du plancher ?

Au moment d'acheter les carreaux, Karim apprend que leur prix a changé. Les carreaux de céramique ne sont plus en rabais à 4 $ chacun, mais à leur prix habituel de 6,50 $ chacun. Les carreaux de porcelaine, quant à eux, sont en rabais à 3,50 $ chacun.

E Le coût minimal du recouvrement du plancher sera-t-il différent de celui trouvé en **D** ? Si oui, calcule ce nouveau coût. Si non, explique pourquoi.

Ai-je bien compris ?

Une entreprise produit deux huiles essentielles, une huile de romarin et une huile de lavande. On s'intéresse au profit P de l'entreprise exprimé par la règle $P = 6x + 4y$. Dans cette règle, x représente la quantité d'huile de romarin, en litres, et y, la quantité d'huile de lavande, en litres. Les contraintes que s'impose l'entreprise pour la production des huiles sont traduites par le système d'inéquations ci-contre.

$$\begin{cases} y \geq 10 \\ x \geq y \\ x + y \leq 100 \\ 4x + 3y \leq 360 \end{cases}$$

a) Quel est le profit maximal que peut réaliser l'entreprise ?

b) Quelle contrainte l'entreprise devrait-elle retirer de ce système d'inéquations pour que son profit soit plus grand que le profit calculé en **a** ?

Faire le point

La fonction à optimiser

Un problème d'optimisation est un problème dans lequel on cherche les valeurs des variables qui maximisent ou minimisent une fonction donnée. La règle de cette fonction à optimiser est $Z = ax + by + c$, où les paramètres a, b et c sont des nombres réels.

La comparaison de solutions

Une fonction à optimiser permet de comparer les couples d'un ensemble-solution et ainsi de déterminer la solution, parmi plusieurs, qui permet d'atteindre un objectif.

Exemple :

Dahlia fabrique des colliers et des bracelets qu'elle vend respectivement 16 $ et 12 $ chacun.

Elle veut maximiser son revenu et se demande s'il serait plus avantageux de fabriquer un collier et cinq bracelets ou quatre colliers et deux bracelets.

Voici les étapes à suivre pour déterminer laquelle des deux solutions permettra à Dahlia d'atteindre son objectif.

Étape	Démarche
1. Déterminer la quantité à optimiser et préciser l'objectif.	L'objectif est de maximiser le revenu R, en dollars, de Dahlia.
2. Définir les variables de la situation.	x : le nombre de colliers fabriqués y : le nombre de bracelets fabriqués
3. Déterminer la règle de la fonction à optimiser.	La règle de la fonction à optimiser est $R = 16x + 12y$.
4. Évaluer la fonction à optimiser pour chaque couple de valeurs, x et y.	– Le point de coordonnées (1, 5) correspond à un revenu de 76 $, car $R = 16(1) + 12(5) = 76$. – Le point de coordonnées (4, 2) correspond à un revenu de 88 $, car $R = 16(4) + 12(2) = 88$.
5. Comparer les valeurs obtenues en tenant compte de l'objectif visé.	La solution associée au couple (4, 2), c'est-à-dire la fabrication de quatre colliers et de deux bracelets, est la plus avantageuse des deux solutions puisqu'elle génère un revenu de 88 $.

La recherche de la solution optimale

Une solution optimale est un couple de l'ensemble-solution qui permet d'atteindre un objectif d'optimisation. Cette solution, quand elle existe, est nécessairement associée à un sommet du polygone de contraintes. Pour déterminer la solution optimale, il est donc possible d'évaluer la fonction à optimiser pour chaque sommet du polygone de contraintes.

Exemple:

Émilie est propriétaire d'un centre de toilettage pour animaux. On s'intéresse à la durée de ses journées de travail T, en minutes, exprimée par la règle $T = 30x + 40y$. Dans cette règle, x représente le nombre de chiens à toiletter et y, le nombre de chats à toiletter.

Le polygone de contraintes ci-contre représente cette situation.

Quelle durée ont les plus courtes journées de travail d'Émilie? Combien de chiens et de chats Émilie toilette-t-elle pendant ces journées?

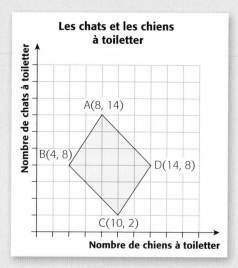

Voici les étapes à suivre pour déterminer la solution optimale de cette situation.

Étape	Démarche
1. Au besoin, déterminer les coordonnées de tous les sommets du polygone de contraintes.	Les coordonnées des sommets du polygone de contraintes sont **A**(8, 14), **B**(4, 8), **C**(10, 2) et **D**(14, 8).
2. Évaluer la fonction à optimiser pour les coordonnées de chaque sommet du polygone de contraintes.	Pour la fonction $T = 30x + 40y$: **A**(8, 14): $T = 30(8) + 40(14) = 800$ **B**(4, 8): $T = 30(4) + 40(8) = 440$ **C**(10, 2): $T = 30(10) + 40(2) = 380$ **D**(14, 8): $T = 30(14) + 40(8) = 740$
3. Comparer les valeurs obtenues en tenant compte de l'objectif visé.	La durée minimale d'une journée de travail d'Émilie est atteinte au sommet **C**(10, 2).
4. Communiquer la solution ou la réponse à la question selon le contexte.	Les plus courtes journées de travail d'Émilie durent 380 min (6 h 20 min), et Émilie toilette 10 chiens et 2 chats.

Remarque: Il est possible qu'il y ait plus d'une solution optimale pour atteindre un objectif. Dans ce cas, la fonction à optimiser aura la même valeur pour les coordonnées de deux sommets et pour les coordonnées de tous les points entre ces deux sommets.

La méthode de la droite baladeuse

Il est possible de représenter graphiquement la fonction à optimiser dont la règle est $Z = ax + by + c$ par une famille de droites parallèles dont la pente est $\frac{-a}{b}$, en attribuant différentes valeurs à Z. La représentation de cette famille de droites donne l'impression qu'une seule et même droite se déplace parallèlement dans le plan cartésien. Les points aux limites du polygone de contraintes sur lesquels passe cette droite sont utiles pour trouver la solution optimale qui permet d'atteindre un objectif.

Exemple :

Une entreprise produit deux types de contenants en acier inoxydable : un contenant à thé et un contenant à café. On s'intéresse à la quantité Q d'acier inoxydable, en décimètres carrés, nécessaire pour produire les contenants durant une semaine de travail, exprimée par la règle $Q = 32x + 22y$. Dans cette règle, x représente le nombre de contenants à café produits et y, le nombre de contenants à thé produits.

Le polygone de contraintes ci-contre représente cette situation.

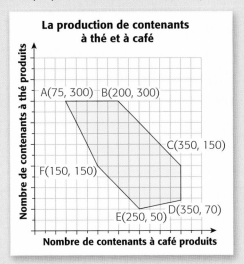

La production de contenants à thé et à café

A(75, 300) B(200, 300)
C(350, 150)
F(150, 150)
E(250, 50) D(350, 70)

Nombre de contenants à thé produits (axe vertical)
Nombre de contenants à café produits (axe horizontal)

Voici les étapes à suivre pour déterminer la solution optimale de cette situation à l'aide de la méthode de la droite baladeuse.

Étape	Démarche
1. Calculer la pente de la droite baladeuse associée à la fonction à optimiser, puis tracer une droite ayant cette pente.	Pour la fonction à optimiser dont la règle est $Q = 32x + 22y$, la droite baladeuse a une pente de $\frac{-32}{22} = \frac{-16}{11}$. **La production de contenants à thé et à café** — A(75, 300) B(200, 300) C(350, 150) F(150, 150) E(250, 50) D(350, 70)
2. Déterminer l'effet du déplacement de la droite baladeuse sur la quantité à optimiser.	Selon la règle de la fonction à optimiser, un déplacement de la droite baladeuse vers le sommet **C** a pour effet d'augmenter la valeur de Q. Inversement, un déplacement de la droite vers le sommet **F** a pour effet de diminuer la valeur de Q.
3. Comparer les valeurs obtenues en tenant compte de l'objectif visé.	La solution maximale correspond au couple (350, 150) et la solution minimale correspond au couple (150, 150).
4. Communiquer la solution ou la réponse à la question selon le contexte.	**C**(350, 150) : $Q = 32(350) + 22(150) = 14\ 500$ et **F**(150, 150) : $Q = 32(150) + 22(150) = 8\ 100$ La quantité d'acier inoxydable nécessaire pour produire les contenants durant une semaine de travail varie entre $8\ 100$ dm^2 et $14\ 500$ dm^2.

La modélisation d'un problème d'optimisation

L'exemple suivant résume le processus de modélisation d'un problème d'optimisation.

Exemple :

Des élèves organisent un défilé de mode dans leur école. Entre 20 et 30 élèves, filles et garçons, participeront à ce défilé. Il y aura au moins 12 filles de plus que de garçons, mais pas plus de 25 filles. Il doit y avoir au moins 2 garçons. Chaque fille présentera 5 tenues différentes et chaque garçon, 4 tenues différentes. Quel est le nombre minimal de tenues à prévoir pour ce défilé ?

Voici les étapes à suivre pour modéliser ce problème d'optimisation.

	Étape	Démarche
La mathématisation	1. Déterminer la quantité à optimiser et préciser l'objectif.	L'objectif est de minimiser le nombre N de tenues prévues pour le défilé.
	2. Définir les variables de la situation.	x : le nombre de filles qui défileront y : le nombre de garçons qui défileront
	3. Déterminer la règle de la fonction à optimiser.	La règle de la fonction à optimiser est $N = 5x + 4y$.
	4. Traduire toutes les contraintes de la situation, y compris les contraintes implicites, par un système d'inéquations.	$\begin{cases} x \geq 0,\ y \geq 0 \\ x + y \geq 20 \\ x + y \leq 30 \\ x - y \geq 12 \\ x \leq 25 \\ y \geq 2 \end{cases}$
La représentation graphique	5. Tracer le polygone de contraintes qui représente la situation. Au besoin, tracer la droite baladeuse dans le même plan cartésien.	**La production de contenants à thé et à café** 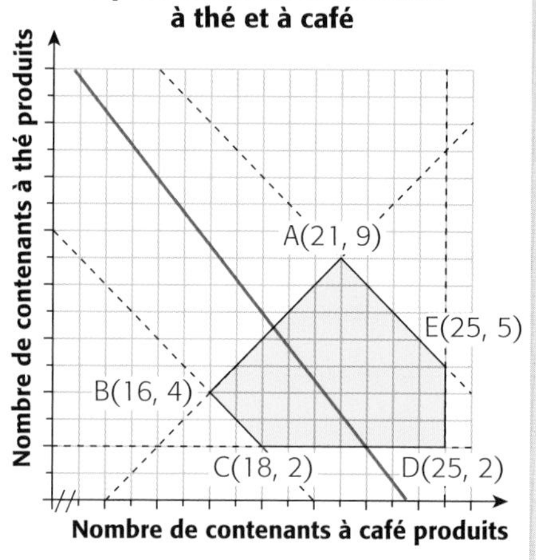 A(21, 9) E(25, 5) B(16, 4) C(18, 2) D(25, 2) Nombre de contenants à thé produits Nombre de contenants à café produits
La résolution	6. À l'aide des sommets ou de la droite baladeuse ou des deux, déterminer la solution optimale.	La solution optimale correspond au sommet **B**(16, 4). À ce sommet, $N = 5(16) + 4(4) = 96$.
	7. Répondre à la question du problème.	Il faut prévoir au moins 96 tenues.

La modification des conditions d'une situation

Il arrive qu'il soit nécessaire de modifier les conditions d'une situation. La modification d'une condition consiste par exemple à modifier la règle de la fonction à optimiser ou à modifier une ou plusieurs contraintes. Il faut alors réévaluer la solution optimale en fonction de ces modifications.

Exemple :

Voici les étapes à suivre pour déterminer le nombre minimal de tenues à prévoir pour ce défilé si le nombre de tenues présentées par chacun des garçons dans l'exemple précédent passait de 4 à 6.

Étape	Démarche
8. Déterminer le type de modification (modification de la règle de la fonction à optimiser ou d'une contrainte).	La modification ne concerne pas les variables, c'est-à-dire le nombre de filles ou de garçons qui participent au défilé. Il s'agit d'une modification de la règle de la fonction à optimiser.
9. Selon le type de modification, ajuster le polygone de contraintes ou la règle de la fonction à optimiser.	La nouvelle règle de la fonction à optimiser est $N = 5x + 6y$.
10. À l'aide des sommets ou de la droite baladeuse ou des deux, déterminer la nouvelle solution optimale.	La nouvelle solution optimale correspond au sommet $C(18, 2)$. À ce sommet, $N = 5(18) + 6(2) = 102$.
11. Répondre à la question du problème.	Il faut prévoir au moins 102 tenues.

La mathématisation ou la représentation graphique ou les deux

La résolution

Point de repère

George B. Dantzig

Durant la Seconde Guerre mondiale, le mathématicien américain George B. Dantzig (1914 – 2005) a travaillé pour l'armée des États-Unis. Les opérations militaires étaient devenues si complexes qu'aucun général, aussi expérimenté soit-il, n'était plus assuré de prendre les bonnes décisions sans le soutien d'experts, notamment de mathématiciens. Pour résoudre des problèmes touchant par exemple le ravitaillement ou le déplacement des troupes, Dantzig a inventé la programmation linéaire. Après la guerre, Dantzig a exposé sa méthode de programmation linéaire et a montré qu'elle pouvait servir à résoudre plusieurs types de problèmes non militaires, notamment pour déterminer la production optimale d'une entreprise qui fait face à des contraintes de production.

Mise en pratique

1. Détermine lequel des points identifiés permet le mieux d'atteindre l'objectif défini dans chacune des situations suivantes.

a) Objectif : maximiser la fonction
$Z = 12x + 40y$.

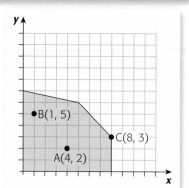

c) Objectif : maximiser la fonction
$Z = 5y - 2x - 8$.

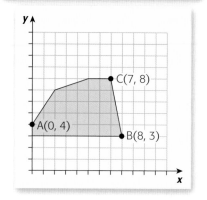

b) Objectif : minimiser la fonction
$Z = 3x + 2y$.

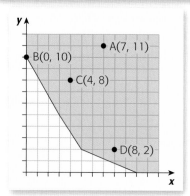

d) Objectif : minimiser la fonction
$Z = x - 4y + 6$.

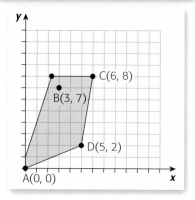

2. Évalue les fonctions à optimiser suivantes pour les coordonnées de chacun des sommets du polygone de contraintes ci-dessous.

a) $Z_1 = 2x + 5y$
b) $Z_2 = x - 2,5y$
c) $Z_3 = {}^-10x + 3y + 2$
d) $Z_4 = \frac{x}{4} + 3y$

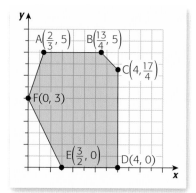

3. Pour chacun des quatre polygones de contraintes suivants, détermine, si c'est possible, les coordonnées du ou des points dont les coordonnées minimisent et maximisent la fonction à optimiser $Z = 5x + 4y - 2$.

a)

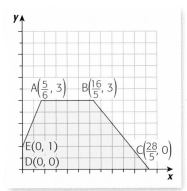

c)

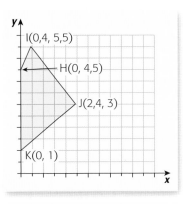

b)

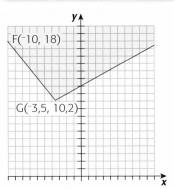

d)

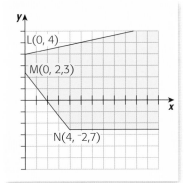

4. Soit le polygone de contraintes suivant.

Détermine les valeurs maximale et minimale des fonctions à optimiser suivantes.

a) $Z_1 = 15x + 10y$

b) $Z_2 = 3x - 4y$

c) $Z_3 = 15x + 5y - 100$

d) $Z_4 = \frac{x}{2} + 16y$

5. Voici un polygone de contraintes.

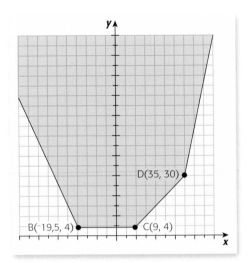

Associe les éléments de la colonne de gauche aux éléments de la colonne de droite.

a) Point(s) dont les coordonnées minimisent la fonction $P = {}^-x + 2y$.

b) Point(s) dont les coordonnées minimisent la fonction $Q = {}^-x + y$.

c) Point(s) dont les coordonnées maximisent la fonction $R = 3x + 5y$.

d) Point(s) dont les coordonnées minimisent la fonction $S = x + y$.

① Le point **B**.

② Le point **C**.

③ Tous les points formant le segment de droite entre les points **C** et **D**.

④ Aucune solution optimale.

6. Quelles sont les valeurs minimale et maximale de la fonction à optimiser $Z = 3x + 4y$ dans les polygones de contraintes associés à chacun des systèmes d'inéquations suivants ?

a)
$$\begin{cases} x \geq 0 \\ y \geq 0 \\ y \leq 700 \\ x + y \leq 900 \\ 3x - y \geq 1\,200 \end{cases}$$

b)
$$\begin{cases} x \geq 0 \\ y \geq 0 \\ y \leq 2x + 200 \\ x + 2y \leq 900 \\ x - 4y \leq 300 \end{cases}$$

7. Voici les objectifs et les règles de quatre fonctions à optimiser ainsi qu'un polygone de contraintes.

Maximiser $P = 8x + 6y$

Minimiser $R = x - y + 10$

Minimiser $S = 2x + 3y$

Maximiser $T = 20 - x - y$

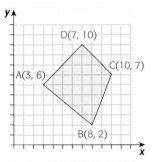

Pour laquelle ou lesquelles de ces règles trouve-t-on une solution optimale :

a) au sommet **A**?

c) au sommet **C**?

b) au sommet **B**?

d) au milieu du côté **AD**?

8. Dans les trois situations suivantes, on a tracé la droite baladeuse correspondant à la fonction à optimiser dont la règle est donnée. Indique le sommet du polygone de contraintes qui correspond à la solution optimale. Justifie ta réponse.

a) Objectif : maximiser la fonction $Z = x + y$.

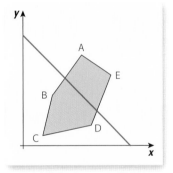

b) Objectif : maximiser la fonction $Z = x - y$.

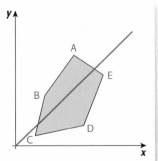

c) Objectif : minimiser la fonction $Z = 8 - x - 3y$.

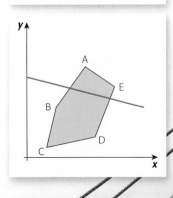

9. Voici un polygone de contraintes.

Dans ce polygone de contraintes, combien y a-t-il de points dont les coordonnées :

a) maximisent la fonction à optimiser $P = x - 3y + 4$?

b) maximisent la fonction à optimiser $R = y - x + 15$?

c) minimisent la fonction à optimiser $Z = 2x + 6y + 5$?

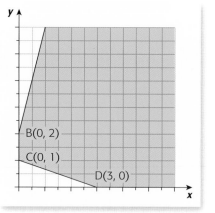

10. Soit le polygone de contraintes suivant.

Pour ce polygone de contraintes, détermine :

a) la valeur maximale de la fonction à optimiser $P = 3y - x$;

b) la valeur minimale de la fonction à optimiser $C = 3x + 5y$.

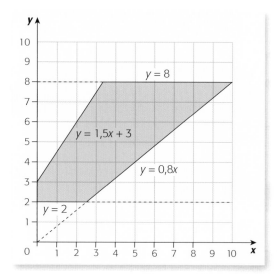

11. Les systèmes d'inéquations suivants traduisent les contraintes de situations où les valeurs des variables x et y doivent être entières. Détermine les coordonnées du point ou des points qui maximisent la fonction à optimiser $Z = 2x + 3y$ dans chaque situation.

a) $\begin{cases} x \geq 0 \\ y \geq 0 \\ x - 3y \leq 3 \\ 2x + 3y \leq 18 \end{cases}$

b) $\begin{cases} x \geq 0 \\ y \geq 0 \\ x < 4 \\ y \leq \dfrac{x}{4} + 3 \end{cases}$

12. Voici deux polygones de contraintes.

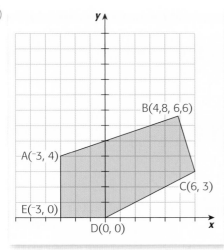

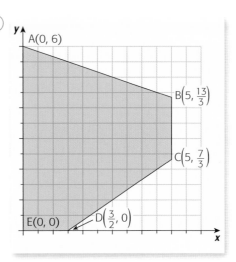

Associe les énoncés suivants à un de ces polygones de contraintes.

a) La fonction à optimiser $C = x + 6y - 4$ atteint son maximum au sommet **A**.

b) La fonction à optimiser $P = 2x + 11y$ atteint son maximum au sommet **B**.

c) La fonction à optimiser $R = 7x + y - 1$ atteint son maximum au sommet **C**.

d) La fonction à optimiser $S = 12y - 7x$ atteint son minimum au sommet **D**.

13. Soit le polygone de contraintes suivant.

a) Détermine la valeur maximale de la fonction à optimiser $Z = 2x + 3y$.

b) Quelle aurait été ta réponse en **a** si :

1) la fonction à maximiser avait plutôt été $Z = 2x - 3y$?

2) la contrainte $y = x - 3$ avait été remplacée par la contrainte $y \leq x - 1$?

3) la contrainte $2x + y = 7$ avait été remplacée par la contrainte $2x + y \leq 2$?

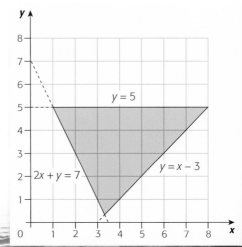

14. Voici les règles de trois fonctions à optimiser.

① $Z = 40x - 25y$ ② $Z = 3y - 4x$ ③ $Z = 0,5x + 2,5y$

Pour chacune de ces règles :

a) calcule la pente de la droite baladeuse ;

b) trace la droite baladeuse dont tu as calculé la pente en **a** alors qu'elle passe sur le point de coordonnées (6, 3) ;

c) détermine la valeur de Z pour tous les points situés sur la droite que tu as tracée en **b** ;

d) indique les déplacements de la droite tracée en **b** qui ont pour effet d'augmenter la valeur de Z.

15. Voici trois situations et les contraintes qui s'appliquent à chacune d'elles.

① Objectif : maximiser la fonction $Z = 12x + 6y$.

$$\begin{cases} x \geq 5 \\ y \geq 2 \\ x + y \leq 20 \\ 3x + y \leq 36 \end{cases}$$

② Objectif : minimiser la fonction $Z = 9x + 8y$.

$$\begin{cases} y \leq 3x \\ 3y \geq 2x \\ x + y \geq 24 \\ 2x + 3y \geq 60 \end{cases}$$

③ Objectif : minimiser la fonction $Z = 3x + 6y$.

$$\begin{cases} y \geq 3 \\ y \leq x \\ x + 2y \geq 20 \\ 5x + y \leq 100 \end{cases}$$

a) Trace le polygone de contraintes qui représente chacune de ces situations.

b) Détermine la ou les solutions optimales de chacune de ces situations.

16. Une entreprise fabrique des causeuses et des chaises berçantes. Pour chaque causeuse vendue, l'entreprise fait un profit de 76 $, alors que le profit est de 57 $ pour chaque chaise berçante vendue.

Les contraintes de production pour le prochain mois sont représentées par le polygone de contraintes ci-contre.

Est-ce une bonne décision pour l'entreprise de fabriquer 14 causeuses et 40 chaises berçantes ? Si oui, explique pourquoi. Si non, suggère à l'entreprise une meilleure solution.

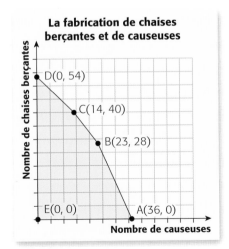

La fabrication de chaises berçantes et de causeuses

Nombre de chaises berçantes (axe vertical)
Nombre de causeuses (axe horizontal)

D(0, 54)
C(14, 40)
B(23, 28)
E(0, 0)
A(36, 0)

17. Madame Dufferin est directrice d'une entreprise qui fabrique des bicyclettes. Elle reçoit une commande de dernière minute d'un client. Pour honorer cette commande, elle peut demander à ses employés réguliers de travailler des heures supplémentaires à 45 $ l'heure et appeler des employés surnuméraires qu'elle paie 25 $ l'heure. Madame Dufferin veut remplir la commande au plus bas coût possible.

Les différentes contraintes qui s'appliquent à cette situation sont traduites par le système d'inéquations et représentées par le polygone de contraintes ci-dessous.

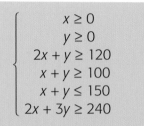

$$\begin{cases} x \geq 0 \\ y \geq 0 \\ 2x + y \geq 120 \\ x + y \geq 100 \\ x + y \leq 150 \\ 2x + 3y \geq 240 \end{cases}$$

x : le nombre d'heures supplémentaires travaillées par les employés réguliers

y : le nombre d'heures travaillées par les employés surnuméraires

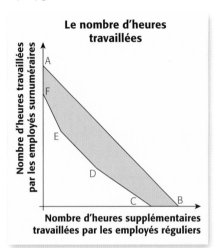

Le nombre d'heures travaillées

Nombre d'heures travaillées par les employés surnuméraires

Nombre d'heures supplémentaires travaillées par les employés réguliers

a) Précise l'objectif de la situation et détermine la règle de la fonction à optimiser.

b) Détermine les coordonnées de tous les sommets du polygone de contraintes.

c) Évalue la fonction à optimiser en chacun des sommets du polygone de contraintes.

d) Quelle décision devrait prendre madame Dufferin pour atteindre son objectif?

18. L'association Vivre chez soi offre un service d'entretien ménager et un service d'épicerie aux personnes âgées.

L'association a besoin de 5 à 10 bénévoles pour le service d'entretien ménager. Le nombre de bénévoles affectés au service d'épicerie doit être supérieur ou égal au nombre de bénévoles affectés à l'entretien ménager, mais la différence entre les deux ne doit pas dépasser 15.

L'association paie tous les frais des bénévoles, mais elle ne doit pas dépenser plus que ce que lui permet son budget, qui est de 120 $ par jour. Ainsi, l'association paie quotidiennement environ 8 $ par bénévole affecté à l'entretien ménager et 2 $ en moyenne par bénévole affecté à l'épicerie.

L'association cherche à maximiser le nombre de bénévoles à son service.

a) Définis les variables de la situation.

b) Détermine la règle de la fonction à optimiser.

c) Traduis les contraintes de la situation par un système d'inéquations.

d) Trace le polygone de contraintes qui représente cette situation.

e) À combien de bénévoles l'association peut-elle faire appel pour chacun de ses services afin de répondre à l'objectif qu'elle s'est fixé?

19. Stéphanie et Boris participent à un marchethon afin de recueillir des fonds pour la lutte contre le cancer. Stéphanie recevra 15 $ par kilomètre parcouru et Boris, 12,50 $.

$$\begin{cases} x \geq 4 \\ y \geq x \\ x \leq 7 \\ y \leq 7 \\ x + y \leq 12 \end{cases}$$

x : le nombre de kilomètres parcourus par Stéphanie

y : le nombre de kilomètres parcourus par Boris

Cette situation est traduite par le système d'inéquations ci-contre.

a) Trace le polygone de contraintes associé à ce système d'inéquations.

b) On s'intéresse à la somme totale S, en dollars, recueillie par Stéphanie et Boris. Exprime S en fonction de x et de y.

c) Quelle est la somme d'argent totale maximale que peuvent avoir recueillie Stéphanie et Boris ?

d) Suppose que Boris ait recueilli plus d'argent que Stéphanie malgré une promesse de don inférieure par kilomètre parcouru. Quelle somme d'argent maximale Boris peut-il avoir recueillie de plus que Stéphanie ?

20. Le prix régulier d'un billet d'entrée pour un spectacle est de 20 $, mais il y a une réduction de 20 % pour les personnes qui achètent leur billet à l'avance. Le système d'inéquations ci-contre traduit les contraintes de cette situation.

$$\begin{cases} y \geq x \\ y \leq 2x \\ x + y \geq 120 \\ x + y \leq 240 \end{cases}$$

x : le nombre de billets vendus à prix régulier

y : le nombre de billets vendus à prix réduit

Quels peuvent être les montants minimal et maximal de la recette de ce spectacle ?

21. Fatima aménage une salle de restaurant de 60 m². Elle souhaite :

- qu'il y ait un espace de 2,5 m² pour chaque table de deux personnes et un espace de 3,5 m² pour chaque table de quatre personnes ;
- qu'il y ait le même nombre ou plus de tables pour deux personnes que de tables pour quatre personnes ;
- qu'il y ait au moins cinq tables pour deux personnes et au moins cinq tables pour quatre personnes ;
- qu'au moins 30 % de la superficie de la salle reste libre de tout objet pour permettre aux serveurs de circuler sans problème entre les tables.

Combien de tables pour deux et pour quatre personnes Fatima doit-elle installer pour accueillir le plus grand nombre de clients possible ?

22. Michel doit faire repeindre sa clôture. Gabrielle et Fred, deux jeunes du voisinage, lui ont offert de faire ce travail. Gabrielle lui demande 10 $ l'heure et l'assure qu'elle est capable de peindre jusqu'à 8 m de clôture en une heure. Fred veut être payé 15 $ l'heure et dit qu'il peut peindre au maximum 10 m de clôture en une heure. Michel souhaite qu'au moins 34 m de clôture soient peints d'ici son départ, dans trois heures. S'il reste un bout de clôture à peindre, il s'en occupera lui-même.

Si les exigences de la situation sont respectées, combien de temps chacun des jeunes devra-t-il travailler pour que Michel paie le moins cher possible?

23. Au cours d'une partie de basket-ball, une équipe a marqué 26 à 35 paniers à 2 ou 3 points chacun. Les joueurs de cette équipe ont fait autant ou plus de points avec leurs paniers à 2 points qu'avec leurs paniers à 3 points. Ils ont réussi pas moins de 5 paniers à 3 points et au moins 6 paniers à 2 points de plus que de paniers à 3 points. Par ailleurs, l'équipe a réussi 8 lancers francs qui lui ont valu un point chacun.

a) Quel est le nombre minimal de points de cette équipe?

b) Est-il possible que cette équipe ait été déclarée gagnante si l'équipe adverse a 90 points? Justifie ta réponse.

24. Les responsables du parc de La Verdure souhaitent que les indications disposées le long des sentiers soient faciles à décoder pour les randonneurs. Ils ont créé un panneau sur lequel apparaît un pictogramme représentant un refuge.

Le pictogramme possède les caractéristiques suivantes.

- Il est formé d'un rectangle et d'un triangle équilatéral juxtaposés.
- Le rectangle a une hauteur de 20 cm ou moins.
- Le périmètre du rectangle est d'au plus 80 cm.
- Le périmètre du triangle ne dépasse pas 90 cm.
- La longueur totale de la ligne tracée pour former le pictogramme du refuge est inférieure ou égale à 135 cm.

Quel est le périmètre maximal de ce pictogramme?

Fait divers

Un pictogramme est la représentation symbolique d'une chose. L'utilisation de pictogrammes est très répandue dans les sociétés multiculturelles, car elle permet de transmettre une information sans avoir à la traduire en plusieurs langues.

25. Christophe a trouvé au moins 15 pièces de monnaie au fond d'un des tiroirs de sa commode. Il y a des pièces de 25 ¢ et des pièces de 1 $. La valeur totale des pièces de monnaie est d'au moins 9 $. L'ensemble des pièces de monnaie pèse au moins 90 g. Chaque pièce de 25 ¢ pèse environ 4 g et a une épaisseur de 1,6 mm ; chaque pièce de 1 $ pèse 7 g et a une épaisseur de 2 mm.

a) Si on formait une tour avec les pièces de monnaie, quelle serait la hauteur minimale de cette tour ?

b) Les contraintes de la situation peuvent être traduites par trois inéquations qui mettent en relation le nombre de pièces de 25 ¢ et de 1 $. Laquelle de ces trois inéquations peut-on retirer sans que la réponse en **a** s'en trouve modifiée ?

26. Une entreprise cherche à maximiser son profit P, exprimé par la règle $P = 200x + 250y$. Les contraintes qui s'appliquent aux variables x et y sont traduites par le système d'inéquations et représentées par le polygone de contraintes ci-dessous.

$$\begin{cases} x \geq 0 \\ y \geq 0 \\ x + 2y \leq 80 \\ 3x + 2y \leq 120 \\ x \leq 30 \end{cases}$$

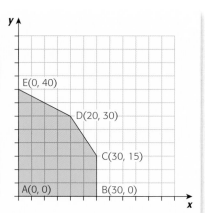

a) Quel est le profit maximal de cette entreprise ?

b) Détermine le profit maximal de cette entreprise si la règle de la fonction à optimiser est remplacée par :

1) $P = 100x + 350y$ **2)** $P = 270x + 180y$ **3)** $P = 300x + 150y$

27. Gaby est fleuriste et offre des bouquets à 15 $ et à 45 $. Les bouquets à 15 $ se composent d'une rose et de trois lys. Les bouquets à 45 $ comprennent six roses et deux lys. Gaby sait qu'il doit préparer autant ou plus de bouquets à 15 $ que de bouquets à 45 $. Il vérifie le nombre de roses et de lys qu'il a en stock : il lui reste 36 roses et 33 lys.

Selon les contraintes de cette situation, combien de bouquets à 15 $ et de bouquets à 45 $ Gaby doit-il préparer pour maximiser son revenu ?

28. Pablo fabrique et vend des bacs dans lesquels il a semé des fines herbes. Il offre deux formats de bacs. Voici la publicité qu'il fait paraître dans le journal du quartier.

Le bac cubique	Le bac allongé
 Ce bac contient 2,5 L de terre et 20 semences de fines herbes. Prix : 15 $	 Ce bac contient 3 L de terre et 40 semences de fines herbes. Prix : 20 $

Pablo estime qu'il fait un profit de 9 $ par bac cubique vendu et de 10 $ par bac allongé vendu. Pour fabriquer chacun des bacs, quel que soit le format, il faut à Pablo l'équivalent d'une demi-planche de bois. Pablo a 25 planches de bois, 130 L de terre et 1 600 semences en stock.

a) Combien de bacs de fines herbes de chaque format Pablo doit-il vendre s'il veut maximiser le chiffre d'affaires de son entreprise, c'est-à-dire le revenu total généré par la vente des bacs ?

b) Quels sont le chiffre d'affaires et le profit de l'entreprise correspondant à la solution optimale trouvée en **a** ?

Orientation et entrepreneuriat

Il existe un lien entre le chiffre d'affaires d'une entreprise et son profit. En effet, généralement, plus une entreprise vend de biens ou de services, plus elle fait de l'argent. Une partie de cet argent sert à couvrir les coûts de production ; l'excédent est considéré comme un profit. Quand les consommateurs réduisent considérablement leur consommation de biens et de services, par exemple durant une récession, même certaines multinationales « roulent à perte », c'est-à-dire qu'elles ne font plus de profit ou ne sont plus en mesure de couvrir leurs coûts de production.

Selon toi, pourquoi une entreprise peut-elle chercher à maximiser son chiffre d'affaires plutôt que son profit ? Quels sont les avantages et les inconvénients de chacun de ces objectifs à court terme ?

Fait divers

Le chiffre d'affaires d'une entreprise correspond à ce que lui rapportent toutes les ventes de ses biens ou services au cours d'une année. En 2008, le chiffre d'affaires de la plus grande entreprise au monde a été de 379 milliards de dollars américains. Cela représente environ 78 milliards de dollars de plus que la valeur de tout ce qui a été produit au Québec durant cette même année.

Consolidation

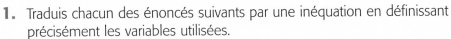

1. Traduis chacun des énoncés suivants par une inéquation en définissant précisément les variables utilisées.

   a) Dans le groupe de musique rock de Xavier, il y a au moins autant de filles que de garçons.

   b) Dans une course de 100 m, Florien a battu Jerry par plus de 1 seconde.

   c) Au supermarché, le nombre de personnes qui attendent à la caisse rapide n'est jamais plus du double du nombre de personnes qui attendent à une autre caisse.

   d) Le triple d'un nombre n'est pas inférieur à 20 de plus que le tiers d'un autre nombre.

   e) On prévoit pour demain que la température maximale à Montréal sera d'au moins cinq degrés de plus que celle des Laurentides.

   f) Le rapport de la largeur d'une fenêtre à sa hauteur n'atteint pas deux tiers.

   g) Aux Jeux olympiques d'hiver, le Canada n'a jamais récolté plus du double des médailles remportées par les États-Unis.

   h) Au cours des dernières années, au Québec, plus de 60 % des personnes acceptées en faculté de médecine sont des femmes.

2. Les deux droites parallèles d'équations $x + 2y = 4$ et $x + 2y = {}^-4$ séparent le plan cartésien ci-contre en trois régions : A, B et C.

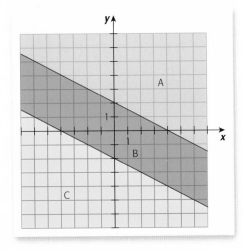

   a) Associe chacune de ces régions à l'ensemble-solution de l'un des systèmes d'inéquations suivants.

   ① $\begin{cases} x + 2y \geq 4 \\ x + 2y \geq {}^-4 \end{cases}$

   ② $\begin{cases} x + 2y \geq 4 \\ x + 2y \leq {}^-4 \end{cases}$

   ③ $\begin{cases} x + 2y \leq 4 \\ x + 2y \geq {}^-4 \end{cases}$

   ④ $\begin{cases} x + 2y \leq 4 \\ x + 2y \leq {}^-4 \end{cases}$

   b) Quel est l'ensemble-solution du système d'inéquations restant?

3. À partir de deux droites d'équation $2x - y = 0$ et $x + 2y = 12$, Félix a obtenu les trois affichages ci-dessous sur une calculatrice à affichage graphique.

① 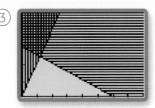 ② ③

a) Dans l'un de ces affichages, la représentation correspond au système d'inéquations $\begin{cases} 2x - y \leq 0 \\ x + 2y \geq 12 \end{cases}$. De quel affichage s'agit-il?

b) À quel système d'inéquations correspond chacun des deux autres affichages?

c) Quelles sont les coordonnées de l'unique point qui fait partie des trois régions-solutions?

d) Pour quel affichage le couple (2,5, 4,9) fait-il partie de l'ensemble-solution?

4. Écris un système d'inéquations que l'on peut associer aux polygones de contraintes suivants.

a)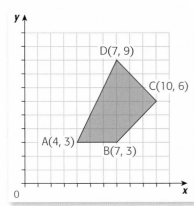

b)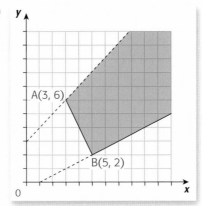

5. Voici trois systèmes d'inéquations qui diffèrent uniquement par certains signes d'inégalité.

① $\begin{cases} x \geq 0 \\ y \geq 0 \\ y \leq 6 \\ y \geq \frac{1}{2}x + 1 \\ y \leq 3(x - 3) \\ y \leq {}^-2x + 20 \end{cases}$

② $\begin{cases} x \geq 0 \\ y \geq 0 \\ y \leq 6 \\ y \geq \frac{1}{2}x + 1 \\ y \geq 3(x - 3) \\ y \geq {}^-2x + 20 \end{cases}$

③ $\begin{cases} x \geq 0 \\ y \geq 0 \\ y \geq 6 \\ y \geq \frac{1}{2}x + 1 \\ y \leq 3(x - 3) \\ y \geq {}^-2x + 20 \end{cases}$

a) Trace les droites associées aux inéquations de ces systèmes. En combien de régions le premier quadrant est-il partagé?

b) L'ensemble-solution de l'un des trois systèmes est l'ensemble vide, c'est-à-dire qu'il n'y a aucune solution. De quel système s'agit-il?

c) Trace le polygone de contraintes associé à chacun des deux autres systèmes d'inéquations, puis détermine les coordonnées de ses sommets.

6. Saïd doit livrer des sacs de sable et des panneaux de contreplaqué sur un chantier de construction. Son camion peut transporter jusqu'à 1 320 kg de matériel dans un espace de chargement de 1 800 dm^3. Chaque sac de sable a un volume de 20 dm^3 et une masse de 36 kg. Chaque panneau de contreplaqué a un volume de 50 dm^3 et une masse de 30 kg.

Saïd doit livrer au moins 8 panneaux de contreplaqué et 5 sacs de sable à sa première livraison.

a) Traduis les contraintes de ce problème par un système d'inéquations.

b) Représente ce système par un polygone de contraintes.

c) Détermine les coordonnées des sommets de ce polygone.

d) Donne trois exemples de chargement que Saïd peut faire à sa première livraison.

7. Soit le polygone de contraintes ci-contre et la droite baladeuse associée à la fonction à optimiser $Z = 4x + 4y - 100$. On cherche à maximiser la valeur de Z.

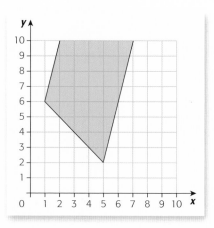

a) Quelle est la pente de cette droite baladeuse?

b) À quel sommet se trouve la solution optimale?

c) Modifie la règle de la fonction à optimiser en changeant seulement le coefficient de x tout en gardant la même solution optimale. Quelle est la pente de la nouvelle droite baladeuse dans ce cas?

d) Dans quel intervalle doit se trouver la pente de la droite baladeuse pour que la solution optimale se trouve exclusivement:

1) au point D?   2) au point C?

8. Soit le polygone de contraintes ci-contre. Pour chacun des objectifs ci-dessous, détermine la solution optimale lorsqu'elle existe. S'il n'y a pas de solution optimale, explique pourquoi.

a) Maximiser $Z = 2x + y$.

b) Minimiser $Z = 2x + y$.

c) Maximiser $Z = 2x - y$.

d) Minimiser $Z = 2x - y$.

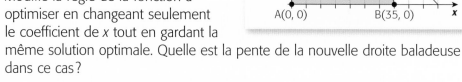

9. Deux situations sont représentées ci-dessous à l'aide d'un objectif d'optimisation et d'un polygone de contraintes.

a) Minimiser $Z = 30 + y - 4x$.

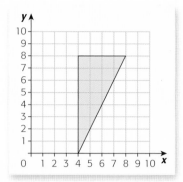

b) Maximiser $Z = 4x + y$.

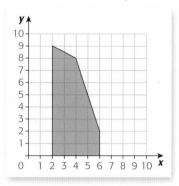

Dans chaque cas :

1) détermine la solution optimale et la valeur de Z qui correspond à cette solution ;

2) analyse l'effet de l'ajout de la contrainte $x + y \leq 10$ sur ta réponse en **1**.

10. On a placé x billes blanches et y billes noires dans une urne vide.

a) Traduis chacun des énoncés suivants par une inéquation.

1) On a mis dans l'urne autant, sinon plus, de billes blanches que de billes noires.

2) L'urne peut contenir jusqu'à 100 billes.

3) Il y a au moins 10 billes noires.

4) Le nombre de billes blanches ne dépasse pas le triple du nombre de billes noires.

b) Compte tenu de toutes ces contraintes, est-il possible que l'urne contienne 48 billes blanches et 18 billes noires ? Justifie ta réponse.

c) Trace le polygone de contraintes associé à cette situation.

d) Combien de billes blanches l'urne contient-elle au minimum ?

e) Combien de billes noires l'urne contient-elle au maximum ?

L'urne vide pèse 1 kg. Chaque bille blanche a une masse de 16 g et chaque bille noire, une masse de 15 g.

f) Exprime, en fonction des variables x et y, la masse M de l'urne après qu'on y ait mis les billes.

g) Quelle est alors la masse maximale de l'urne ?

h) Si c'était les billes noires qui pesaient 16 g chacune et les billes blanches qui pesaient 15 g chacune, quelle pourrait être la masse maximale de l'urne ?

11. Beaucoup de boulot au mois de mars…

L'entreprise Dufresne et fils fabrique deux modèles de meuble d'ordinateur en bois. La fabrication comporte trois étapes de durée variable.

Le temps requis pour chaque étape de fabrication d'un meuble

	Modèle A	Modèle B
Découpage	3 h	2 h
Assemblage	1 h	1 h
Finition	2 h	4 h

Pour le mois de mars, l'entreprise dispose de 420 heures de main-d'œuvre pour le découpage, 160 heures pour l'assemblage et 550 heures pour la finition. Après avoir soustrait tous les coûts de fabrication, chaque meuble vendu générera un profit de 60 $ pour le modèle A, et de 80 $ pour le modèle B. On suppose que tout ce qui est produit sera vendu.

Combien de meubles de chaque modèle l'entreprise Dufresne et fils doit-elle produire pour maximiser son profit?

12. … et au mois d'avril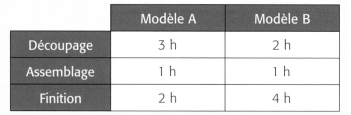

Pour le mois d'avril, l'entreprise Dufresne et fils dispose au total de 1 130 heures de main-d'œuvre, réparties entre les tâches de découpage (420 heures), d'assemblage (160 heures) et de finition (550 heures). Monsieur Dufresne, le patron de l'entreprise, a l'impression qu'en répartissant autrement les 1 130 heures de main-d'œuvre disponible entre les trois tâches, il serait possible de réaliser un profit encore plus grand que celui réalisé au mois de mars. A-t-il raison? Justifie ta réponse.

13. Le coût du tennis

Éric est abonné au tennis intérieur dans un centre sportif dont les tarifs sont indiqués sur l'affiche ci-contre. Éric et ses partenaires de jeu répartissent toujours également les frais de location de terrain. Chaque mois, Éric joue de 10 à 14 heures, dont au moins 4 heures en double. Pour le mois de septembre, s'il additionne le nombre de partenaires avec lesquels il a joué, le résultat est inférieur ou égal à 24.

Combien la pratique du tennis lui a-t-elle coûté au minimum durant ce mois de septembre? Combien lui a-t-elle coûté au maximum?

Abonnement: 30 $/mois

Location de terrain: 26 $/heure

14. Le bon dosage

Pour faire sa recette de potage aux poireaux, Léonard a besoin de crème 10 %, mais il n'en a pas. Il ne lui reste que 300 mL de crème 15 % et 120 mL de lait 2 %. Il décide de mélanger ces deux produits laitiers pour obtenir un liquide dont la concentration en matières grasses sera près de 10 %. Comme il veut maximiser la quantité de liquide obtenue, il accepte que le mélange contienne de 9 % à 11 % de matières grasses.

On peut représenter cette situation par le système d'inéquations suivant.

$$\begin{cases} x \geq 0 \\ y \geq 0 \\ x \leq 300 \\ y \leq 120 \\ 0,15x + 0,02y \geq 0,09(x + y) \\ 0,15x + 0,02y \leq 0,11(x + y) \end{cases}$$

a) Que signifie chacune des variables x et y? Explique les inéquations de ce système.

b) Pour que Léonard atteigne son objectif, quelle peut être la composition de son mélange?

c) Réponds de nouveau à la question **b** en supposant cette fois que Léonard a seulement 200 mL de crème 15 % au lieu de 300 mL.

15. Un échange à optimiser

Marie et Josée veulent effectuer un échange. Marie a 36 disques compacts et Josée, 16 romans. Marie veut se départir d'au moins le tiers de ses disques compacts. Elle est prête à échanger au plus 3 disques contre un roman. Pour sa part, Josée souhaite se départir d'au moins le quart de ses romans et elle accepte d'en donner 2 pour au moins 3 disques compacts. Après une brève discussion, Marie et Josée s'entendent sur un échange qui les satisfait mutuellement.

On peut représenter le nombre d'objets que possède Marie après l'échange selon la règle d'optimisation $Z = 36 - x + y$, où x est le nombre de disques compacts échangés et y, le nombre de romans échangés.

Quel est le nombre maximal d'objets (disques compacts et romans) que Marie pourrait posséder après l'échange? Quel est le nombre minimal d'objets qu'elle pourrait posséder?

Fait divers

En 2005, le Montréalais Kyle MacDonald a décidé de faire une offre dans Internet afin d'échanger un trombone rouge contre n'importe quoi. Une personne de Vancouver lui a offert un stylo en échange. Kyle a ensuite cherché à échanger son stylo contre autre chose, toujours par l'entremise d'Internet. Une personne de Seattle a accepté d'échanger une poignée de porte contre le stylo. Après une année entière et une succession de 14 échanges, toujours un peu plus avantageux pour lui, Kyle a réussi à obtenir une maison à Kipling, en Saskatchewan. On peut dire qu'il a eu sa maison pour trois fois rien...

16. Pas trop de contraintes, s'il vous plaît! CD 2

À titre de responsable des secours, Maxime doit organiser une opération pour évacuer des personnes d'une zone inondée au moyen d'hélicoptères et d'embarcations motorisées. Toutefois, il doit satisfaire aux contraintes ci-dessous.

- Il y a au maximum 10 hélicoptères et 30 embarcations disponibles.
- Chaque équipe de sauvetage doit inclure une personne compétente en soins d'urgence parmi les 25 qui sont sur place.
- Il faut 3 sauveteurs par hélicoptère et 2 par embarcation.
- Le nombre de sauveteurs se chiffre à 54.

Pour une question de budget, Maxime doit utiliser plus d'embarcations que d'hélicoptères. Un hélicoptère peut évacuer 16 personnes à l'heure, tandis qu'une embarcation ne peut en évacuer que 8 à l'heure. Maxime cherche évidemment à maximiser le nombre de personnes qui seront évacuées dans la prochaine heure.

S'il était possible d'éliminer une seule contrainte parmi toutes celles qui sont données, laquelle serait-il le plus avantageux d'éliminer pour augmenter le nombre de personnes évacuées ? Justifie ta réponse.

17. Un jardin circulaire

Vincent est architecte paysagiste. Il a dessiné le plan ci-dessous d'aménagement d'un jardin public. Chaque section du jardin est remplie d'une variété distincte de plantes. L'aire de la section A est supérieure ou égale à celle de la section B. Les deux sections sont séparées par un trottoir. Le projet de Vincent doit respecter les contraintes apparaissant sur l'illustration ci-dessous.

Le jardin public

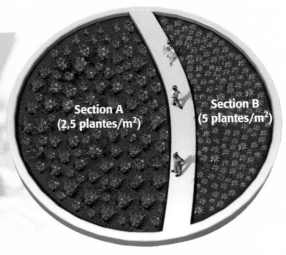

Aire minimale du jardin : 240 m²

Nombre de plantes au total : 800

Section A (2,5 plantes/m²)

Section B (5 plantes/m²)

Vincent a estimé le coût au mètre carré pour la préparation du terrain, l'achat et la plantation des plantes. Dans la section A, ce coût est de 35 $/m² et dans la section B, il est de 20 $/m². Le reste des coûts liés au projet ne dépend pas de l'aire des deux sections. Quelle doit être l'aire des deux sections pour que le coût du projet soit minimal ?

18. Le temps des tomates `CD 1`

Chaque année, au début de l'automne, la famille Gagnon se réunit pour faire des conserves de tomates. Les Gagnon achètent jusqu'à 20 boîtes de tomates contenant 80 tomates chacune. On peut estimer le prix de chaque tomate à environ 0,15 $. Le nombre de petits pots qu'ils préparent est toujours supérieur ou égal au nombre de gros pots. Les Gagnon ne font jamais moins de 50 gros pots. Pour ce faire, il leur faut des pots en verre de 1 L, pouvant contenir 10 tomates, et des pots de 500 mL, pouvant en contenir la moitié. Ces pots coûtent respectivement 1 $ et 0,80 $ chacun.

Le doyen de la famille, Arsène Gagnon, se demande combien il en coûte au maximum pour cette corvée de tomates. Réponds à sa question en précisant combien de pots de chaque sorte sont préparés.

19. Un problème du XIXᵉ siècle `CD 3`

Voici une version simplifiée d'un problème qui a été proposé par le mathématicien Jean-Baptiste Joseph Fourier, ainsi qu'une partie de sa solution.

> On demande de diviser un segment d'un décimètre en trois parties de telle sorte que n'importe quelle partie ne dépasse pas le double de chacune des autres.
>
> Si on utilise des variables pour représenter la mesure des deux premières parties du segment, on peut déduire une expression algébrique pour représenter la troisième partie.
>
>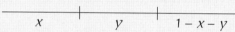
>
> x y $1 - x - y$
>
> Il est alors possible d'exprimer par neuf inégalités toutes les conditions de la question. On arrive ainsi à une construction géométrique qui fait connaître toutes les solutions possibles.

Complète le raisonnement de Jean-Baptiste Joseph Fourier en traçant le polygone de contraintes « qui fait connaître toutes les solutions possibles ». Explique chacune des étapes de ta démarche.

20. Musique!

Edward a téléchargé de la musique en ligne à partir de deux sites Internet. Sur le premier site, il a acheté x chansons à 2 $ chacune. Sur le deuxième site, il a acheté y chansons à 2,50 $ chacune. Il a payé le moins cher possible en respectant les contraintes représentées par le polygone de contraintes ci-dessous.

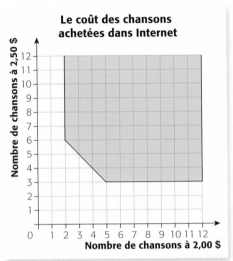

Le coût des chansons achetées dans Internet

Nombre de chansons à 2,50 $ (axe vertical)
Nombre de chansons à 2,00 $ (axe horizontal)

a) Combien de chansons Edward a-t-il achetées sur chaque site? Combien a-t-il payé en tout?

b) Edward retourne visiter ces sites une semaine plus tard et constate que chacun offre 30 % de rabais. Si Edward avait pu bénéficier de ce rabais au moment de ses achats, tes réponses en **a** auraient-elles été différentes? Explique pourquoi.

c) Décris l'effet de l'ajout de la contrainte $y \geq x$ sur la solution optimale trouvée en **a**.

21. La bonne décision   CD 2

Omar investit son argent à la Bourse. Il envoie la commande suivante à son courtier en valeurs mobilières.

> Veuillez acheter pour moi jusqu'à 3 000 $ d'actions des compagnies AZX et BST. Je veux investir au moins autant d'argent dans BST que dans AZX et au minimum 900 $ dans chacune de ces compagnies. Faites en sorte que j'aie le plus grand nombre d'actions possible.

Au moment de la transaction, le prix de chacune des actions s'établit à 6,25 $ pour l'action AZX et 7,50 $ pour l'action BST.

Trois mois plus tard, Omar décide de vendre toutes les actions qu'il a achetées. L'action de AZT vaut maintenant 10,50 $ et celle de BST, 11,75 $.

Connaissant le prix de vente de ces actions, peux-tu affirmer qu'Omar a bien fait de dire à son courtier d'acheter le plus grand nombre d'actions possible lorsque celui-ci lui a téléphoné? Aurait-il pu faire un plus grand profit s'il lui avait donné une autre directive?

22. Un beau magot

Une caissière doit déterminer le montant d'argent que contient une liasse de 30 billets de banque. Chaque billet a une valeur de 10 $, de 20 $ ou de 100 $. Il y a au moins autant de billets de 20 $ que des deux autres coupures réunies. En fait, il y a au moins 10 billets de 20 $ de plus que de billets de 10 $. Toutefois, le nombre de billets de 20 $ est inférieur ou égal à 20 de plus que le nombre de billets de 100 $.

Quel montant d'argent au minimum y a-t-il dans cette liasse de billets?

23. Boisson aux fruits

Alain prépare une boisson aux fruits pour une fête d'Halloween. En plus de quelques morceaux de fruits, la boisson contiendra au moins 4,5 L de jus de fruits et de boisson gazeuse. Selon différentes recettes qu'il a consultées, le rapport de la quantité de jus à la quantité de boisson gazeuse doit être supérieur ou égal à 2 et inférieur ou égal à 3. Alain veut minimiser la quantité de sucre dans sa boisson aux fruits.

a) Sachant que le jus contient 90 g de sucre par litre, alors que la boisson gazeuse en contient 120 g par litre, quelle quantité de jus et de boisson gazeuse Alain devrait-il utiliser?

b) Pour réduire encore plus le sucre, Alain se dit qu'il pourrait remplacer la boisson gazeuse par du soda à saveur de lime dont la teneur en sucre est trois fois moindre. Dans ce cas, quelle quantité de jus et de soda devrait-il utiliser?

24. Combien coûte un bain? `CD 1`

Lorsque Sabrina prend son bain, elle utilise de 150 à 200 L d'eau. Pour que l'eau soit à une température idéale, soit entre 34 et 38 °C, l'eau qui provient du réservoir à eau chaude, qui est à 60 °C, se mélange à l'eau froide, qui est à 10 °C.

Même si Sabrina ne paie pas directement l'eau que la municipalité lui fournit par son service d'aqueduc, cette eau a un prix. En effet, il en coûte à la société environ 0,25 $ pour 100 L d'eau qui coulent du robinet. Pour l'eau chaude, il faut ajouter le coût du chauffage, assumé par Sabrina, qu'on peut estimer à 0,40 $ par 100 L. Par ailleurs, environ 50 L d'eau sont suffisants pour prendre une douche rapide.

Dans quel intervalle se situe l'économie totale réalisée par la société et par Sabrina lorsque celle-ci prend une douche rapide au lieu d'un bain?

Pièges et astuces

Dans certains problèmes qui comportent au départ trois inconnues, il est possible de réduire le nombre de variables à deux en se basant sur le fait que la troisième variable dépend des deux premières par une relation d'égalité.

Pour calculer la température du bain, il faut faire une moyenne pondérée des températures de l'eau froide et de l'eau chaude en tenant compte des quantités utilisées.

Exemple:

Si on mélange 6 L d'eau froide à 10 °C avec 10 L d'eau chaude à 60 °C, on obtiendra une eau à environ 41 °C, soit

$$\frac{6 \cdot 10° + 10 \cdot 60°}{6 + 10}.$$

25. Nouveau départ

Nicolas aménage dans son premier appartement. Dans une vente-débarras, il trouve des verres sur pied et des verres ballons. Il décide d'en acheter au moins quatre de chaque sorte. Il se dit également qu'il devrait avoir au moins 16 verres sur pied et, au maximum, 2 verres ballons de plus que de verres sur pied. Le vendeur demande 1,50 $ pour chaque verre sur pied et 0,75 $ pour chaque verre ballon.

a) Pour répondre à ses besoins, quel montant minimal Nicolas devrait-il débourser?

Nicolas se rend compte qu'il n'a que 14 $ sur lui. Il essaie alors de marchander. Le vendeur ne veut pas baisser le prix de ses verres sur pied, mais il accepte de vendre les verres ballons à 0,50 $ chacun.

b) Montre que Nicolas n'a pas encore assez d'argent pour effectuer la transaction.

Puisqu'il n'a pas assez d'argent, Nicolas laisse tomber la contrainte des 16 verres sur pied. Étant donné les nouveaux prix, il décide d'acheter le plus grand nombre de verres possible avec ses 14 $, et ce, tout en respectant les autres contraintes.

c) Combien de verres de chaque sorte achètera-t-il alors?

26. Le fromage de chez nous

Le système d'inéquations ci-dessous décrit les quantités de deux sortes de fromage que peut produire une petite ferme laitière durant une période de temps.

$$\begin{cases} 30 \leq x \leq 50 \\ 20 \leq y \leq 40 \\ 60 \leq x + y \leq 80 \end{cases}$$

x : quantité de cheddar (kg)
y : quantité de brie (kg)

Les coûts de production, en dollars, sont traduits par la fonction $C = 8x + 12y$. Le revenu que tire la ferme de la vente de cette production est $R = 24x + 26y$.

Quelle quantité de chaque fromage la ferme doit-elle produire :

a) afin de minimiser les coûts de production?

b) afin de maximiser le revenu tiré de la vente?

c) afin de maximiser le profit, c'est-à-dire le revenu moins les coûts?

27. Sur les ailes d'Air Fleurdelisé (1)

La compagnie d'aviation Air Fleurdelisé offre un vol quotidien entre Montréal et Toronto. En vue d'une campagne publicitaire, la direction du marketing suggère de modifier le prix des allers simples. Les avions qui effectuent ce trajet comprennent 120 sièges, dont 20 dans la section affaires et 100 dans la section économie.

Les nouveaux prix des billets devront répondre à certaines contraintes représentées par le système d'inéquations ci-contre, où :

x : le prix d'un siège en classe économie ($)

y : le prix d'un siège en classe affaires ($)

$$\begin{cases} x \geq 240 \\ y \geq x + 120 \\ x + y \leq 720 \\ 100x + 20y \leq 36\,000 \end{cases}$$

Habituellement, l'avion n'est pas plein. Aux fins de ce calcul, la compagnie suppose donc que l'avion est rempli aux trois quarts de sa capacité et contient 90 passagers, soit 75 dans la section économie et 15 dans la section affaires.

a) Selon cette hypothèse, quelle est la règle de la fonction à optimiser ?

b) Que devrait être le prix d'un siège dans chaque section afin de maximiser le revenu R généré par ce vol ?

c) Quel serait ce revenu maximal ?

28. Sur les ailes d'Air Fleurdelisé (2)

Gabrielle travaille aux services de marketing de la compagnie. Elle fait remarquer au directeur du service de marketing qu'il est possible que la répartition des 90 passagers entre les deux sections soit différente de celle décrite dans le numéro précédent.

« Par exemple, dit-elle, il pourrait y avoir 80 passagers dans la section économie et 10 dans la section affaires. »

Par ailleurs, le directeur lui dit qu'il ne faudrait pas que le prix d'un billet pour la classe affaires soit inférieur à 425 $.

a) L'hypothèse de Gabrielle a-t-elle un effet sur les prix optimaux et le revenu généré par le vol ?

b) Quel est l'effet de la contrainte du directeur sur les revenus maximaux de la compagnie ?

29. Consommation d'essence

Selon les données fournies par un vendeur d'automobiles, la nouvelle voiture de Sandra a une cote de consommation d'essence de 7,5 L/100 km pour la conduite en ville et de 6,0 L/100 km pour la conduite sur autoroute. Sandra parcourt de 300 à 500 km par semaine avec sa voiture. Elle parcourt jusqu'à trois fois plus de kilomètres en ville que sur l'autoroute.

a) Quelle est, au minimum, la consommation hebdomadaire d'essence de la voiture de Sandra?

b) À quels kilométrages en ville et sur autoroute cette consommation correspond-elle?

Après avoir compilé ses propres statistiques, Sandra découvre que la consommation d'essence de sa voiture n'est pas tout à fait celle qu'indique la cote de consommation. Elle estime que sa voiture consomme en réalité 1 L de plus par 100 km, que ce soit en ville ou sur autoroute.

c) Les réponses précédentes changent-elles si tu tiens compte de cette nouvelle donnée? Explique ta réponse.

30. Bon voyage!

Lucie part en vacances aux États-Unis en autocar. Le coût total de son voyage, en dollars, dépend de deux variables: la distance x parcourue, en centaines de kilomètres, et la durée y du voyage, en jours. La règle de cette fonction, en dollars, est $C = 40x + 60y$. Lucie cherche à minimiser le coût de son voyage en tenant compte de différentes contraintes représentées par le polygone de contraintes ci-dessous.

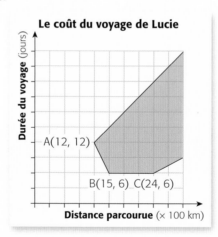

Le coût du voyage de Lucie

a) Détermine la distance que parcourra Lucie, la durée de son voyage et le coût total de celui-ci.

b) Tes réponses en **a** seraient-elles différentes si Lucie décidait d'ajouter une nouvelle contrainte à la situation, soit de parcourir au maximum 2 000 km durant son voyage? Justifie ta réponse.

c) Si Lucie décidait de partir au moins 10 jours en conservant toutes les autres contraintes, quelle distance parcourrait-elle? Combien lui coûterait alors son voyage?

31. Inégalités du triangle   CD 3

Dans un triangle, la somme des mesures de n'importe quelle paire de côtés est toujours supérieure à la mesure de l'autre côté. En effet, dans le cas contraire, la figure ne serait pas fermée, comme le montre l'illustration ci-contre.

Utilise cette propriété pour résoudre le problème suivant.

Le périmètre d'un terrain triangulaire se situe dans l'intervalle de 80 à 100 m. L'un de ses côtés mesure le double de l'autre. On ne dispose d'aucune information au sujet du troisième côté. Que peux-tu dire de la longueur de ce troisième côté au propriétaire ? Explique-lui ton raisonnement.

32. Des réparations urgentes   CD 2

Bernard est responsable de chantier. Il supervise actuellement la construction d'un immeuble de 90 unités de logement. Il vient d'apprendre qu'un inspecteur a découvert un problème dans le filage électrique de tous les logements de l'immeuble. Des réparations urgentes sont nécessaires.

Afin de réduire autant que possible les répercussions sur l'échéancier du chantier, Bernard fera appel à des sous-contractants. Il ne veut pas dépenser plus de 15 000 $. Toutes les réparations devront être terminées dans quatre jours. Voici la soumission de deux entreprises différentes.

Laflèche Électrique inc.

Coût des réparations : 150 $ / unité de logement*

Nombre de réparations : 15 / jour

*Signature du contrat conditionnelle à la garantie d'effectuer la réparation d'au moins 30 unités de logement.

Électricité 100 watts inc.

Coût des réparations : 250 $ / unité de logement

Nombre de réparations : 20 / jour

Bernard est préoccupé. Même s'il fait appel aux deux entreprises en maximisant le nombre de logements réparés, il a l'impression que ce n'est pas possible de faire les 90 réparations en respectant les contraintes de temps et de budget. Montre que Bernard a raison. Suggère une solution au problème en modifiant la contrainte de temps ou la contrainte de budget.

33. Transport au meilleur coût

Caroline est gestionnaire d'une entreprise québécoise qui fabrique des vélos haut de gamme. L'entreprise possède deux usines, A et B, qui fabriquent les vélos. Elle possède aussi deux entrepôts, l'un à Montréal et l'autre à Québec, qui sont des points de vente et de distribution pour les magasins de ces régions.

Durant un mois, l'usine A produit 350 vélos et l'usine B, 250 vélos. Tous ces vélos sont envoyés aux entrepôts. Le tableau ci-dessous donne une estimation du coût de transport des vélos.

Le coût du transport par vélo livré

	À l'entrepôt de Montréal	À l'entrepôt de Québec
De l'usine A	7 $	4 $
De l'usine B	8 $	6 $

Pour faire face à la demande, les deux entrepôts doivent recevoir au moins 200 vélos chacun durant le mois. Caroline cherche à minimiser le coût total du transport des vélos à partir des deux usines vers les deux entrepôts en tenant compte de ces contraintes. Elle sait qu'il lui suffit de décider combien de vélos partiront de chaque usine pour aller à l'entrepôt de Montréal, puisque le reste des vélos produits ira nécessairement à Québec.

Quelle décision devrait-elle prendre?

Orientation et entrepreneuriat

Le transport et la gestion des biens sont depuis toujours des éléments fondamentaux de l'organisation d'une société. Ce n'est pas pour rien que la plupart des villes du monde ont été fondées le long de voies de communication, telles que les fleuves et les rivières. L'entreposage et la distribution des biens sont des problèmes liés au transport que toute économie doit savoir résoudre. Regarde autour de toi. La nourriture que tu manges et les objets qui t'entourent ont certainement beaucoup voyagé.

Peux-tu imaginer le trajet qu'ils ont parcouru? Selon toi, quels problèmes posent le transport et l'entreposage des biens de consommation?

L'administration et la gestion d'entreprise

Le bon fonctionnement et le succès d'une entreprise sont le résultat du travail collectif de tous les employés et de la bonne gestion de la direction. Les membres de la direction sont conseillés et assistés par des administrateurs et des gestionnaires d'entreprise.

Les administrateurs jouent un rôle crucial au sein de la direction de l'entreprise. Ils participent au processus décisionnel au quotidien et à long terme. Ils fournissent également des moyens adaptés aux divisions de l'entreprise pour que chacune puisse mener ses tâches à bien. Les administrateurs jouent ainsi un peu le rôle de coordonnateurs des activités des différents secteurs de l'entreprise. Les principales divisions sous l'égide des administrateurs de l'entreprise sont les ressources humaines, la comptabilité et le contrôle budgétaire.

Différents programmes collégiaux et universitaires mènent les étudiants vers des carrières d'administrateurs et de gestionnaires d'entreprise. Il existe des programmes en administration aux niveaux collégial et universitaire ainsi qu'un certificat en gestion d'entreprise à l'université. Les programmes universitaires en administration permettent de se spécialiser selon le domaine d'activités de l'entreprise visée.

Les administrateurs doivent être capables de gérer plusieurs situations à la fois. C'est pourquoi ils doivent faire preuve de rigueur et de discipline. Ils doivent être en mesure de diriger et de gérer des groupes, ce qui demande du leadership et des aptitudes pour la communication.

Les programmes permettant de former des administrateurs et des gestionnaires d'entreprise peuvent aussi mener vers d'autres types d'emplois, par exemple des emplois de comptables, de gestionnaires des ressources humaines, de responsables du marketing, de gestionnaires financiers et même de conseillers en assurance.

Chapitre 2

La géométrie des figures planes

Les journaux, les magazines, la télévision et Internet diffusent un grand nombre d'images. Ces images, autant que les mots, servent à transmettre de l'information. Certains médias, qui connaissent bien le pouvoir d'influence des images, les modifient parfois dans le but de transmettre une information particulière. Par exemple, certains magazines de mode n'hésitent pas à retoucher les photos qu'ils publient pour séduire davantage leurs lecteurs. Les lecteurs, les téléspectateurs et les internautes doivent alors utiliser leur jugement pour discerner le vrai du faux dans les images qui leur sont proposées.

Des connaissances relatives aux figures planes et aux transformations géométriques peuvent aider les gens à demeurer critiques devant les images diffusées par les médias.

Donne un exemple d'image diffusée par les médias qui t'a semblé retouchée. La retouche était-elle nécessaire? Justifie ta réponse.

Survol

Médias

Contenu de formation

- Figures planes équivalentes
- Optimisation avec des figures planes équivalentes
- Transformations géométriques dans le plan cartésien
- Règle d'une transformation géométrique
- Recherche de mesures manquantes mettant à profit
  des figures planes équivalentes et des transformations
  géométriques

Faire le (point) sur les connaissances antérieures

Entrée en matière

Les pages 70 à 76 font appel à tes connaissances en géométrie.

En contexte

1. Voici une discussion portant sur le calcul de l'aire d'un triangle diffusée sur un forum de discussion dans Internet.

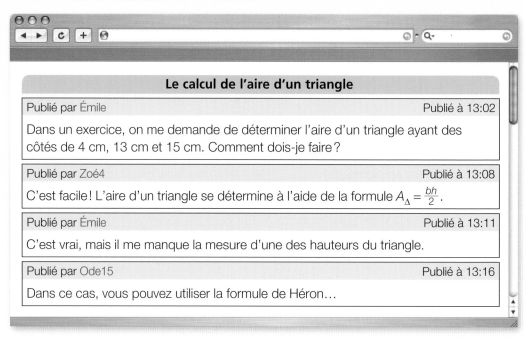

Le calcul de l'aire d'un triangle

Publié par Émile	Publié à 13:02
Dans un exercice, on me demande de déterminer l'aire d'un triangle ayant des côtés de 4 cm, 13 cm et 15 cm. Comment dois-je faire ?	

Publié par Zoé4	Publié à 13:08
C'est facile ! L'aire d'un triangle se détermine à l'aide de la formule $A_\Delta = \frac{bh}{2}$.	

Publié par Émile	Publié à 13:11
C'est vrai, mais il me manque la mesure d'une des hauteurs du triangle.	

Publié par Ode15	Publié à 13:16
Dans ce cas, vous pouvez utiliser la formule de Héron…	

a) Est-il possible de trouver la mesure d'une des hauteurs du triangle ? Justifie ta réponse.

b) Ode15 fait référence à la formule de Héron. Quelle est cette formule et à quoi sert-elle ?

c) Trace trois triangles qui ont la même aire que le triangle ayant des côtés de 4 cm, 13 cm et 15 cm. Laisse les traces de ta démarche.

2. Voici une autre discussion, portant cette fois sur le calcul de l'aire d'un polygone régulier, diffusée dans Internet.

Le calcul de l'aire d'un polygone régulier

Publié par Céramix	Publié à 14:30

Je suis céramiste. Je conçois des dalles de céramique pour le recouvrement de planchers. Ces dalles ont la forme de triangles équilatéraux, de carrés, d'hexagones réguliers et d'octogones réguliers. Toutes les dalles que je fabrique ont 10 cm de côté. Une cliente m'a demandé de préciser l'aire de chacune de mes dalles pour planifier ses travaux de rénovation. J'arrive à déterminer l'aire des dalles carrées, mais pas celle des autres dalles. Quelqu'un peut-il m'expliquer comment faire ?

Publié par Euler	Publié à 17:12

Puisque vos dalles ont la forme de polygones réguliers, vous pouvez en déterminer l'aire à l'aide de la formule $A = \frac{pa}{2}$, où a représente l'apothème et p, le périmètre d'une dalle.

Publié par Céramix	Publié à 18:09

En fait, je ne connais pas l'apothème de chacune des dalles et ma cliente demande des mesures précises… On m'a dit que la trigonométrie pourrait m'aider. Quelqu'un peut-il m'éclairer à ce sujet ?

a) Sachant que la mesure du côté d'une dalle régulière fabriquée par Céramix est de 10 cm, détermine :

1) l'aire de la dalle ayant la forme d'un octogone régulier à l'aide de la trigonométrie ;

2) l'aire de la dalle ayant la forme d'un triangle équilatéral à l'aide de la relation de Pythagore, dans un premier temps, et de la formule de Héron, dans un second temps.

b) Explique comment déterminer l'aire de la dalle ayant la forme d'un hexagone régulier.

Médias

Internet permet aux personnes qui le désirent de participer à des forums de discussion où elles peuvent émettre leurs opinions et leurs idées sur certains sujets, et diffuser de l'information. Les personnes qui recueillent cette information, par exemple celles qui reçoivent des réponses aux questions qu'elles ont posées, doivent cependant faire preuve de prudence. En effet, l'information trouvée dans Internet n'est pas toujours exacte.

Comment peut-on s'assurer de l'exactitude d'une information diffusée dans Internet ? Quels outils peuvent servir à vérifier l'exactitude d'une information diffusée dans Internet ?

3. Voici une discussion portant sur les frises diffusée sur un forum de discussion dans Internet.

Les frises

Publié par Arto   Publié à 8:30

Je suis artiste et les frises arabes, byzantines et pompéiennes me passionnent. On m'a dit que des transformations géométriques servaient à produire des frises. Par exemple, cette frise pompéienne me semble esthétiquement intéressante. L'est-elle également d'un point de vue mathématique ?

Publié par Mathis   Publié à 9:40

Cette frise est intéressante d'un point de vue mathématique, car elle est invariante pour différentes transformations géométriques.

Publié par Arto   Publié à 10:20

Que voulez-vous dire par « la frise est invariante pour différentes transformations géométriques » ?

Publié par Mathis   Publié à 10:25

Je veux dire par là que, si la frise se poursuit à l'infini vers la gauche et vers la droite, vous pouvez appliquer une translation, une réflexion ou même une rotation à toute la frise, et l'image obtenue correspondra en tout point à la frise initiale.

Voici une frise byzantine. Tout comme la frise pompéienne, elle est invariante après l'application d'une translation, d'une réflexion et d'une rotation.

a) Reproduis la fresque pompéienne et trace une flèche de translation qui montre qu'elle est invariante.

b) Trace un axe de réflexion qui montre que la frise pompéienne est invariante.

c) Détermine un centre et un angle de rotation qui montrent que la frise pompéienne est invariante.

d) Mathis a fait une erreur dans sa dernière intervention. Quelle est cette erreur ?

En bref

1. Détermine la hauteur issue du sommet **C** et la mesure des angles du triangle isocèle ci-contre.

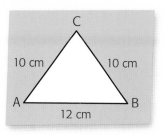

2. Détermine la mesure manquante, au centimètre près, dans chacun des triangles rectangles suivants.

a)

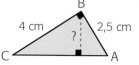

b)

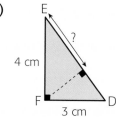

c)

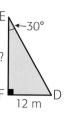

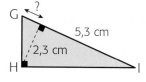

d)

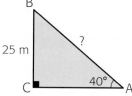

e)

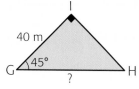

f)

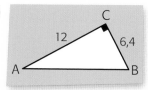

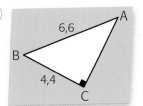

3. Voici trois triangles rectangles.

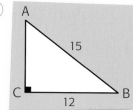

Pour chacun de ces triangles rectangles, détermine :

a) la mesure des angles **A** et **B**, au degré près ;

b) la mesure de la hauteur relative à l'hypoténuse.

4. Laquelle des deux figures ci-dessous a la plus grande aire ?

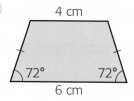

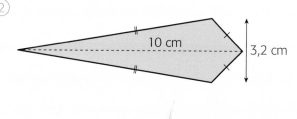

5. Voici une figure tracée dans un plan cartésien.

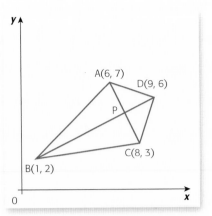

À l'aide du concept de pente, justifie le fait que :

a) les diagonales du cerf-volant sont perpendiculaires ;

b) les côtés opposés du cerf-volant ne sont pas parallèles.

6. Voici deux figures tracées dans des plans cartésiens. Dans la figure ①, le point **P** est le point milieu de $\overline{AC}$. Dans la figure ②, le point **P** est le point de rencontre des diagonales du parallélogramme.

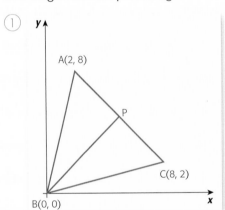

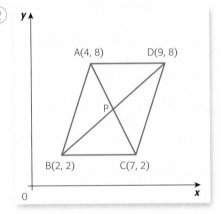

Pour chaque figure, détermine :

a) les coordonnées du point **P** ;

b) la distance qui sépare le point **P** du sommet **A**.

7. Sur une image satellite, Julien a pu observer l'ombre de la grande pyramide de Gizeh. Il trace cette ombre et en estime quelques mesures.

a) Si une personne marchait sur tout le pourtour de la zone ombragée, quelle distance parcourrait-elle ?

b) Détermine l'aire de l'ombre de cette pyramide à l'aide :

1) de la formule de Héron ;

2) de la formule $A_\Delta = \dfrac{ab \sin C}{2}$, où a et b représentent la mesure de deux côtés du triangle et **C**, l'angle compris entre ces deux côtés.

8. Détermine l'aire et le périmètre des figures suivantes.

a) Pentagone régulier

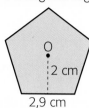

O

2 cm

2,9 cm

b) Triangle isocèle

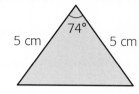

5 cm 74° 5 cm

c) Disque

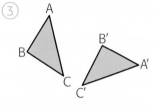

O

4 cm

9. Voici trois figures et leur image obtenue après l'application d'une transformation.

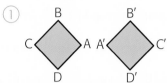

① B B' C A A' C' D D'

② 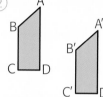 A B C D A' B' C' D'

③ A B C B' A' C'

a) Nomme la transformation géométrique (translation, rotation ou réflexion) qui permet d'associer la figure initiale à son image.

b) Indique laquelle ou lesquelles de ces transformations :

   1) préservent la mesure des segments de la figure initiale ;

   2) préservent la mesure des angles de la figure initiale ;

   3) transforment un segment de la figure initiale en un segment parallèle.

10. Après l'application d'une transformation géométrique, la figure initiale et son image sont parfois isométriques ou simplement semblables.

a) Qu'est-ce qui caractérise deux figures :

   1) isométriques ?   **2)** semblables ?

b) Nomme au moins une transformation géométrique qui transforme une figure initiale en une figure :

   1) isométrique ;   **2)** semblable.

11. Voici deux formats d'une même photo. L'une des photos a été obtenue par une homothétie de l'autre.

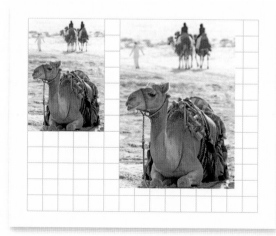

a) Selon toi, où se situe le centre d'homothétie de cette transformation et quel peut être le rapport d'homothétie ?

b) Quel est le rapport du périmètre de la grande photo à celui de la petite photo ?

c) Quel est le rapport de l'aire de la grande photo à celle de la petite photo ?

12. Les frises suivantes ont été conçues à partir du motif initial ci-contre.

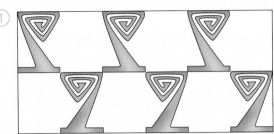

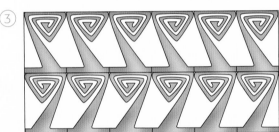

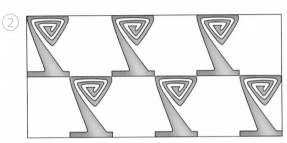

Explique, à l'aide de transformations géométriques, comment chacune de ces frises a pu être conçue à partir du motif initial.

13. Reproduis les figures suivantes. Ensuite, trace l'image de chacune obtenue après l'application de la transformation indiquée.

a) Une translation selon la flèche *t*.

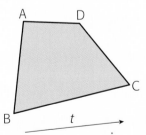

b) Une rotation de ⁻90° autour du centre **O**.

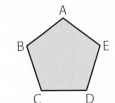

c) Une réflexion selon l'axe *s*.

d) Une homothétie de centre **C** et de rapport 1,5.

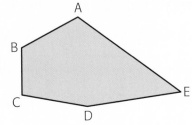

Le concept d'équivalence

Le mot du chroniqueur  CD 2

Avant de se rendre à l'école, Maxime aime bien lire la chronique de son journaliste favori. Ce matin, celui-ci a écrit un article sur la Roumanie. En voici un extrait.

La Roumanie

Palatul Parlamentului est le nom officiel qu'on donne au palais du Parlement roumain, mais les Roumains le surnomment la Maison du peuple, qui correspond à son ancien nom. Il s'agit du plus grand bâtiment d'Europe et, en terme de superficie, il arrive deuxième au rang mondial, tout juste après le Pentagone des États-Unis.

[…] Il compte 1 100 pièces et, au sol, il couvre une superficie équivalente à 12 terrains de football américain de 5 400 m^2 d'aire chacun. C'est tellement grand qu'il faut prendre sa voiture pour en faire le tour!

Fait divers

La construction de la Maison du peuple est un projet grandiose qui a demandé l'effort de plus de 20 000 ouvriers travaillant jour et nuit. Quelque 40 000 personnes auraient été expropriées de 1984 à 1989 et un quartier historique a été rasé pour faire place à ce monument.

Quelle peut être la forme au sol d'un édifice ayant la même superficie que la Maison du peuple, mais ayant le plus petit périmètre possible? Justifie ta réponse et trace cette forme selon l'échelle de ton choix. Indique ses dimensions.

Médias

L'un des rôles des médias est d'informer. Par exemple, les journaux, les magazines, les guides de voyage et Internet constituent une mine de renseignements inépuisable pour une personne qui désire voyager. Pour ceux qui n'ont pas les moyens de visiter de lointains pays, les médias demeurent une façon virtuelle de les parcourir, que ce soit en consultant des blogues de voyageurs, des banques d'images ou en lisant des reportages publiés dans les périodiques.

Quels avantages les voyages virtuels possèdent-ils? Malgré tous ces bons côtés, qu'est-ce que les vrais voyages apportent de plus que les voyages virtuels?

Des figures planes équivalentes

Simon étudie des figures planes. Voici les figures sur lesquelles il a travaillé.

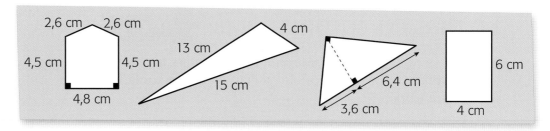

A Calcule l'aire de chacune de ces figures. Qu'observes-tu?

B Compare les périmètres de ces figures.

**Polygones
équivalents**

Polygones qui ont
la même aire.

Après avoir calculé l'aire et le périmètre de ces figures, Simon énonce la conjecture suivante: «De deux **polygones** convexes **équivalents**, c'est le polygone qui a le plus de côtés qui a le plus petit périmètre.»

Voici maintenant deux autres figures également équivalentes aux figures précédentes.

Parallélogramme

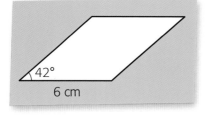

Triangle isocèle

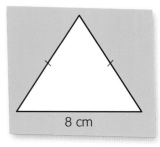

C Pour chacune de ces figures, détermine:
   1) la hauteur;
   2) le périmètre.

D Selon toi, Simon a-t-il raison lorsqu'il énonce sa conjecture? Justifie ta réponse.

E Indique la mesure de la base et la hauteur d'un parallélogramme équivalent aux figures précédentes, mais dont le périmètre est encore plus grand que celui du triangle isocèle ci-dessus.

F Existe-t-il un périmètre maximal pour un parallélogramme équivalent aux figures précédentes? Explique ta réponse.

Ai-je bien compris?

1. Le triangle ci-dessous est une représentation du fronton du Panthéon d'Agrippa, situé à Rome.

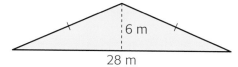

6 m
28 m

Détermine les dimensions d'un rectangle équivalent qui a:

a) un plus petit périmètre que ce triangle;

b) un plus grand périmètre que ce triangle.

2. Quel est le périmètre du losange ci-contre qui est équivalent à un rectangle de 3 cm sur 6 cm?

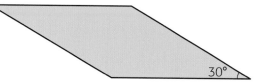

30°

3. Construis un trapèze isocèle qui a des bases de 7 cm et de 5 cm, et qui est équivalent au triangle ci-dessous.

5 cm   5 cm

8 cm

Laquelle des deux figures a le plus petit périmètre?

« Voir » la différence

Polygones équivalents à *n* côtés

Samuel est fabricant de fenêtres. Il offre une nouvelle gamme de fenêtres écoénergétiques dont les cadres, fabriqués en thermoplastique, permettent une grande variété de formes. Voici une série de modèles offerts. Toutes les fenêtres de cette série ont la même aire.

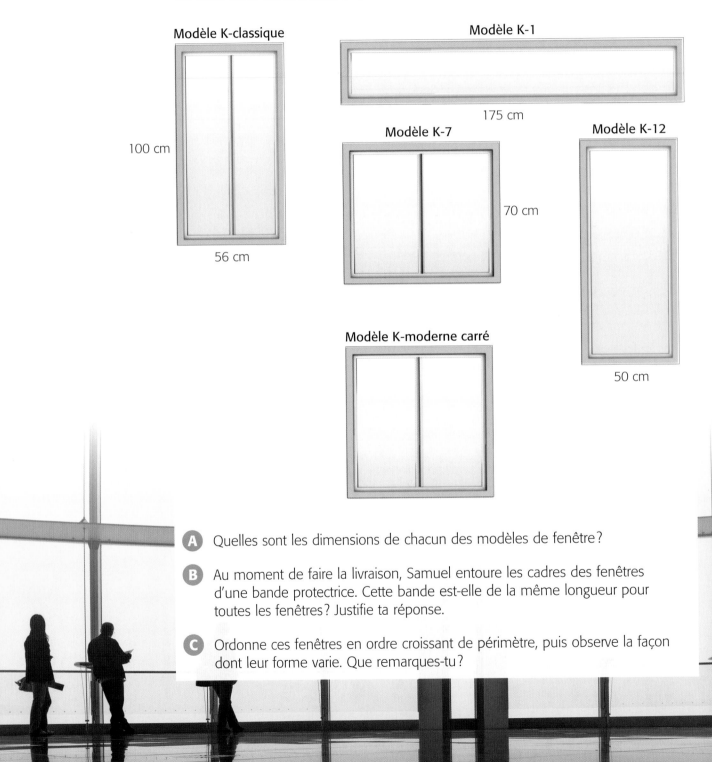

Modèle K-classique

100 cm

56 cm

Modèle K-1

175 cm

Modèle K-7

70 cm

Modèle K-12

50 cm

Modèle K-moderne carré

A Quelles sont les dimensions de chacun des modèles de fenêtre ?

B Au moment de faire la livraison, Samuel entoure les cadres des fenêtres d'une bande protectrice. Cette bande est-elle de la même longueur pour toutes les fenêtres ? Justifie ta réponse.

C Ordonne ces fenêtres en ordre croissant de périmètre, puis observe la façon dont leur forme varie. Que remarques-tu ?

Un client aimerait ajouter une fenêtre originale au-dessus de sa porte d'entrée. Samuel lui propose deux modèles de forme hexagonale ayant la même aire.

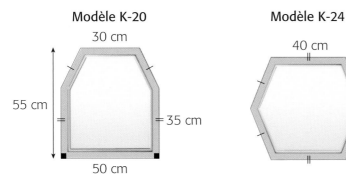

Modèle K-20

Modèle K-24

D Quelle est l'aire de ces fenêtres?

E Au moment de la livraison, lequel des deux modèles nécessitera la plus longue bande protectrice? Justifie ta réponse.

F Suggère un autre modèle de fenêtre hexagonale ayant la même aire, mais un périmètre plus petit que les deux modèles proposés par Samuel.

G À l'aide de tes observations sur ces deux séries de fenêtres (rectangulaires et hexagonales), complète la phrase suivante au sujet des figures équivalentes et de leur périmètre.

> De toutes les figures ayant le même nombre de côtés, c'est la figure régulière qui a le plus ▬▬▬ périmètre.

TIC

La plupart des logiciels de géométrie dynamique permettent de construire des figures planes et d'afficher certaines mesures. Pour en savoir plus, consulte la page 368 de ce manuel.

Ai-je bien compris?

1. Pour chacune des figures suivantes, détermine les dimensions d'un polygone équivalent ayant le même nombre de côtés, mais dont le périmètre est le plus petit possible.

a)
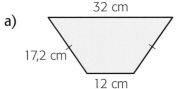

b)
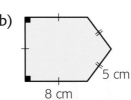

c)
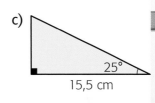

2. Parmi tous les octogones équivalents, lequel a le plus petit périmètre?

Des trampolines dans Internet

• Périmètre de polygones réguliers convexes équivalents

• Recherche de mesures manquantes

Depuis 1999, le trampoline est une discipline officielle des Jeux olympiques. L'engouement pour ce sport est de plus en plus grand. Il y a plusieurs types de trampolines à vendre dans Internet. Souvent, leur forme est régulière : il s'agit de carrés, d'hexagones réguliers, d'octogones réguliers, etc.

La toile grise du trampoline ci-dessous, qui a la forme moins courante d'un pentagone régulier, a une aire de 16 m².

L'aire A d'un triangle ayant deux côtés de mesures b et c et un angle θ compris entre ces deux côtés est donnée par la formule $A = \dfrac{bc\sin\theta}{2}$.

Pour déterminer le périmètre de la toile grise, tu peux recourir à la trigonométrie en te servant d'un des triangles isocèles qui forment la toile et qui a pour sommet le centre de cette toile.

Ⓐ Quelle est l'aire du triangle isocèle représenté ci-dessus ?

Ⓑ Quelle est la mesure de chacun des angles de ce triangle isocèle ?

Ⓒ Quelle est la mesure des côtés isométriques de ce triangle isocèle ?

Ⓓ Quel est le périmètre de la toile grise de ce trampoline ?

Observe maintenant les différents trampolines suivants, qui ont tous la forme d'un polygone régulier ayant une aire de 16 m².

E Reproduis et remplis le tableau suivant.

Polygone régulier	Aire du triangle isocèle	Mesure de $\angle1$, $\angle2$ et $\angle3$	Mesure de b	Périmètre du polygone régulier	Aire du polygone régulier
Pentagone régulier					16 m²
Hexagone régulier	2,67 m²	$\angle1$: 60° $\angle2$: 60° $\angle3$: 60°			16 m²
Octogone régulier	2,00 m²	$\angle1$: 45° $\angle2$: 67,5° $\angle3$: 67,5°	Environ 2,38 m		16 m²
Décagone régulier	1,60 m²	$\angle1$: 36° $\angle2$: 72° $\angle3$: 72°	Environ 2,33 m		16 m²

F Dans le tableau en **E**, que remarques-tu à propos du périmètre de cet ensemble de polygones réguliers équivalents ?

G Un polygone régulier de 7 côtés a une aire de 16 m². D'après les données du tableau en **E**, entre quelles valeurs devrait se situer le périmètre de cet heptagone régulier ?

H Selon toi, quelle figure plane ayant une aire de 16 m² aura le plus petit périmètre ? Quel est ce périmètre ?

Ai-je bien compris ?

1. Dans chaque paire de polygones réguliers équivalents, détermine le polygone qui a le plus petit périmètre.
   a) Un octogone régulier et un dodécagone (12 côtés) régulier
   b) Un carré et un pentagone régulier
   c) Un heptagone et un icosagone régulier (20 côtés)
   d) Un décagone régulier (10 côtés) et un ennéagone régulier (9 côtés)

2. Monsieur et madame Biron planifient de construire une pergola dans leur jardin. Madame Biron a-t-elle raison de croire que, si la base de la pergola avait la forme d'un hexagone régulier de 9 m² d'aire plutôt que celle d'un carré de même aire, son périmètre serait inférieur d'au moins 1 m ? Explique ta réponse.

Faire le (point)

Les figures planes équivalentes

Deux figures planes sont équivalentes si elles ont la même aire.

Exemple : Ces deux figures planes ont chacune une aire de 2,25 cm². Elles sont donc équivalentes.

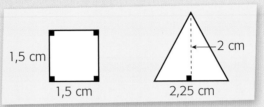

Remarque : On dit aussi que des figures planes sont équivalentes si on peut en «découper» une pour former l'autre.

Le rectangle **AEFD** est équivalent au parallélogramme **ABCD**.

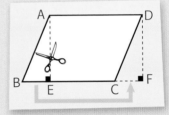

La recherche de mesures manquantes

Dans les figures planes équivalentes, le procédé de recherche de mesures manquantes s'appuie sur l'égalité des aires.

Exemple :

Quelle est la mesure de la grande diagonale du losange **ABCD** si celui-ci est équivalent au cerf-volant **EFGH** ?

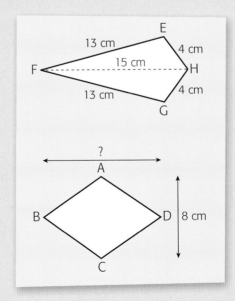

Étape	Démarche
1. Calculer l'aire d'une des deux figures. Puisque $A_1 = A_2$, l'aire de la seconde figure est automatiquement déterminée.	Il est possible de calculer l'aire du triangle **EHF** à l'aide de la formule de Héron. $A_{\Delta EHF} = \sqrt{p(p-a)(p-b)(p-c)}$, où p est le demi-périmètre du triangle $A_{\Delta EHF} = \sqrt{16(16-4)(16-13)(16-15)}$ $A_{\Delta EHF} = 24 \text{ cm}^2$ L'aire du triangle **GFH** est également de 24 cm². Ainsi, l'aire du cerf-volant est de 48 cm², soit 2 · 24 cm².
2. Trouver la mesure manquante en utilisant la formule d'aire appropriée.	$A_{losange} = \dfrac{D \cdot d}{2}$ $48 = \dfrac{D \cdot 8}{2}$ $D = 12 \text{ cm}$

Les propriétés concernant les figures planes équivalentes

Les polygones équivalents à *n* côtés

De tous les polygones équivalents à *n* côtés, c'est le polygone régulier qui a le plus petit périmètre.

Exemples :

1) Dans cet ensemble de triangles équivalents, c'est le triangle équilatéral qui a le plus petit périmètre.

2) Dans cet ensemble de quadrilatères équivalents, c'est le carré qui a le plus petit périmètre.

Les polygones réguliers convexes équivalents

De deux polygones réguliers convexes équivalents, c'est le polygone qui a le plus de côtés qui a le plus petit périmètre. À la limite, c'est le disque équivalent qui a le plus petit périmètre.

Exemple : Dans cet ensemble de polygones réguliers convexes équivalents, c'est l'octogone régulier qui a le plus petit périmètre.

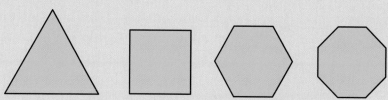

Mise en pratique

1. Observe les figures suivantes.

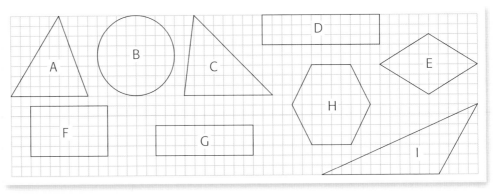

Parmi l'ensemble de figures, détermine celles qui sont équivalentes.

2. Détermine la hauteur *h* de chacun des triangles suivants, sachant qu'ils sont équivalents.

① **Triangle rectangle**

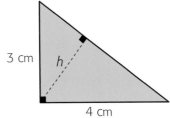

3 cm

h

4 cm

② **Triangle équilatéral**

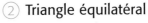

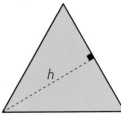

h

3. Construis un triangle, un rectangle, un trapèze et un losange ayant chacun une aire de 36 cm².

  a) Parmi les figures que tu as construites, laquelle a le plus petit périmètre ?

  b) Construis une figure plane de 36 cm² qui a un périmètre encore plus petit que la figure nommée en **a**.

  c) Quelle est la figure plane dont l'aire, arrondie à l'unité près, est de 36 cm² et qui a le plus petit périmètre possible parmi toutes les figures planes ayant cette aire ? Trace cette figure en indiquant ses dimensions et détermine son périmètre.

4. Vrai ou faux ? Si l'énoncé est faux, donne un contre-exemple.

  a) Deux rectangles équivalents sont nécessairement isométriques.

  b) Deux rectangles équivalents ont nécessairement le même périmètre.

  c) Deux rectangles ayant le même périmètre sont nécessairement équivalents.

  d) Comme un rectangle a plus de côtés qu'un triangle qui lui est équivalent, il a nécessairement un périmètre plus petit.

  e) Dans une famille de polygones convexes réguliers équivalents, plus un polygone a de côtés, plus son périmètre est petit.

5. Soit le triangle ci-contre.

    a) Trace trois cerfs-volants différents équivalents à ce triangle.

    b) Lequel de ces cerfs-volants a le plus petit périmètre? Justifie ta réponse.

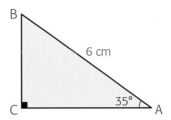

6. Tous les triangles suivants sont équivalents. Pour chacun d'eux, détermine la mesure manquante.

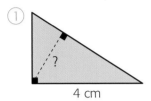
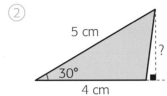
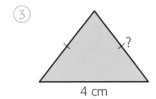

7. Détermine les mesures manquantes dans les deux figures équivalentes ci-dessous.

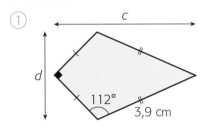
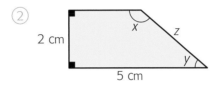

8. Voici une représentation de la façade arrière d'une niche.

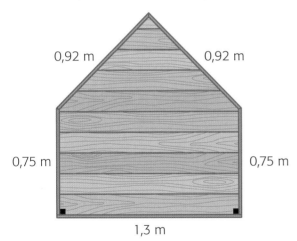

Est-il vrai de dire qu'un rectangle équivalent à cette façade a nécessairement un périmètre plus petit? Si oui, justifie ta réponse. Si non, donne un contre-exemple et précise les dimensions du rectangle.

9. Nathalie est une artiste visuelle. Elle conçoit des vitraux. Voici la dernière œuvre qu'elle a produite dans un cadre rectangulaire.

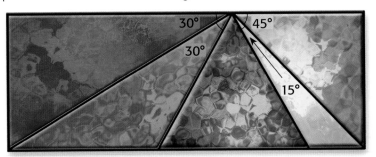

a) Parmi les cinq morceaux de verre, deux sont équivalents. Détermine les morceaux équivalents et explique ton raisonnement.

b) Entre ces deux morceaux équivalents, lequel a le plus petit périmètre? Justifie ta réponse.

10. Chloé adore l'équipe de football des Alouettes de Montréal. Au dernier match auquel elle a assisté, elle a remarqué que la zone des buts du stade des Alouettes avait la forme d'un hexagone, contrairement à celle du stade des Stampeders de Calgary, qui a plutôt la forme d'un rectangle de 65 verges sur 20 verges.

Elle suppose que, pour des raisons d'équité, malgré leurs formes différentes, ces zones ont la même aire. Voici une représentation de la zone des buts du stade des Alouettes.

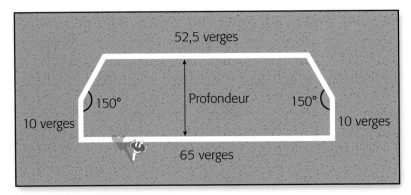

S'il est vrai que ces deux zones de buts ont la même aire :

a) quelle est la profondeur de la zone des buts du stade des Alouettes?

b) laquelle de ces deux zones nécessite le plus de chaux pour tracer la ligne blanche qui en délimite le contour?

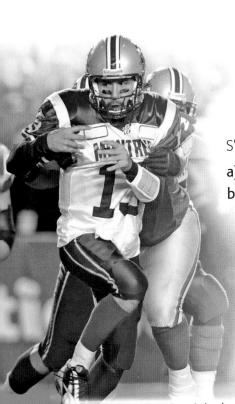

Fait divers

Le football canadien, dont les règles ressemblent beaucoup à celles du football américain, possède des caractéristiques du soccer et du rugby. Ce sport étant d'origine américaine, on continue d'utiliser les verges comme unités des dimensions. En fait, une verge équivaut à 0,9144 m.

11. Soit le triangle suivant.

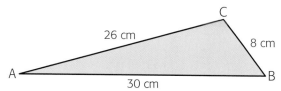

a) À l'aide de la mesure des trois côtés, détermine l'aire et le périmètre de ce triangle.

En déplaçant le sommet **C** parallèlement au côté **AB**, il est possible de construire un triangle isocèle équivalent au triangle **ABC**.

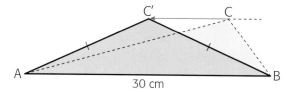

b) Détermine le périmètre de ce triangle **ABC′**.

c) Compare les périmètres trouvés en **a** et en **b**. Comment qualifierais-tu le périmètre du triangle isocèle par rapport au périmètre du triangle scalène ?

12. Imagine un ensemble de triangles isocèles équivalents.

Quelle est la mesure de l'angle compris entre les côtés isométriques de celui qui a le plus petit périmètre ?

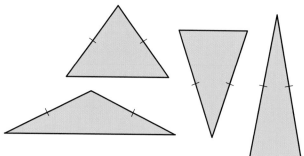

13. Un éleveur d'autruches veut délimiter par une clôture un enclos de 225 m². Il possède 57 m de clôture et veut donner à l'enclos la forme d'un polygone régulier.

Montre qu'il n'est pas possible de donner à l'enclos la forme d'un carré.

14. Une caméra de surveillance a été installée dans un stationnement rectangulaire. On l'a orientée de manière à couvrir la partie centrale du stationnement, zone délimitée par deux lignes droites reliant un coin du terrain et le milieu des côtés qui y sont opposés. Ainsi, il reste deux zones, ombrées dans l'illustration ci-dessous, qui ne sont pas couvertes par la caméra.

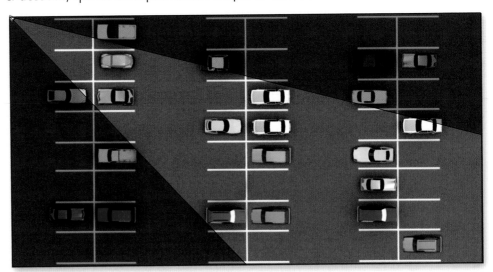

a) Le technicien à l'installation affirme que la zone couverte par la caméra de surveillance a la même aire que celle d'une des deux zones non couvertes. A-t-il raison? Justifie ta réponse à l'aide d'arguments mathématiques.

b) Est-ce que les deux zones non couvertes sont équivalentes? Justifie ta réponse.

15. Vanessa observe le verso de deux enveloppes de forme rectangulaire et de même grandeur.

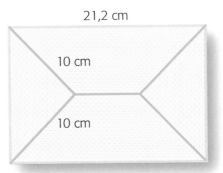

21,2 cm

10 cm

10 cm

Le motif créé par le pliage de la première enveloppe comporte deux triangles rectangles isométriques et deux trapèzes isométriques. La surface des deux triangles équivaut à celle d'un trapèze.

Le motif créé par le pliage de la deuxième enveloppe forme deux paires de triangles isométriques.

Pour quelle enveloppe la longueur totale des lignes bleues est-elle la plus petite? Justifie ta réponse.

Une figure caricaturale 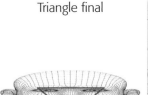 CD 3

Fred est caricaturiste. À l'aide d'un logiciel, il transforme la photo d'un personnage dont il s'inspirera pour faire une caricature. Le schéma suivant montre cette transformation. Dans ce schéma, deux des sommets du triangle représentent les yeux du personnage, un autre, son menton. Le nez est représenté par le point **P**.

Triangle initial 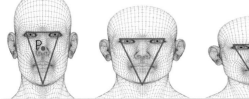 Triangle final

Pour comprendre l'effet de cette transformation sur le triangle initial, Fred le représente dans un plan cartésien avec le triangle final.

Pour aider Fred, explique d'abord dans tes mots ce qui se passe pendant cette transformation. Ensuite, trouve une façon de décrire mathématiquement la transformation qui permet d'associer le triangle initial au triangle final. Enfin, détermine l'emplacement du nez dans le triangle final.

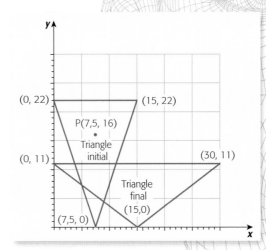

Médias

La caricature est une œuvre qui a une courte durée de vie, puisqu'elle est le reflet instantané d'un événement précis de l'actualité. Elle dépeint de façon humoristique des situations de l'actualité mettant en jeu des personnalités publiques, souvent des politiciens. Les traits physiques des personnes y sont exagérés pour tourner au ridicule le contexte présenté. Cependant, la caricature n'est pas seulement une image drôle. À un second niveau, elle est aussi une prise de position de la ou du caricaturiste, une critique sociale et une piste de réflexion pour les lecteurs.

Outre le fait d'avoir un certain talent pour le dessin, quelles sont les qualités d'une bonne ou d'un bon caricaturiste ? Peux-tu nommer un événement de l'actualité ou une situation particulière qui pourrait faire l'objet d'une caricature ?

Des règles à suivre

Maria suit une formation pour être infographiste. Durant sa formation, elle apprend que l'ordinateur avec lequel elle travaille est muni d'un système de repérage qui s'apparente à un système de repérage cartésien. Elle peut l'utiliser pour établir une **règle de transformation géométrique** qui lui permet de déplacer des figures ou de les transformer.

Durant un exercice en classe, Maria établit la règle de transformation suivante.

Règle de transformation géométrique

Règle de transformation géométrique
Règle qui permet d'associer, dans le plan cartésien, un point initial **P** à son image **P'** à l'aide de coordonnées.

$$(x, y) \mapsto (1,5x, \ 1,5y)$$

Cette règle signifie que l'abscisse et l'ordonnée de chaque point du plan cartésien sont multipliées par 1,5 pour obtenir l'abscisse et l'ordonnée de leur image.

Les figures représentées dans le plan cartésien ci-dessous sont celles auxquelles Maria doit appliquer la transformation décrite par la règle qu'elle a établie.

Pièges et astuces

Dans la langue courante, le mot «transformation» désigne le passage d'une forme à une autre. En mathématique, une transformation géométrique n'implique pas toujours la modification d'une figure. Par exemple, si on applique une translation, une réflexion ou une rotation à une figure, elle n'est pas modifiée.

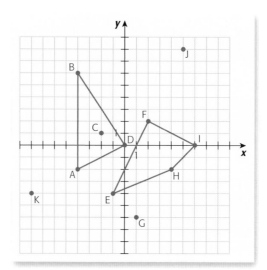

Ⓐ Quelles sont les coordonnées de l'image de chacun des points **C**, **G**, **J** et **K** obtenue après l'application de la transformation décrite par la règle que Maria a établie?

Ⓑ Reproduis le plan cartésien et trace les images du triangle **ADB** et du quadrilatère **EHIF** obtenues après l'application de la transformation décrite par la règle que Maria a établie.

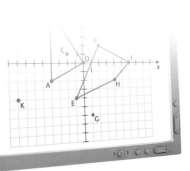

C Identifie cette transformation géométrique et nomme ses caractéristiques.

Maria établit ensuite les règles de transformation suivantes.

① $(x, y) \mapsto (\bar{x}, y)$　　　② $(x, y) \mapsto (3x, 2y)$

D Trace les images du triangle **ADB** et du quadrilatère **EHIF** obtenues après l'application de chacune des transformations décrites par ces règles.

E Indique si chacune des images obtenues en **B** et en **D** est :
1) isométrique à la figure initiale ;
2) semblable à la figure initiale, sans être isométrique.

F Laquelle ou lesquelles des trois transformations appliquées en **B** et en **D** transforment tout segment en segment parallèle ?

Ai-je bien compris ?

a) Dans un plan cartésien, trace l'image du quadrilatère **ABCD** obtenue après l'application de chacune des transformations décrites par les règles suivantes.

1) $(x, y) \mapsto (x - 6, y + 5)$

2) $(x, y) \mapsto \left(\dfrac{1}{2}x, 3y\right)$

3) $(x, y) \mapsto (y, \bar{x})$

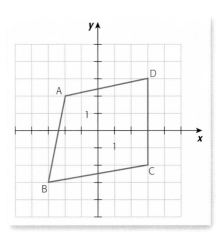

b) Quel est l'effet de l'application de chacune des transformations suivantes sur le périmètre du quadrilatère **ABCD** ?

1) $(x, y) \mapsto (x + 1, y + 1)$

2) $(x, y) \mapsto (x, \bar{y})$

3) $(x, y) \mapsto (2{,}5x, 2{,}5y)$

Des dessins à l'écran

Règles d'une translation, d'une réflexion et d'une rotation

Tahar utilise un logiciel de traitement de texte pour produire le journal de sa ligue de volley-ball de plage. Il explore les fonctions de dessin de ce logiciel. Il trace le rectangle **ABCD** dans un plan cartésien. Après l'application d'une translation *t* sur ce rectangle, Tahar obtient l'image **A′B′C′D′**.

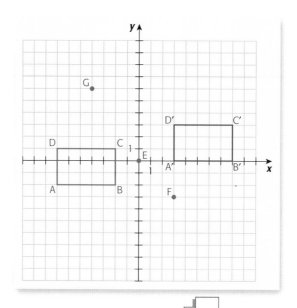

A Reproduis et remplis le tableau suivant.

Coordonnées des sommets du rectangle **ABCD**	Coordonnées des sommets de l'image du rectangle **ABCD**
A(⁻7, ⁻2)	A′(3, 0)
B(⁻2, ⁻2)	
C(⁻2, 1)	
D(⁻7, 1)	

B À partir du tableau rempli en **A**, décris, à l'aide d'une règle de transformation géométrique, la translation que Tahar a appliquée au rectangle **ABCD**.

C Quelles sont les coordonnées de l'image de chacun des points **E**, **F** et **G** obtenue après l'application de cette translation?

D Quelles sont les coordonnées de l'image du point **T**(12, ⁻20) obtenue après l'application de cette translation?

E Complète la règle de transformation suivante qui décrit une translation (a, b).

$$t : (x, y) \mapsto (\rule{1cm}{0.2cm}, \rule{1cm}{0.2cm})$$

Dans un autre plan cartésien, Tahar trace le polygone **ABCDEF** et son image obtenue après l'application d'une réflexion par rapport à l'axe des abscisses.

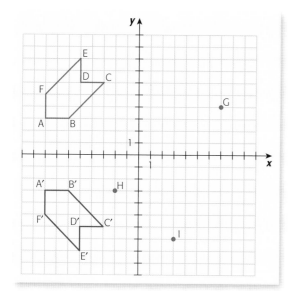

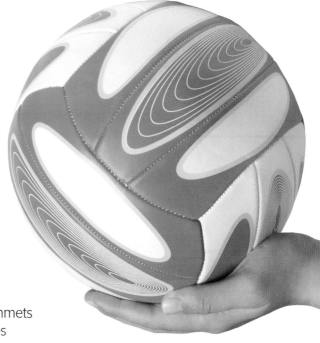

F Construis un tableau associant les coordonnées des sommets du polygone **ABCDEF** à celles des sommets homologues de l'image **A'B'C'D'E'F'** de ce polygone.

G Décris, à l'aide d'une règle de transformation géométrique, la réflexion que Tahar a appliquée à la figure **ABCDEF**.

H Quelles sont les coordonnées de l'image de chacun des points **G**, **H** et **I** obtenue après l'application de cette réflexion?

I Quelles sont les coordonnées de l'image du point **T**(15, ⁻22) obtenue après l'application de cette réflexion?

J Si Tahar avait tracé l'image du polygone **ABCDEF** obtenue après l'application d'une réflexion par rapport à l'axe des ordonnées, quelle aurait été la règle de cette transformation? Justifie ta réponse.

> Des éléments homologues sont des éléments de deux figures géométriques qui correspondent entre eux par une certaine relation.

Dans un autre plan cartésien, Tahar trace le cerf-volant **ABCD** et les images obtenues après l'application des deux rotations suivantes autour de l'origine du plan cartésien.

Rotation de 90°
autour de l'origine du plan cartésien

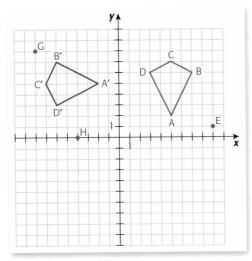

Rotation de 180°
autour de l'origine du plan cartésien

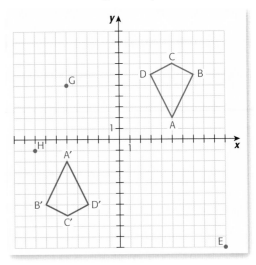

K Établis la règle de chacune de ces rotations. Pour ce faire, construis un tableau associant les coordonnées des sommets du polygone **ABCD** à celles des sommets homologues de son image.

L Quelles sont les coordonnées de l'image de chacun des points **E**, **G** et **H** obtenue après l'application de chacune de ces rotations?

M Quelles sont les coordonnées de l'image du point **T**(⁻14, 25) obtenue après l'application de chacune de ces rotations?

N Dans un plan cartésien, trace l'image de la figure **ABCD** obtenue après l'application d'une rotation de ⁻90°. Quelle est la règle de cette transformation?

Ai-je bien compris?

Quelle est la règle de chacune des transformations suivantes? La figure bleue est l'image de la figure rouge obtenue après l'application d'une transformation.

a)

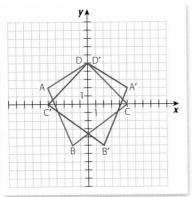

b)

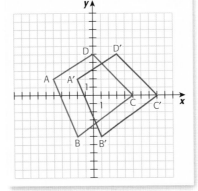

c)

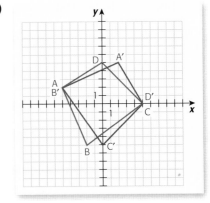

Le traitement d'images

De retour d'Asie, Isabelle réalise un carnet de voyage avec son logiciel de traitement de texte. Elle souhaite modifier les dimensions de certaines photos. En faisant des essais à l'aide de la fonction «Format de l'image», elle modifie les dimensions d'une photo de trois façons : par l'application d'une **homothétie**, d'une **dilatation** et d'une **contraction**. Voici le plan cartésien qu'elle a tracé et la position de la photo initiale dans ce plan.

Règles d'une homothétie, d'une dilatation et d'une contraction

Homothétie

Transformation géométrique d'une figure initiale en une figure semblable.

Dilatation

Étirement horizontal ou vertical d'une figure.

Contraction

Rétrécissement horizontal ou vertical d'une figure.

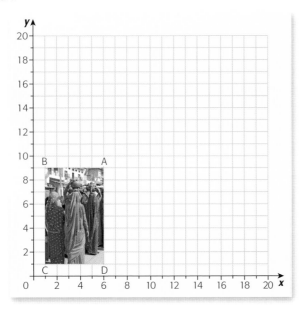

Les trois modifications appliquées par Isabelle sont décrites par les règles suivantes.

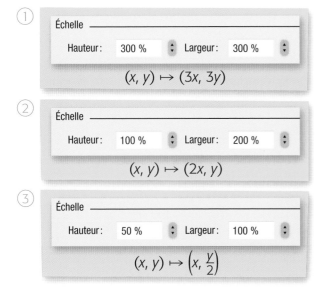

① Échelle
Hauteur : 300 %   Largeur : 300 %

$$(x, y) \mapsto (3x, 3y)$$

② Échelle
Hauteur : 100 %   Largeur : 200 %

$$(x, y) \mapsto (2x, y)$$

③ Échelle
Hauteur : 50 %   Largeur : 100 %

$$(x, y) \mapsto \left(x, \frac{y}{2}\right)$$

A Dans un plan cartésien, trace l'image du rectangle de la photo obtenue après l'application de la transformation décrite par chacune de ces règles.

B Quel est l'effet de l'application de chacune de ces transformations sur la photo initiale ?

Isabelle modifie les dimensions d'une deuxième photo de quatre façons. Elle obtient les images suivantes. La photo initiale est représentée par le rectangle rouge.

①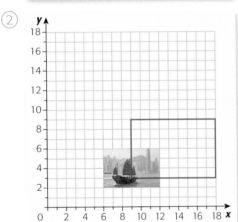

③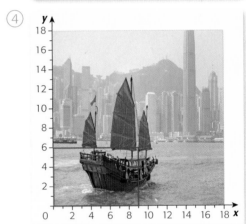

②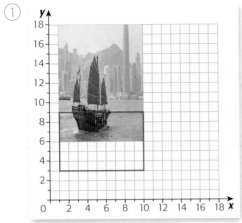

④

C Nomme la transformation géométrique qui permet d'associer, dans chaque cas, la photo initiale à son image, et établis la règle de cette transformation. Au besoin, construis un tableau pour t'aider à établir la règle.

D Indique si l'image obtenue après l'application de chacune des transformations est semblable à la figure initiale. Justifie ta réponse.

E Dans chaque cas, indique si la transformation préserve le parallélisme des segments. Justifie ta réponse.

F Sachant que les dimensions de la figure initiale sont de 9 unités sur 6 unités, détermine l'aire des images obtenues à l'aide des règles de transformation établies en **C**.

G Dans chaque cas, quel lien peux-tu faire entre la règle établie en **C** et l'aire déterminée en **F**?

Fait divers

Les carnets de voyage sont des récits qui rendent compte des voyages que font leurs auteurs. Ils sont souvent remplis de photographies, d'images ou de dessins rappelant les lieux, les gens et la culture du pays visité. Plusieurs auteurs et autres personnalités publiques ont déjà publié de tels ouvrages. Mentionnons Theodore Roosevelt et Robert Louis Stevenson, qui ont décrit respectivement un séjour au Brésil, en 1914, et un voyage de noces en Californie, en 1880. De nos jours, les carnets de voyage prennent des formes très variées, autant que les médias utilisés pour les publier : les journaux, les périodiques, les livres, les blogues et même la télévision ! Par exemple, Bruno Blanchet, dans ses chroniques présentées à la télévision, a décrit son épopée autour du monde en sons et en images et a élaboré, du même coup, son carnet de voyage.

Ai-je bien compris ?

1. Dans un plan cartésien, trace l'image du triangle **ABC** obtenue après l'application de chacune des transformations suivantes.

   a) $(x, y) \mapsto (2x, 2y)$

   b) $(x, y) \mapsto (x, 3y)$

   c) $(x, y) \mapsto \left(\frac{x}{2}, y\right)$

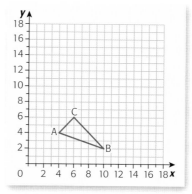

2. À l'aide d'un tableau, établis la règle de la transformation appliquée au triangle **ABC** dans le plan cartésien ci-contre pour obtenir l'image **A'B'C'**.

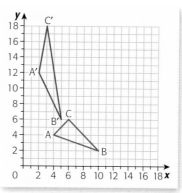

Faire le  point

La règle de transformation géométrique

Appliquer une transformation géométrique au plan cartésien, c'est associer chacun des points du plan cartésien à un point image. Pour décrire cette association de points, on utilise souvent une règle de transformation. Cette règle permet d'associer, à l'aide des coordonnées, un point initial **P** à **P'**, son image.

Exemples :

1)

$$(x, y) \mapsto (2x, 2y)$$

Cette règle signifie qu'on multiplie par deux l'abscisse et l'ordonnée de chaque point du plan cartésien pour obtenir l'abscisse et l'ordonnée de leur image.

2)

$$(x, y) \mapsto (x + 4, y - 5)$$

Cette règle signifie qu'on additionne 4 à l'abscisse et qu'on soustrait 5 à l'ordonnée de chaque point du plan cartésien pour obtenir l'abscisse et l'ordonnée de leur image.

La règle d'une translation, d'une réflexion et d'une rotation

La règle d'une translation

Dans le plan cartésien, la translation $t_{(a, b)}$ peut être décrite à l'aide de la règle de transformation $t : (x, y) \mapsto (x + a, y + b)$.

Exemple :

Soit la translation $t : (x, y) \mapsto (x + 6, y - 5)$.

Par cette translation, le triangle **A'B'C'** est l'image du triangle **ABC** et le point **P'**(16, 7) est l'image du point **P**(10, 12).

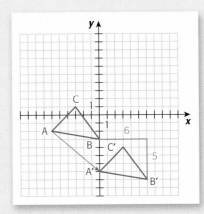

La règle d'une réflexion par rapport aux axes du plan cartésien

Dans le plan cartésien, la réflexion *s* par rapport à l'axe des abscisses est décrite à l'aide de la règle de transformation $s_x : (x, y) \mapsto (x, {}^-y)$.

Exemple :

Par cette réflexion, le quadrilatère **A'B'C'D'** est l'image du quadrilatère **ABCD** et le point **P'**($^-$15, $^-$12) est l'image du point **P**($^-$15, 12).

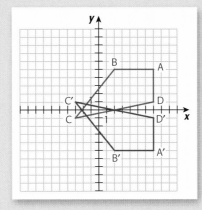

Dans le plan cartésien, la réflexion *s* par rapport à l'axe des ordonnées est décrite à l'aide de la règle de transformation $s_y : (x, y) \mapsto ({}^-x, y)$.

Exemple :

Par cette réflexion, le quadrilatère **A'B'C'D'** est l'image du quadrilatère **ABCD** et le point **P'**(14, $^-$15) est l'image du point **P**($^-$14, $^-$15).

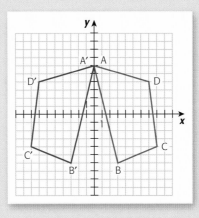

La règle d'une rotation autour de l'origine du plan

Dans le plan cartésien, la rotation *r* de 90° (ou de $^-$270°) autour de l'origine est décrite à l'aide de la règle de transformation $r : (x, y) \mapsto ({}^-y, x)$.

Exemple :

Par cette rotation, le quadrilatère **A'B'C'D'** est l'image du quadrilatère **ABCD** et le point **P'**($^-$20, $^-$12) est l'image du point **P**($^-$12, 20).

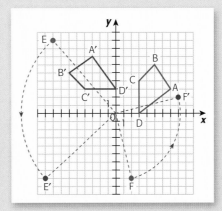

Dans le plan cartésien, la rotation r de 180° (ou de ⁻180°) autour de l'origine est décrite à l'aide de la règle de transformation $r: (x, y) \mapsto (⁻x, ⁻y)$.

Exemple :

Par cette rotation, le quadrilatère **A′B′C′D′** est l'image du quadrilatère **ABCD** et le point **P′**(13, ⁻18) est l'image du point **P**(⁻13, 18).

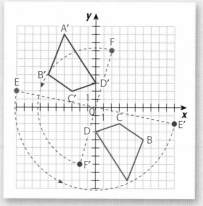

Dans le plan cartésien, la rotation r de 270° (ou de ⁻90°) autour de l'origine est décrite à l'aide de la règle de transformation $r: (x, y) \mapsto (y, ⁻x)$.

Exemple :

Par cette rotation, le quadrilatère **A′B′C′D′** est l'image du quadrilatère **ABCD** et le point **P′**(⁻13, ⁻17) est l'image du point **P**(17, ⁻13).

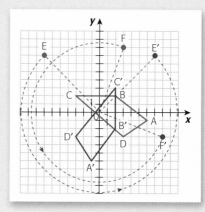

La règle d'une homothétie, d'une dilatation et d'une contraction

La règle d'une homothétie centrée à l'origine de rapport *k*

Dans le plan cartésien, l'homothétie h centrée à l'origine du plan (représentée par O) et de rapport k peut être décrite à l'aide de la règle de transformation $h(O, k): (x, y) \mapsto (kx, ky)$ où $k \neq 0$.

> Si $0 < |k| < 1$, l'image est une réduction de la figure initiale.
>
> Si $|k| > 1$, l'image est un agrandissement de la figure initiale.
>
> Si $|k| = 1$, l'image est isométrique à la figure initiale.

Une homothétie transforme une figure initiale en une figure semblable.

La valeur absolue d'un nombre est sa valeur numérique, sans égard à son signe. *Exemples :* $|⁻8| = 8$, $|5| = 5$ et $|3 - 10| = 7$. Le symbole $|\ |$ se lit «valeur absolue de».

Exemple :

Par l'homothétie $h_{(O, 3)}$, le triangle **A'B'C'** est l'image du triangle **ABC** et le point **P'**(18, 15) est l'image du point **P**(6, 5).

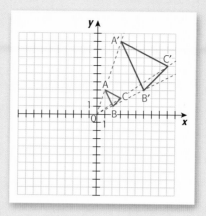

La règle d'une dilatation et d'une contraction du plan cartésien

Une figure étirée horizontalement ou verticalement a subi une dilatation horizontale ou verticale. De même, une figure rétrécie horizontalement ou verticalement a subi une contraction horizontale ou verticale.

Cette transformation est décrite à l'aide de la règle de transformation $(x, y) \mapsto (ax, by)$, où $a \neq 0$ et $b \neq 0$.

Exemples :

1) Dilatation verticale

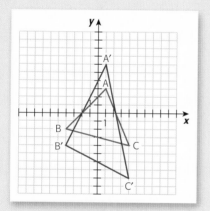

Le triangle **A'B'C'** est l'image du triangle **ABC** obtenue après l'application de la transformation décrite par la règle $(x, y) \mapsto (x, 2y)$.

2) Contraction horizontale

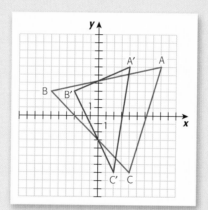

Le triangle **A'B'C'** est l'image du triangle **ABC** obtenue après l'application de la transformation décrite par la règle $(x, y) \mapsto (0,5x, y)$.

La dilatation d'une figure est horizontale si $|a| > 1$, et elle est verticale si $|b| > 1$.

La contraction d'une figure est horizontale si $0 < |a| < 1$, et elle est verticale si $0 < |b| < 1$.

Si $a = b$, on est en présence d'une homothétie.

Mise en pratique

1. Reproduis les figures suivantes. Trace l'image obtenue après l'application de la transformation décrite par la règle apparaissant sous chaque plan cartésien. Nomme ensuite la transformation géométrique qui permet d'associer la figure initiale à la figure image.

a)

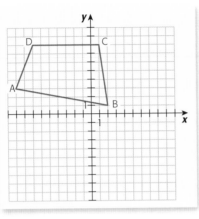

$$(x, y) \mapsto (x + 7, y - 10)$$

d)

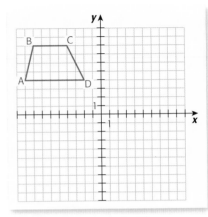

$$(x, y) \mapsto \left(x, \frac{y}{4}\right)$$

b)

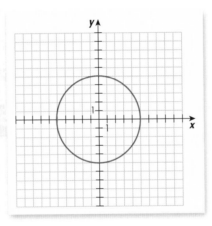

$$(x, y) \mapsto (2x, 2y)$$

e)

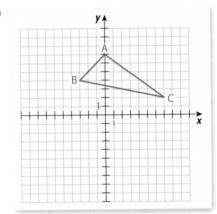

$$(x, y) \mapsto (x, {}^-y)$$

c)

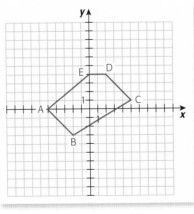

$$(x, y) \mapsto (x - 5, y - 7)$$

f)

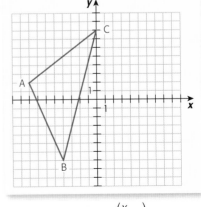

$$(x, y) \mapsto \left(\frac{x}{4}, y\right)$$

2. Reproduis et remplis chacun des tableaux suivants à l'aide de la règle de transformation.

a) $(x, y) \mapsto (x - 5, y + 12)$

A(0, 0)	
B(3, 5)	
C(⁻4, 8)	
D(⁻3, ⁻10)	
E(12, ⁻8)	
F(6, 6)	

b) $(x, y) \mapsto (3{,}5x, 3{,}5y)$

A(0, 0)	
B(⁻1, 8)	
C(⁻7, 0)	
D(⁻6, ⁻6)	
E(0, ⁻10)	
F(4, 4)	

c) $(x, y) \mapsto (⁻x, y)$

A(0, 0)	
B(5, 8)	
C(0, 5)	
D(⁻8, ⁻10)	
E(⁻6, ⁻7)	
F(9, ⁻4)	

d) $(x, y) \mapsto \left(\dfrac{x}{10}, 4y\right)$

A(0, 0)	
B(2, 0)	
C(⁻4, 1)	
D(⁻10, ⁻8)	
E(20, 6)	
F(100, 1)	

3. Précise l'effet qu'aurait la transformation décrite par chacune des règles présentées en **2** sur le rectangle représenté dans le plan cartésien ci-contre.

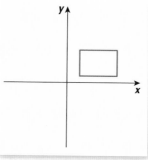

4. Établis la règle de chacune des transformations suivantes.

a)

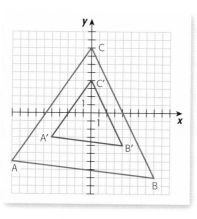

c)

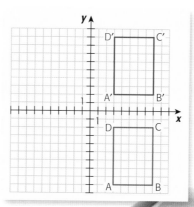

b)

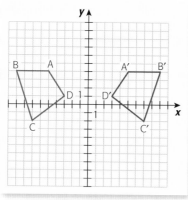

d)

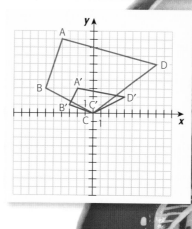

5. Le triangle **ABC** est représenté dans le plan cartésien ci-contre.

Voici trois règles de transformation.

① $(x, y) \mapsto (2x, 2y)$

② $(x, y) \mapsto (2x, y)$

③ $(x, y) \mapsto \left(x, \dfrac{y}{4}\right)$

Pour chacune de ces règles, détermine :

a) le périmètre du triangle **A′B′C′** ;

b) l'aire du triangle **A′B′C′**.

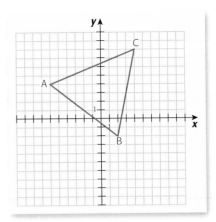

6. Une créatrice de jeux vidéo a recours à l'homothétie pour simuler le mouvement d'un ballon qui se dirige vers la personne rivée à son écran de jeu. Cette transformation est représentée dans le plan cartésien ci-contre.

a) Établis la règle de cette transformation.

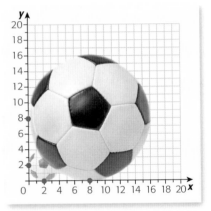

La créatrice applique une autre transformation au ballon pour simuler le mouvement d'un ballon projeté en l'air. Cette transformation est représentée dans le plan cartésien ci-dessous.

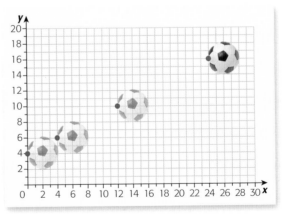

b) Établis la règle de transformation qui décrit le passage d'un ballon à un autre, à partir de la gauche.

c) Établis la règle de transformation qui décrit un mouvement du ballon de ton invention. Ensuite, précise l'effet que tu veux créer avec ce mouvement.

7. Voici une règle de transformation.

$$(x, y) \mapsto (2x - y + 1, \ ^-x + 3y + 2)$$

a) Dans un plan cartésien, trace l'image du carré **ABCD** obtenue après l'application de la transformation décrite par cette règle.

b) L'image **A'B'C'D'** obtenue après l'application de la transformation est-elle :

   1) isométrique au carré **ABCD** ?

   2) semblable au carré **ABCD** ?

c) Après l'application de cette transformation :

   1) la mesure des angles du carré **ABCD** est-elle préservée sur l'image **A'B'C'D'** ?

   2) les segments **A'B'** et **C'D'** sont-ils toujours parallèles sur l'image **A'B'C'D'** ?

   3) les segments du carré initial sont-ils parallèles aux segments homologues de son image ?

8. Une rotation de 90° du polygone **ABCDEFG** autour de l'origine a permis d'obtenir le polygone **A'B'C'D'E'F'G'**.

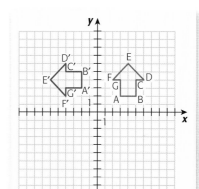

a) Établis la règle de cette transformation.

b) Dans un plan cartésien, trace l'image du polygone **ABCDEFG** obtenue après l'application d'une rotation de 180° autour de l'origine.

c) Dans un plan cartésien, trace l'image du polygone **ABCDEFG** obtenue après l'application d'une rotation de 270° autour de l'origine.

9. Voici la représentation graphique de trois fonctions.

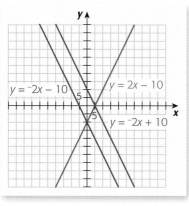

a) À l'aide de quelques points, vérifie si la droite verte est l'image de la droite rouge obtenue après l'application d'une réflexion par rapport à l'axe des abscisses.

b) De la même façon, vérifie si la droite bleue est l'image de la droite rouge obtenue après l'application d'une réflexion par rapport à l'axe des ordonnées.

c) Émets une conjecture sur les paramètres a et b de l'équation $y = ax + b$ de deux droites ayant pour axe de réflexion :

   1) l'axe des abscisses ;   **2)** l'axe des ordonnées.

10. Le trajet d'un funiculaire a été représenté dans le plan cartésien suivant.

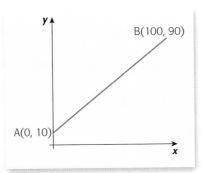

a) Quelle règle de transformation décrit le trajet du funiculaire :
   1) du point **A** au point **B** ?   **2)** du point **B** au point **A** ?

b) Quelle règle de transformation décrit le trajet du funiculaire, à partir du point **A**, si celui-ci parcourt :
   1) $\frac{1}{4}$ du trajet ?   **2)** $\frac{1}{2}$ du trajet ?   **3)** $\frac{3}{4}$ du trajet ?

11. Le dallage est un recouvrement complet du plan cartésien à l'aide de figures géométriques juxtaposées. Voici quatre dallages.

①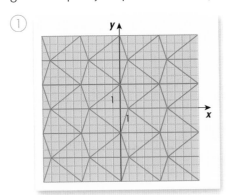

③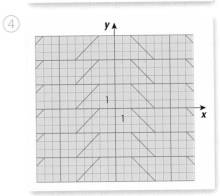

②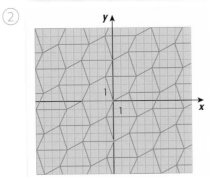

④

Invariant

Un dallage est invariant si l'image obtenue après l'application d'une transformation géométrique correspond en tout point au dallage initial.

Pour chaque plan cartésien :

a) dessine le motif qui a servi à concevoir le dallage ;

b) établis la règle d'une translation par laquelle le dallage est **invariant** ;

c) établis la règle d'une autre transformation par laquelle le dallage est invariant.

12. Voici la représentation graphique de trois fonctions quadratiques.

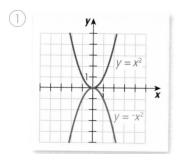 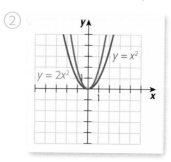 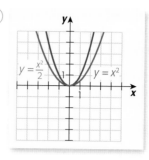

a) Pour chacune des fonctions quadratiques représentées, établis la règle de transformation qui associe la courbe initiale bleue à la courbe image rouge.

b) Émets une conjecture sur le paramètre a de l'équation $y = ax^2$ de deux paraboles ayant pour axe de réflexion l'axe des abscisses.

c) Émets une conjecture sur le paramètre a de l'équation $y = ax^2$ de deux paraboles, l'une étant une dilatation horizontale de l'autre.

13. Certains logiciels informatiques permettent de graduer les axes horizontal et vertical d'un écran en pixels. Dans la représentation suivante, l'origine du plan $(0, 0)$ se trouve dans le coin supérieur gauche. Le coin supérieur droit a pour coordonnées $(1024, 0)$ et le coin inférieur gauche a pour coordonnées $(0, 768)$.

À l'aide d'un logiciel informatique, Kévin trace un triangle rectangle ayant pour sommets les points de coordonnées $(0, 0)$, $(200, 0)$ et $(0, 200)$. Il trace également la hauteur relative à l'hypoténuse de ce triangle.

Fait divers

Le pixel est une unité de surface qui sert à mesurer une image numérique. Le mot « pixel » provient de l'anglais *picture element*, qui signifie « élément d'image ».

Quelle sera la mesure de la hauteur relative à l'hypoténuse de l'image obtenue après l'application de la transformation décrite par la règle $(x, y) \mapsto (4x, 3y)$? Justifie ta réponse.

Consolidation

1. Détermine les dimensions d'un carré équivalent à chacun des triangles suivants.

a)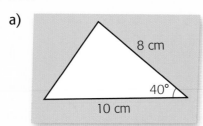

b)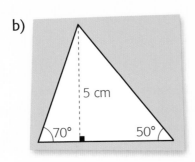

c)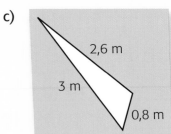

d)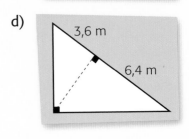

2. Un graphiste doit produire un document comportant trois zones de texte de même aire. La première zone a la forme d'un cercle, la deuxième a la forme d'un décagone régulier et la troisième a la forme d'un triangle équilatéral.

Sachant que la zone de texte circulaire a un diamètre de 10 cm, détermine laquelle de ces trois zones de texte a le plus grand périmètre. Quel est son périmètre?

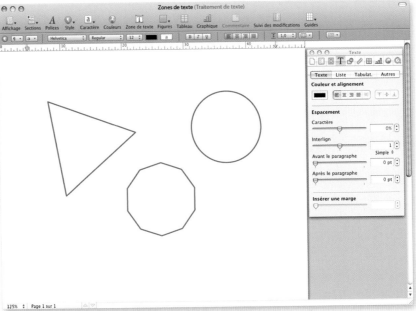

3. De tous les pentagones ayant une aire de 20 m², lequel a le plus petit périmètre? Justifie ta réponse.

4. Un carré a une aire de 64 cm².

    a) Quelle est la mesure des côtés d'un triangle équilatéral équivalent à ce carré?

    b) Quelle est la mesure des côtés d'un pentagone régulier équivalent à ce carré?

    c) Quelle est la mesure des côtés d'un décagone régulier équivalent à ce carré?

    d) Quelle est la circonférence d'un disque équivalent à ce carré?

5. Voici quatre polygones accompagnés d'une règle de transformation.

①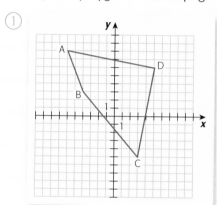

$(x, y) \mapsto (^-x, y)$

③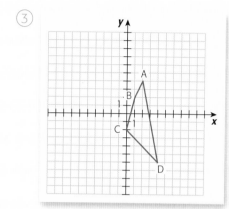

$(x, y) \mapsto (2x, 1{,}5y)$

②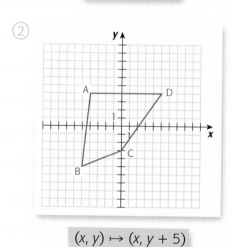

$(x, y) \mapsto (x, y + 5)$

④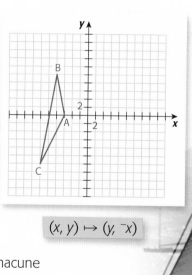

$(x, y) \mapsto (y, ^-x)$

    a) Nomme la transformation décrite à l'aide de chacune des règles.

    b) Dans un plan cartésien, trace l'image de chacun de ces polygones obtenue après l'application de la transformation décrite par la règle qui l'accompagne.

TIC

Un tableur est un logiciel informatique qui permet de manipuler des feuilles de calcul. En fournissant les formules nécessaires, l'utilisatrice ou l'utilisateur du tableur peut créer une table de valeurs et même des graphiques. Pour en savoir plus, consulte les pages 372 et 373 de ce manuel.

6. Colette a découvert que le périmètre de la plupart des rectangles ayant la même aire variait. Pour mieux comprendre ce phénomène, elle construit le tableur ci-dessous, qui présente les dimensions et le périmètre de quelques rectangles équivalents.

	A	B	C	D	E	F	G
1	Largeur	Longueur	Périmètre				
2	1	24	50				
3	2	12	28				
4	3	8	22				
5	4	6	20				
6	5	4,8	19,6				
7	6	4	20				
8	7	3,42857143	20,8571429				
9	8	3	22				
10	9	2,66666667	23,3333333				
11	10	2,4	24,8				
12	11	2,18181818	26,3636364				
13	12	2	28				
14							
15							

a) Que peux-tu affirmer à propos de la variation des périmètres des rectangles équivalents ?

b) Quel rectangle parmi ces rectangles équivalents a le plus petit périmètre ? Quel est son périmètre ?

7. Soit la figure **ABCD** représentée dans le plan cartésien suivant.

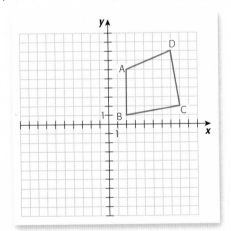

Nomme la transformation appliquée à cette figure décrite à l'aide de chacune des règles suivantes. Ensuite, dans un plan cartésien, trace l'image de cette figure obtenue après l'application de ces transformations.

a) $(x, y) \mapsto (^-y, x)$ **b)** $(x, y) \mapsto (^-x, ^-y)$ **c)** $(x, y) \mapsto (y, ^-x)$

8. Soit le triangle **ABC** ci-contre. Établis une règle de transformation qui a pour effet:

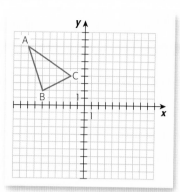

a) de réduire la taille de ce triangle en préservant ses angles;

b) de déplacer ce triangle dans le premier quadrant en préservant les mesures de ses côtés et de ses angles;

c) d'étirer verticalement ce triangle;

d) de rétrécir horizontalement ce triangle.

9. Un triangle a pour sommets les points de coordonnées **A**(2, 6), **B**($^-$3, 6) et **C**($^-$8, $^-$4).

a) Dans un plan cartésien, trace l'image de ce triangle obtenue après l'application de la transformation décrite à l'aide de la règle $(x, y) \mapsto \left(\frac{x}{2}, 3y\right)$.

b) Le périmètre de l'image tracée en **a** est-il supérieur, égal ou inférieur à celui de la figure initiale?

c) L'aire de l'image tracée en **a** est-elle supérieure, égale ou inférieure à celle de la figure initiale?

10. Dans chacun des plans cartésiens suivants, la figure bleue est l'image de la figure rouge obtenue après l'application d'une transformation.

①
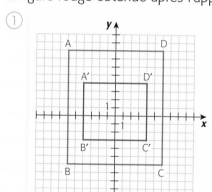

③
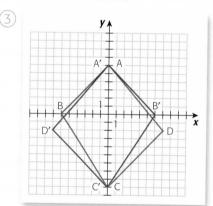

②
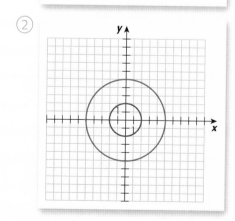

④
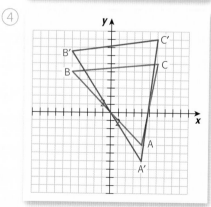

a) Quelle est la règle qui décrit chacune de ces transformations?

b) Dans quels plans cartésiens y a-t-il deux figures semblables?

11. Et si…?

Un monticule de baseball est circulaire et a un rayon de 2,50 m. Combien de fois le périmètre d'un monticule serait-il plus grand que celui du monticule circulaire s'il avait la forme :

a) d'un triangle équilatéral équivalent ?

b) d'un carré équivalent ?

c) d'un pentagone régulier équivalent ?

12. Pour une seule règle

Soit le quadrilatère **ABCD** ci-contre.

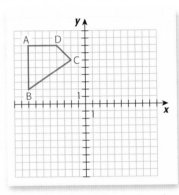

a) L'image du quadrilatère **ABCD** est obtenue après l'application successive de deux translations, t_1 et t_2, décrites à l'aide des règles $t_1 : (x, y) \mapsto (x + 5, y + 2)$ et $t_2 : (x, y) \mapsto (x + 6, y - 7)$. Établis une règle de translation unique qui permet d'associer directement le quadrilatère **ABCD** à son image.

b) L'image du quadrilatère **ABCD** est obtenue après l'application successive de deux homothéties, h_1 et h_2, centrées à l'origine et décrites à l'aide des règles $h_1 : (x, y) \mapsto \left(\frac{x}{2}, \frac{y}{2}\right)$ et $h_2 : (x, y) \mapsto (3x, 3y)$. Établis une règle d'homothétie centrée à l'origine qui permet d'associer directement le quadrilatère **ABCD** à son image.

13. Éleveur en herbe   CD 2

Amélie veut construire une basse-cour pour ses poules. Elle se dit que peu importe la forme que prendra la basse-cour, elle aura toujours la même aire si elle utilise 36 m de broche à poules pour la construire. Amélie a-t-elle raison ? Justifie ta réponse. Ensuite, propose à Amélie une forme pour sa basse-cour et indique ses dimensions.

Fait divers

Au Québec, il est interdit de faire l'élevage de poules dans les zones urbaines, et ce, malgré les avantages qu'offre l'élevage urbain, comme la réduction des coûts de transport des œufs et du poulet. Pourtant, certaines villes canadiennes, comme Niagara Falls et Victoria, permettent à leurs habitants de faire l'élevage de poules « urbaines », en limitant souvent le nombre de poules à 10. Les principaux opposants à la présence de ces volatiles en ville prétendent que leur proximité augmente les risques d'épidémie de maladies transmises aux êtres humains par les oiseaux, comme la grippe aviaire.

14. Les collections

Une entreprise qui fabrique des miroirs de poche planifie une nouvelle collection. L'équipe de conception présente trois collections possibles.

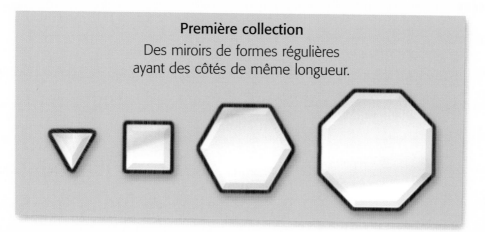

Première collection
Des miroirs de formes régulières ayant des côtés de même longueur.

Deuxième collection
Des miroirs de formes régulières ayant le même périmètre.

Troisième collection
Des miroirs de formes régulières ayant la même aire.

a) Observe les miroirs de la première collection. Que peux-tu affirmer au sujet de l'aire d'un miroir selon son nombre de côtés?

b) Observe les miroirs de la deuxième collection. Que peux-tu affirmer au sujet de l'aire d'un miroir selon son nombre de côtés?

c) Observe les miroirs de la troisième collection. Que peux-tu affirmer au sujet du périmètre d'un miroir selon son nombre de côtés?

15. Les trapèzes

a) Sachant qu'un trapèze tracé dans un plan cartésien a pour sommets les points de coordonnées A($^-$6, $^-$2), B(5, $^-$2), C(3, 4) et D($^-$3, 4), détermine :

   1) sa hauteur ;

   2) son aire ;

   3) son périmètre.

b) Sachant qu'une homothétie centrée à l'origine et de rapport $k = 3$ est appliquée au trapèze **ABCD** décrit en **a**, détermine :

   1) la hauteur de son image ;

   2) l'aire de son image ;

   3) le périmètre de son image.

16. Une règle particulière

Un triangle a pour sommets les points de coordonnées A(1, 5), B($^-$4, $^-$2) et C(3, $^-$4). Manuel s'intéresse à l'effet de l'application de la transformation $(x, y) \mapsto (x + y, y)$ sur ce triangle.

a) Dans un plan cartésien, trace l'image du triangle **ABC** obtenue après l'application de cette transformation.

b) L'application de cette transformation transforme-t-elle le triangle **ABC** en un triangle :

   1) isométrique ?   2) semblable ?   3) équivalent ?

   Justifie tes réponses.

17. Conception de bannières   CD 2

Une nouvelle exposition sera dévoilée dans un grand musée d'art contemporain. Une bannière rectangulaire de 18 m de périmètre et de 20 m^2 de superficie a été conçue pour présenter cette exposition ainsi que certaines des œuvres les plus impressionnantes du musée.

Une seconde bannière, celle-là ayant la forme d'un triangle équilatéral, sera aussi produite pour annoncer l'exposition. Les concepteurs veulent que cette seconde bannière soit équivalente à la première et qu'elle ait aussi un périmètre de 18 m. Malheureusement, après plusieurs essais infructueux, ils en viennent à la conclusion qu'il est impossible de produire une telle bannière ; un triangle équilatéral ayant le même périmètre que le rectangle équivalent ne peut pas exister. Les concepteurs ont-ils raison ? Justifie ta réponse.

18. Julien et son papier peint

Julien a conçu un dallage afin de créer son propre papier peint.

a) À l'aide d'une règle de transformation, décris une réflexion qui rend ce dallage invariant dans le plan cartésien.

b) À l'aide d'une règle de transformation, décris une translation qui rend ce dallage invariant dans le plan cartésien.

19. Observations lumineuses

Marie-Soleil représente dans des plans cartésiens la déviation de la lumière selon qu'elle atteint un miroir ou de l'eau contenue dans un bol.

La réflexion de la lumière sur la surface d'un miroir

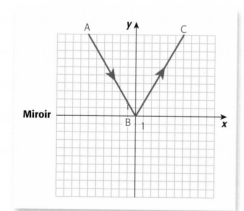

La réfraction de la lumière dans l'eau

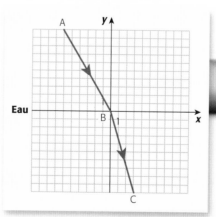

a) Dans la représentation graphique de la réflexion de la lumière, le segment **BC** de la trajectoire de la lumière est l'image du segment **AB** obtenue après l'application d'une réflexion par rapport à l'axe des ordonnées. Établis la règle de cette transformation géométrique.

b) Dans la représentation graphique de la réfraction de la lumière, le segment **BC** de la trajectoire de la lumière est-il l'image du segment **AB** obtenue après l'application d'une ou de plusieurs réflexions par rapport aux axes du plan ? Justifie ta réponse.

20. Pour les champions du billard

Pendant une partie de billard, un joueur a exécuté un coup par la bande :
la boule blanche a rebondi sur la bande pour aller toucher la boule rouge. La
trajectoire de la boule blanche est représentée dans le plan cartésien suivant,
où l'origine correspond à la poche inférieure gauche de la table.

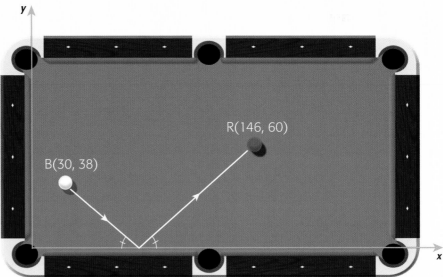

a) Détermine la distance parcourue par la boule blanche pour atteindre la
boule rouge suivant la trajectoire représentée dans le plan cartésien.

b) Établis une règle de transformation qui peut faire de la boule rouge (**R**)
l'image de la boule blanche (**B**).

21. Héritage équivalent?   CD 2

Une parcelle de terre ayant la forme d'un trapèze rectangle a été divisée en
quatre zones à l'aide de deux diagonales. Chaque zone doit revenir à un
héritier différent de la famille Anctil.

Est-ce que les zones **ADE** et **CEB** sont équivalentes? Justifie ta réponse.

22. Un monument historique   **CD 1**

Le phare d'une ville de bord de mer vient d'être classé monument historique. Le conseil municipal prévoit faire inscrire cette mention sur une plaque de bronze décorée d'un mince filet d'or sur son pourtour.

L'entreprise chargée de concevoir cette plaque l'a représentée dans le plan cartésien suivant à l'aide d'un logiciel de dessin. Dans ce plan, les dimensions sont en centimètres.

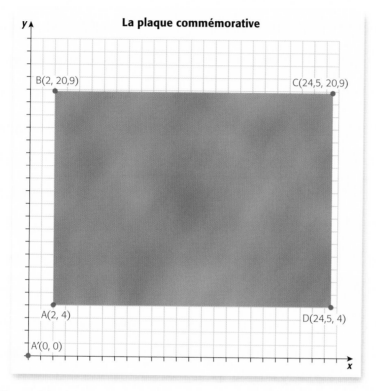

La plaque commémorative

B(2, 20,9)   C(24,5, 20,9)

A(2, 4)   D(24,5, 4)

A'(0, 0)

Le conseil municipal est satisfait de la superficie de la plaque, mais il aimerait réduire la longueur du filet d'or qui orne son pourtour.

Tu dois déterminer les dimensions d'une nouvelle plaque ayant la forme d'un quadrilatère équivalent à celui de la plaque tracée précédemment, mais avec le plus petit périmètre possible. Trace cette nouvelle plaque dans un plan cartésien et indique les coordonnées de chacun de ses sommets. L'image du sommet **A** de cette plaque est déjà inscrite dans le plan cartésien. Ensuite, établis les règles d'une suite de transformations dont l'application au quadrilatère de la plaque initiale va permettre d'obtenir une nouvelle plaque qui respecte les contraintes imposées par le conseil municipal.

Fait divers

La plupart des phares érigés le long des berges du Saint-Laurent ne servent plus à diriger les navires. Plusieurs d'entre eux sont aujourd'hui classés monuments historiques, comme les phares de Pointe-aux-Lièvres, de Pointe-des-Monts, de l'Île-Verte et de Cap-des-Rosiers.

23. Faire de l'effet **CD 3**

Odile est technicienne d'effets spéciaux et se spécialise dans le morphage, une technique d'animation qui permet de transformer progressivement une figure initiale en une figure finale. Elle travaille actuellement à la simulation de la transformation du visage d'un personnage de film. Pour ce faire, elle indique d'abord dans un plan cartésien du logiciel de morphage la position initiale des yeux, des oreilles, du nez, des commissures des lèvres et du menton du personnage qu'elle souhaite transformer, à l'aide des points **ABCDEFGH**.

Figure initiale

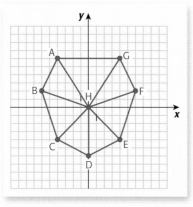

Figure finale

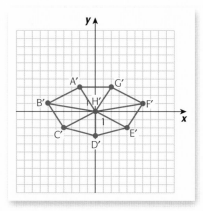

Ensuite, Odile transmet au logiciel les coordonnées de chacun des points de la figure finale du personnage qu'elle souhaite obtenir après l'application de la transformation. Le tableau suivant présente l'association entre les coordonnées des points de la figure initiale et les coordonnées des points de la figure finale.

Figure initiale	A($^-$4, 6)	B($^-$6, 2)	C($^-$4, $^-$4)	D(0, $^-$6)	E(4, $^-$4)	F(6, 2)	G(4, 6)	H(0, 0)
Figure finale	A'($^-$2, 3)	B'($^-$6, 1)	C'($^-$4, $^-$2)	D'(0, $^-$3)	E'(4, $^-$2)	F'(6, 1)	G'(2, 3)	H'(0, 0)

Odile aimerait comprendre ce qui permet au logiciel de morphage de passer de la figure initiale à la figure finale. Établis la règle de chacune des transformations et explique-lui avec précision la transformation qui, une fois appliquée, permet d'obtenir :

– la région **A'H'G'**, image de la région **AHG** ;

– les régions **H'C'D'** et **H'E'D'**, images des régions **HCD** et **HED** ;

– les régions **H'B'C'** et **H'F'E'**, images des régions **HBC** et **HFE**.

La production d'effets spéciaux

Les techniciens d'effets spéciaux travaillent surtout dans les milieux du cinéma, de la télévision et du théâtre. Ils sont des spécialistes de la conception, de la mise au point et de l'utilisation de techniques, de matériel technologique et de toutes sortes d'outils servant à produire des trucages, qu'ils soient visuels ou sonores. Ils doivent choisir le bon moyen à utiliser, mécanique, informatique ou autre, pour répondre à la vision des réalisateurs et des metteurs en scène, avec qui ils travaillent en étroite collaboration. Ils sont aussi en charge de la construction de maquettes physiques ou virtuelles pour remplacer les lieux décrits dans les récits.

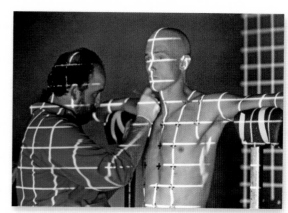

Il existe un seul programme collégial qui prépare à ce métier, soit une technique en postproduction télévisuelle. L'avenir des techniciens d'effets spéciaux passe principalement par l'informatique, c'est-à-dire par la programmation et l'animation 3D. Les techniciens d'effets spéciaux peuvent aussi se spécialiser en construction de décors, en maquillage et même en pyrotechnie.

Les techniciens d'effets spéciaux doivent être créatifs et débrouillards, puisqu'ils doivent produire des effets toujours plus époustouflants et réalistes avec des techniques toujours plus poussées. Ils doivent aussi être habiles avec les logiciels de dessin et d'animation parce que ce sont les outils privilégiés dans la production d'effets spéciaux.

Point de repère

Boris Delaunay

Boris Delaunay (1890-1980), un mathématicien russe, a élaboré le principe de la « triangulation de Delaunay ». Ce principe est un outil géométrique qui permet, entre autres, de créer des images en 2D et en 3D en recouvrant la surface de triangles reliant des points de référence de l'objet. Ce principe, jumelé à des logiciels informatiques, permet, entre autres, de recréer un visage et ses différentes expressions. Il est alors possible d'animer ce visage virtuel pour, par exemple, remplacer un acteur dans des scènes qu'il aurait du mal à jouer ou pour créer un personnage réaliste dans un film d'animation.

Un jardin communautaire

L'an dernier, des tests ont révélé que le terrain du jardin communautaire de la Pointe-Verte était contaminé. Les activités de jardinage ont donc été suspendues le temps de procéder à la décontamination des sols.

Ce printemps, les jardiniers en herbe peuvent se réapproprier les lieux. Toutefois, la forme des jardins a changé : ces derniers ont la même superficie qu'auparavant, mais au lieu d'avoir la forme de rectangles de 3,75 m sur 5,40 m, ils sont maintenant carrés. Les jardiniers doivent donc revoir leur façon de disposer leurs fleurs, leurs légumes et leurs fruits. Par ailleurs, pour redonner de la vie aux sols décontaminés, les jardiniers doivent ajouter de l'engrais à leur jardin selon ce qu'ils cultivent.

Madame Martel avance en âge et se sent incapable d'entreprendre seule les travaux d'aménagement de son jardin. Tu lui offres un coup de main, qu'elle accepte avec joie. Elle trace pour toi un croquis de son jardin tel qu'elle l'imagine et te confie l'information qu'elle a recueillie concernant l'engrais à utiliser.

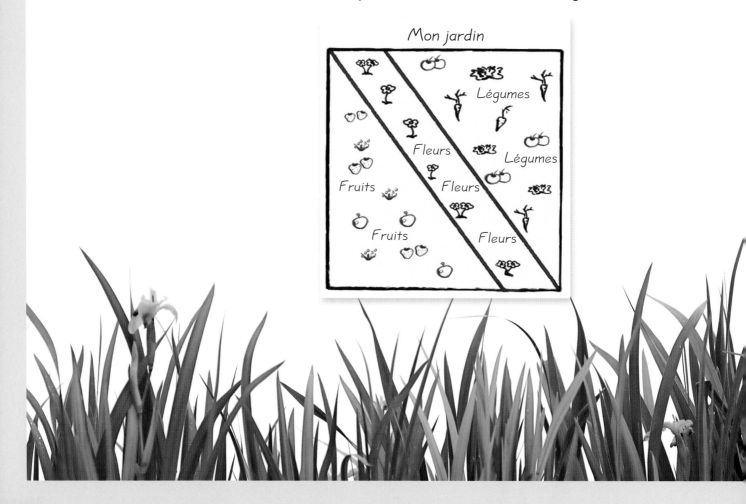

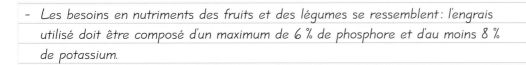

- Un engrais standard est composé principalement d'une certaine quantité des quatre nutriments suivants : l'azote (N), le phosphore (P), le potassium (K) et le magnésium (Mg). C'est la raison pour laquelle l'appellation NPK (+ Mg) est utilisée en horticulture pour désigner les différents engrais. Par exemple, un engrais 3-4-5 (+ 1) est un engrais composé de 3 % d'azote, de 4 % de phosphore, de 5 % de potassium et de 1 % de magnésium. Le reste de l'engrais consiste en une substance d'origine organique ou minérale qui sert à maintenir les nutriments au sol.

- Les besoins en nutriments des fruits et des légumes se ressemblent : l'engrais utilisé doit être composé d'un maximum de 6 % de phosphore et d'au moins 8 % de potassium.

- Les besoins en nutriments des fleurs sont légèrement différents de ceux des fruits et des légumes : l'engrais utilisé doit être composé d'un minimum de 3 % de phosphore et d'un maximum de 11 % de potassium.

- L'engrais pour tous ces végétaux doit être composé de 6 % d'azote et de 3 % de phosphore.

- Le pourcentage total des nutriments NPK (+ Mg) présents dans l'engrais de jardinage ne doit pas être supérieur à 25 % ni être inférieur à 21 %.

Tes tâches sont les suivantes.

– Tu dois diviser la surface du jardin en trois zones équivalentes en t'inspirant du croquis de madame Martel : une pour les fleurs, une pour les légumes et une pour les fruits. Tu dois séparer ces zones avec des allées (l'aire des allées est négligeable). Pour ce faire, tu dois connaître précisément toutes les mesures des trois zones et la mesure des angles auxquels il faut tracer ces allées.

– Tu dois aussi déterminer avec précision, à l'aide de l'information fournie par madame Martel, la composition de l'engrais à utiliser pour l'ensemble des végétaux du jardin.

Des comptoirs de céramique

Émie, une designer d'intérieur, a été embauchée pour rénover la cuisine principale et la cuisine d'été d'une demeure ancestrale. Émie décide d'y ajouter quelques éléments modernes qui contrasteront avec le cachet vieillot de la maison.

La planification des travaux va bon train : les propriétaires de la maison et Émie se sont mis d'accord sur plusieurs modifications, notamment en ce qui concerne l'ajout d'un îlot dans la cuisine et d'un comptoir dans la cuisine d'été.

Voici les plans de la cuisine principale et de la cuisine d'été qu'Émie a tracés à l'aide d'un logiciel de dessin.

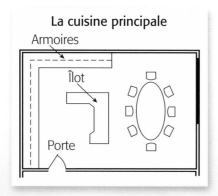

La cuisine principale

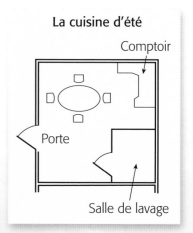

La cuisine d'été

Les propriétaires de la maison aimeraient que la surface de l'îlot de la cuisine principale et du comptoir de la cuisine d'été soit entièrement recouverte de céramique.

Émie a choisi un carreau vert pâle et un carreau vert foncé de plus grande taille pour recouvrir la surface de l'îlot et du comptoir. Voici ces deux types de carreaux.

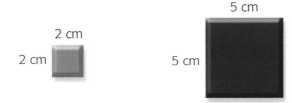

Émie dispose de 2 450 $ pour acheter l'ensemble des carreaux qui recouvriront la surface de l'îlot et du comptoir. Pour calculer la quantité de matériau dont elle aura besoin, Émie trace les plans de ces deux meubles en commençant par celui de l'îlot. Pour réaliser le plan du comptoir, elle lance une commande au logiciel de dessin pour qu'il diminue la taille du plan de l'îlot par une homothétie centrée à l'origine. Émie effectue aussi quelques recherches par rapport à l'achat des carreaux.

Voici les plans de l'îlot et du comptoir ainsi que l'information recueillie par Émie.

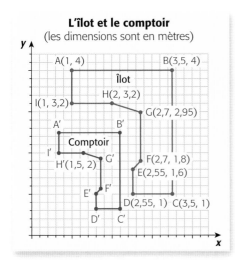

— Une boîte de carreaux vert foncé de 5 cm de côté contient 112 carreaux et coûte 70 $.

— Une boîte de carreaux vert pâle de 2 cm de côté contient 630 carreaux et coûte 115 $.

— Il n'y a, en stock, que 18 boîtes de carreaux vert pâle.

— Les pertes de matériau, au moment de la pose des carreaux, correspondent au plus à 10 % de la surface recouverte.

Pour produire l'effet souhaité, Émie veut que l'aire occupée par les carreaux vert pâle soit au moins le double de l'aire occupée par les carreaux vert foncé. Elle estime que la quantité de carreaux en stock sera suffisante pour recouvrir toute la surface de l'îlot et du comptoir.

Émie est optimiste et croit que les 2 450 $ dont elle dispose sont amplement suffisants.

Émie a-t-elle raison ? Justifie ta réponse.

Problèmes

1. Météo 101

Un météorologue tente de prédire, à partir d'observations météorologiques faites durant les sept dernières années, la quantité de pluie qui tombera durant les mois de juillet et d'août prochains. Voici les observations du météorologue.

- Il n'est jamais tombé plus de 175 mm de pluie et jamais moins de 80 mm au mois de juillet.
- Pour le mois d'août, la quantité de pluie a varié entre 69 mm et 150 mm par année.
- L'année dernière est celle où il est tombé le moins de pluie : 192 mm au total pour les deux mois.
- L'année en cours est celle où il est tombé le plus de pluie : 315 mm au total pour les deux mois.

Au regard de ces observations, quelles quantités de pluie, en millimètres, pourraient tomber durant les mois de juillet et d'août prochains ? Représente graphiquement l'ensemble des possibilités.

2. Agrandir la façade

Ernesto a tracé, à l'aide d'un logiciel de géométrie, le plan de la façade d'une maison qui servira de décor pour une pièce de théâtre montée par les élèves de son niveau. Insatisfait du résultat, il décide de tracer le plan d'une façade plus grande. Les deux façades sont semblables et sont représentées dans le plan cartésien ci-dessous. Dans ce plan, les dimensions sont en décimètres.

a) Donne la règle qui décrit la transformation géométrique appliquée à la première façade pour obtenir la seconde façade.

b) Détermine les coordonnées de chacun des sommets de la seconde façade.

c) Quelle est l'aire du toit de la seconde façade ?

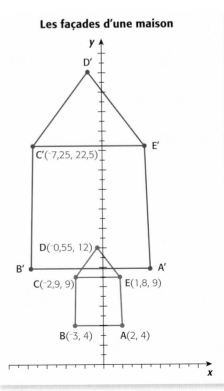

Les façades d'une maison

3. Signalisation «Internet sans fil»

Dans les grandes villes du Québec, il existe de plus en plus de zones «Internet sans fil». Suppose que pour annoncer ces zones, les villes décident d'installer des panneaux de signalisation. Voici l'ébauche d'un panneau de signalisation possible.

Il y a des contraintes à respecter dans le choix des dimensions du panneau. Ces contraintes sont traduites par le système d'inéquations suivant, où x représente le périmètre du panneau, en centimètres, et y, l'aire du panneau, en centimètres carrés.

$$\begin{cases} y \leq 29x - 1\,950 \\ y + 90x + 20\,250 \geq 0 \\ y - 21x \geq {}^-1\,620 \\ y - 52,5x + 4\,770 \leq 0 \end{cases}$$

a) Représente la situation à l'aide d'un polygone de contraintes en prenant soin de déterminer les coordonnées de chacun de ses sommets.

b) Sachant que l'aire du panneau est deux fois plus grande que l'aire occupée par le cercle contenant le symbole, qui a un rayon de 27,64 cm, détermine les coordonnées des sommets du polygone de contraintes.

c) Le prix de fabrication du panneau est fixé en fonction de son aire et de son périmètre, sur lequel on appose une bande réfléchissante. Si la règle de la fonction à optimiser est $P = 0,06x + 0,18y$, exprimée en dollars, quel est l'intervalle de prix pour la fabrication de ce panneau ?

4. Recyclage nouveau genre   CD 2

Aby, une artiste écolo, a trouvé un grand carton de couleur mesurant 75 cm sur 35 cm dans le bac de récupération de sa voisine. Elle compte l'utiliser pour compléter le tableau sur lequel elle travaille présentement et qui est représenté ci-contre. Elle le déchire en petits morceaux qu'elle colle sur les trois figures géométriques équivalentes de son tableau, soit un carré et deux triangles, dont un est équilatéral. Aby croit qu'elle aura suffisamment de carton pour recouvrir entièrement chacune des trois figures. A-t-elle raison? Justifie ta réponse et donne les dimensions de chacune des figures.

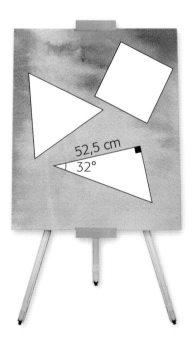

5. Vive la pêche !

Un lac de la Côte-Nord du Québec est très populaire auprès des pêcheurs. Cette année, ils ont été 5 000 à y lancer leur hameçon. Le séjour moyen de ces pêcheurs était de trois jours. Ils ont pu pêcher deux espèces de poisson : le brochet et le doré. Les quotas par visiteur étaient de 30 brochets et de 24 dorés pour un séjour de trois jours. Aucun pêcheur n'a pris plus de 40 poissons et chacun d'entre eux a pris au moins 2 brochets et 3 dorés.

a) Traduis cette situation par un système d'inéquations.

b) Trace le polygone de contraintes qui représente cette situation et détermine les coordonnées de ses sommets.

6. Vive la chasse !

Une pourvoirie désire ouvrir une nouvelle zone de chasse dans un secteur où il y a beaucoup d'orignaux. Cette nouvelle zone sera située tout près d'une zone existante. Les deux zones sont représentées dans le plan cartésien suivant. Dans ce plan, les dimensions sont en kilomètres.

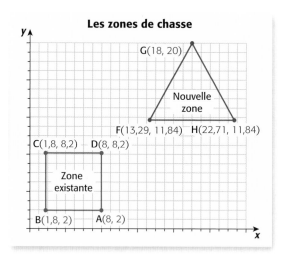

Les zones de chasse

a) Les deux zones sont-elles équivalentes ?

b) Laquelle des deux zones a le plus grand périmètre ?

c) S'il y a deux orignaux par kilomètre carré dans la nouvelle zone, quelle est la population totale d'orignaux dans cette zone ?

Point de repère

La géométrie analytique

La géométrie analytique est dérivée de la géométrie. En géométrie analytique, les figures sont représentées par des équations dans un espace muni d'un système de coordonnées cartésiennes. Ces représentations permettent de résoudre des problèmes de géométrie au moyen des outils du calcul algébrique.

La géométrie analytique a été développée par les premiers géomètres grecs alors qu'ils cherchaient à caractériser les objets à l'aide de leurs propriétés. La géométrie analytique moderne se veut une combinaison des travaux de plusieurs grands mathématiciens comme François Viète (1540-1603), René Descartes (1596-1650) et Pierre de Fermat (1601-1665).

René Descartes

7. La chirurgie orthopédique   CD 3

Tous les ans, chaque département de l'hôpital de la Cité doit remettre à la direction de l'établissement un rapport au sujet de ses activités. Ce rapport sert, entre autres, à déterminer si le département a besoin de chirurgiens supplémentaires.

Cette année, le département de chirurgie orthopédique a noté les éléments suivants dans son rapport.

- Les opérations de chirurgie orthopédique sont classées selon la durée de l'intervention : les opérations courtes, d'une durée de 90 minutes, et les opérations longues, qui durent environ 4 heures.
- Le département compte quatre salles d'opération ouvertes un maximum de 10 heures par jour.
- Pour répondre aux besoins des patients, il y a au moins 3 opérations longues par jour et pas plus de 10 opérations courtes.
- Les 5 chirurgiens du département ne peuvent effectuer plus de 3 opérations chacun par jour.

Détermine le nombre maximal d'opérations courtes et longues que les chirurgiens du département peuvent effectuer chaque jour. Explique ensuite à la direction de l'établissement comment l'embauche d'un sixième chirurgien pourrait influer sur le nombre d'opérations effectuées quotidiennement.

8. Vendre à tout prix ?   CD 1

Le gérant d'un concessionnaire automobile demande à un de ses vendeurs de liquider 15 véhicules utilitaires sport et 40 berlines. Chaque véhicule utilitaire sport sera liquidé à 32 000 $ et chaque berline, à 18 000 $. Le gérant s'attend à ce qu'au moins 80 % des véhicules offerts soient vendus. Habituellement, pour trois berlines vendues, il n'y a jamais plus d'un véhicule utilitaire sport qui trouve preneur.

La commission du vendeur dépend du montant total de ses ventes : plus le montant total de ses ventes est grand, plus sa commission est élevée.

Par ailleurs, conscient des effets néfastes du gaz carbonique sur l'environnement, le vendeur s'informe de la quantité de gaz à effet de serre émise par chaque véhicule. L'utilitaire sport émet environ 244 g/km de CO_2 et la berline, 105 g/km.

Le vendeur veut que sa commission soit la plus élevée possible. Si on considère uniquement les attentes du gérant, combien de véhicules de chaque modèle devra-t-il vendre ? Le nombre de véhicules vendus varierait-il beaucoup si le vendeur, en plus de respecter les attentes du gérant, essayait de convaincre ses clients d'acheter le véhicule le moins polluant ? Justifie ta réponse.

Fait divers

Un véhicule hybride est équipé de deux moteurs qui peuvent fonctionner à tour de rôle ou simultanément : un moteur électrique et un moteur thermique traditionnel. Le véhicule hybride permet de diminuer de 10 à 50 % la consommation d'essence, selon le modèle choisi, et par conséquent, de réduire les émissions polluantes comme le CO_2. L'économie d'essence est plus importante en zone urbaine alors que le moteur électrique assiste le moteur thermique lorsque le véhicule roule à des vitesses inférieures à 30 km/h.

9. Système à déterminer

Voici un polygone de contraintes.

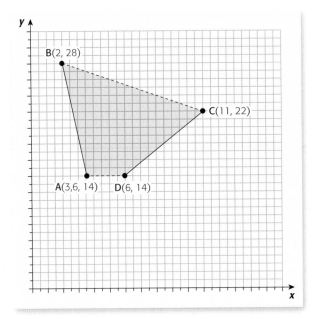

Détermine un système de quatre inéquations dont l'ensemble-solution est associé à ce polygone de contraintes.

10. Produire… le temps de le dire   CD 1

Samia, une luthière expérimentée, fabrique des guitares électriques et des guitares acoustiques. Seule, elle peut fabriquer au plus 60 guitares par année. Le nombre de guitares qu'elle fabrique dépend des commandes qu'elle reçoit. Si Samia se fie aux ventes des dernières années, elle vendra au plus 35 guitares électriques et au moins 18 guitares acoustiques cette année. Elle fait un profit de 850 $ sur la vente d'une guitare électrique et de 460 $ sur celle d'une guitare acoustique.

Samia désire augmenter son profit maximal d'au moins 10 % au cours des prochaines années sans augmenter le prix de vente de ses guitares. Trouve l'intervalle dans lequel se situe actuellement le profit de Samia. Quelle contrainte ou quelles contraintes pourrait-elle chercher à modifier pour augmenter son profit maximal de 10 %? Justifie ta réponse.

Fait divers

Les luthiers sont des artisans qui fabriquent et réparent les instruments à cordes tels que le violon et la guitare. Le luthier le plus célèbre est l'Italien Antonio Stradivari (1644-1737), appelé Stradivarius. Certains instruments fabriqués par ce luthier sont encore utilisés aujourd'hui et les musiciens considèrent qu'ils ont une qualité sonore incomparable. En 2006, le *Hammer*, un violon fabriqué par Stradivarius en 1707, a été vendu pour la modique somme de 3,54 millions de dollars.

11. À chacun ses prédictions   CD 3

Pierre et Loïc, copropriétaires d'une bijouterie, proposent un rabais sur un collier qu'ils veulent écouler rapidement. Le rabais fait en sorte qu'ils perdent 25 $ sur chaque collier vendu. Ils offrent aussi un nouveau bracelet en argent. Leur profit sur chaque bracelet vendu est de 85 $.

Chacun des bijoutiers a fait ses prédictions sur les ventes de ces deux bijoux durant la période des Fêtes. Pour faire leurs prédictions, ils ont, chacun de leur côté, analysé les ventes d'articles semblables au cours des dernières années à la même période. Ils ont ensuite reporté leurs résultats dans le plan cartésien ci-contre.

Malgré la différence entre leurs prédictions, Pierre et Loïc obtiennent le même profit maximal et la même perte maximale. Explique-leur en quoi leurs prédictions diffèrent et pourquoi ils arrivent aux mêmes résultats.

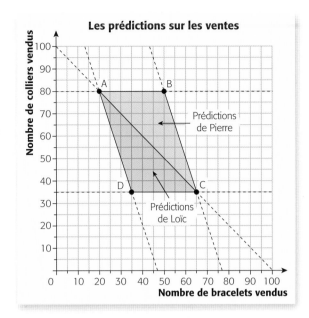

12. Jeu de société

Des concepteurs de jeux de société inventent un nouveau jeu. Celui-ci se jouera à quatre joueurs et consistera, pour chacun d'eux, à amasser la plus grande fortune possible. Les pièces de ce jeu représenteront des lingots d'or et des sacs d'argent. Le lingot d'or aura une valeur de 750 $ et le sac d'argent aura une valeur de 125 $.

Le jeu sera conçu pour que l'ensemble des quatre joueurs ne puisse amasser plus de 40 000 $ au total. L'ensemble du jeu contiendra au plus cinq sacs d'argent pour chaque lingot d'or. Cependant, pour que les quatre joueurs puissent avoir assez de pièces durant le jeu, il devra comprendre un minimum de 20 sacs d'argent.

a) Combien de lingots d'or et de sacs d'argent, au minimum, les concepteurs devront-ils inclure dans ce jeu?

b) Quel est le maximum de pièces à inclure dans ce jeu?

c) Les concepteurs disposent d'un petit budget et la production des pièces ne peut coûter plus de 5 $ par jeu. Le lingot coûte 0,08 $ à produire et le sac d'argent, 0,04 $. À l'aide de cette nouvelle information, trouve le nombre maximal de pièces à inclure dans ce jeu.

13. Polygones à modifier

Voici un système d'inéquations.

$$\begin{cases} x \le 8 \\ 4x + 5y \ge 10 \\ {}^{-}2x + 8y + 4 \ge 0 \\ y \le \dfrac{-1}{4}x + 12 \\ 2x \ge y \end{cases}$$

a) Trace le polygone de contraintes associé à ce système d'inéquations.

b) Donne les coordonnées des sommets du polygone de contraintes après lui avoir fait subir la transformation décrite par la règle suivante.

$$(x, y) \mapsto \left(3x, \frac{1}{2}y\right)$$

14. Décrire les transformations

Svetlana est infographiste. Elle a utilisé un logiciel de géométrie pour modifier la photo d'un sapin dans un plan cartésien. Par erreur, elle a effacé la suite de transformations effectuées pour obtenir le sapin modifié. Établis la règle de chacune des transformations qui ont permis à Svetlana d'obtenir cette nouvelle figure.

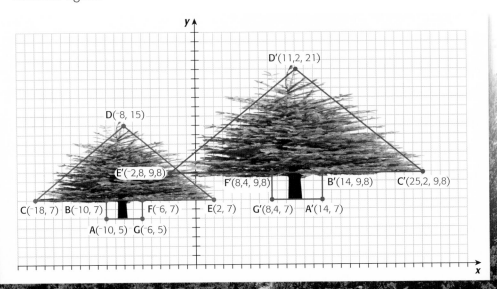

Fait divers

Le mot «infographie» vient de la fusion des mots *informatique* et *graphie*. Il désigne le procédé de création d'images assistée par ordinateur. Au départ, l'infographie ne servait qu'à modifier et à produire des images statiques. Les nouveaux logiciels ont permis d'animer les images produites à l'aide d'un ordinateur. L'infographiste a remplacé le dessinateur traditionnel dans la production de certains films d'animation.

15. Équivalents ? `CD 2`

Après avoir observé le système d'inéquations et le triangle suivants, Vladimir affirme que le polygone de contraintes associé à ce système et le triangle sont équivalents. Vladimir a-t-il raison ? Justifie ta réponse.

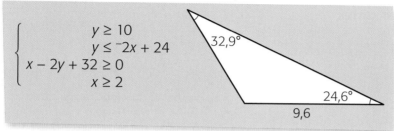

$$\begin{cases} y \geq 10 \\ y \leq {}^-2x + 24 \\ x - 2y + 32 \geq 0 \\ x \geq 2 \end{cases}$$

32,9°

24,6°

9,6

16. Épave à repêcher

Un bateau a coulé il y a plusieurs années dans les eaux du golfe du Saint-Laurent. Plusieurs plongeurs ont tenté de localiser l'épave. Une équipe de trois plongeurs a réussi à délimiter une zone de recherche correspondant à un quadrilatère dont les coordonnées des sommets ont été placées dans le plan cartésien ci-contre. Dans ce plan, les dimensions sont en brasses.

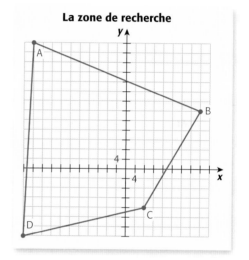

La zone de recherche

Chacun des trois plongeurs veut avoir les mêmes chances que les autres de localiser l'épave. Ils s'entendent donc pour inspecter en solo des secteurs équivalents de la zone de recherche.

a) Quelle sera la superficie de chacun des secteurs inspectés en solo ?

b) Une autre équipe de plongeurs a aussi réussi à délimiter une zone de recherche. Cette nouvelle zone se trouve à l'intérieur de la première et est semblable à celle-ci. Sa superficie est quatre fois plus petite que la première. Sachant que la transformation associant les deux zones est centrée à l'origine du plan cartésien, trouve les coordonnées des sommets de la nouvelle zone de recherche.

Fait divers

Certaines parties du corps ou certains mouvements faits par l'homme servent d'unités de mesure. Par exemple, le pied correspond à la longueur d'un pied humain, soit environ 30 cm. En mer, on utilise la brasse comme unité de mesure. Elle correspond à l'envergure des deux bras quand ils sont allongés.

Voici quelques équivalences pour ces unités de mesure.

100 brasses	=	1 encablure	≈ 185,2 m
10 encablures	=	1 mille nautique	≈ 1 852 m

Défis mathématiques

1 **Des carrés**

Benjamin lance le défi suivant à sa sœur Caroline.

> «Je te donne 12 crayons de même longueur avec lesquels tu dois construire 6 carrés isométriques.»

Aide Caroline à relever ce défi.

2 **Première séquence**

Quel est le sixième terme de cette séquence?

1 231	3 112	2 311	1 123	3 112	...

3 **Carré magique, deuxième génération**

Chaque symbole du carré magique suivant représente un nombre naturel différent allant de 3 à 8. La somme des nombres de chaque ligne et de chaque colonne est 27.

À quel nombre correspond chacun des symboles de ce carré magique?

9	Φ	π	2	9
Ψ	Ψ	λ	Φ	2
1	ϖ	9	ϖ	λ
β	Φ	π	β	ϖ
2	λ	β	Ψ	λ

4 **Paire de chaussettes recherchée**

Romy est en train de s'habiller quand survient une panne d'électricité. Dans l'obscurité, elle cherche à tâtons une paire de chaussettes. Tout en fouillant dans le tiroir où elle range ses paires de chaussettes, elle réfléchit:

> – une chaussette sur neuf est bleue;
> – il y a deux fois moins de chaussettes vertes que de chaussettes bleues;
> – il y a deux fois plus de chaussettes grises que de chaussettes bleues et deux fois plus de chaussettes roses que de chaussettes grises;
> – toutes les autres chaussettes sont orange.

Romy veut s'assurer que les chaussettes qu'elle enfilera ne seront pas dépareillées. Combien de chaussettes, au minimum, doit-elle tirer du tiroir pour être absolument certaine d'en avoir deux de la même couleur?

5 **Seconde séquence**

Quel est le septième terme de cette séquence?

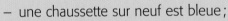

329	833	347	653	365	473	...

6 Jeu d'adresse

Les participants d'un jeu d'adresse lancent chacun cinq balles pour atteindre les zones de la cible ci-contre. Voici les résultats des lancers des participants dont les cinq balles ont atteint la cible.

J-B-B-B-B : Gagnant   B-V-V-J-J : Perdant

B-V-R-B-J : Perdant   B-B-B-V-V : Perdant

J-R-V-B-R : Gagnant   J-V-B-J-J : Gagnant

V-R-J-B-V : Perdant   J-J-V-R-J : Perdant

R-V-B-R-R : Gagnant   R-R-R-V-V : Perdant

J-J-J-V-J : Gagnant

Selon certains joueurs, il y aurait deux façons de gagner à ce jeu.
Quelles sont-elles ?

7 En position

Construis un nombre à six chiffres en respectant les contraintes suivantes.

– Les deux premiers chiffres de ce nombre sont différents. La somme des deux nombres que représentent ces chiffres est un nombre à un seul chiffre qui doit être inscrit en troisième position.

– Les trois premiers chiffres de ce nombre sont différents. La somme des trois nombres que représentent ces chiffres est un nombre à un seul chiffre qui doit être inscrit en quatrième position.

– Les quatre premiers chiffres de ce nombre sont différents. Le produit des quatre nombres que représentent ces chiffres est un nombre à deux chiffres qui est aussi un carré parfait et qui doit être inscrit en cinquième et en sixième position.

8 Chaque chose à sa place

Dans le dessin suivant, chacun des cercles et chacun des carrés représentent des nombres différents allant de 1 à 9. Les cercles représentent les nombres premiers et les carrés, les autres nombres. La somme des nombres à l'intérieur de chacun des triangles est la même. Quelle est cette somme ?

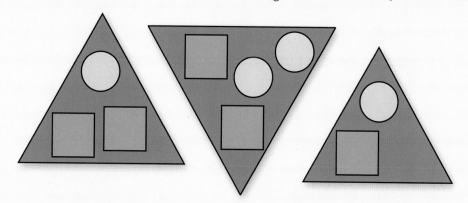

Chapitre 3

Les solides équivalents

La société moderne est de plus en plus consciente des problèmes liés à l'environnement et à la surconsommation.

Cette prise de conscience amène certains acteurs de la société à repenser les modes de conception et de production des biens de consommation. Les propriétés mathématiques des solides permettent à ces acteurs de faire des choix judicieux et respectueux de l'environnement. Grâce aux propriétés mathématiques des solides, il est possible, par exemple, de réduire la quantité de matériau utilisé pour l'emballage d'un produit sans en réduire le volume. Il s'agit d'en changer la forme.

Nomme deux produits de même volume, mais de formes différentes. Selon toi, pour quelles raisons les concepteurs d'un bien de consommation choisissent-ils de donner au produit fini une forme plutôt qu'une autre ?

Survol

Contenu de formation

- Solides équivalents
- Recherche de mesures manquantes
- Comparaison d'aires et de volumes de solides
- Optimisation dans différents contextes impliquant
  des solides

Faire le (point) sur les connaissances antérieures

Entrée en matière

Les pages 138 à 144 font appel à tes connaissances sur les solides.

En contexte

Maxime a visité l'Aquarium du Québec. Il a été particulièrement impressionné par le Grand Océan, un aquarium fermé qui fait trois étages de haut et qui contient plus de 350 000 L d'eau.

1. Maxime observe le dessin technique de l'aquarium qui apparaît dans un dépliant. Il s'agit d'un cône droit tronqué sur lequel figurent les dimensions de l'aquarium, arrondies au centimètre près.

3,36 m

13,05 m

6,40 m

5,00 m

a) À l'aide des dimensions fournies sur le dessin, calcule le volume de l'aquarium.

> Un litre (1 L) correspond à un volume d'un décimètre cube (1 dm^3).

b) Selon le volume trouvé en **a**, combien de litres d'eau le Grand Océan contient-il?

c) Chaque jour, un employé de l'Aquarium nettoie la paroi latérale du Grand Océan. Sachant qu'il faut à l'employé une minute pour nettoyer une surface de 4 m^2, détermine le temps nécessaire au nettoyage de la paroi latérale. Pour ce faire, calcule d'abord l'aire latérale de l'aquarium.

2. Après sa visite à l'Aquarium du Québec, Maxime décide d'acheter un poisson et un aquarium. À l'animalerie, on lui présente plusieurs modèles d'aquarium. Les quatre aquariums ci-dessous sont ceux qui retiennent le plus son attention.

① **Prisme droit à base rectangulaire**

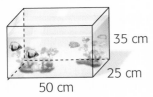

35 cm
25 cm
50 cm

② **Cylindre droit**

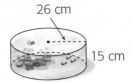

26 cm
15 cm

③ **Demi-boule**

18 cm

④ **Tronc de pyramide à base carrée**

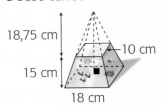

18,75 cm
10 cm
15 cm
18 cm

a) À l'aide des dimensions inscrites sur ces illustrations, calcule le volume des quatre aquariums.

b) Sachant que les quatre aquariums peuvent être remplis jusqu'à 90 % de leur volume, calcule la quantité d'eau, en litres, qu'ils peuvent contenir.

c) Maxime devra nettoyer régulièrement les parois et le fond de son aquarium. Détermine quel aquarium présente la plus petite aire à entretenir.

Maxime veut que le poisson qui évoluera dans son aquarium bénéficie de l'environnement le mieux adapté à ses besoins. Il souhaite donc que ce poisson puisse nager en ligne droite sur une distance d'au moins 50 cm et dans un volume d'eau d'au moins 35 L.

d) Parmi les aquariums qui intéressent Maxime, lequel ou lesquels remplissent ces conditions?

3. L'animalerie recevra sous peu les trois modèles d'aquarium illustrés ci-dessous.

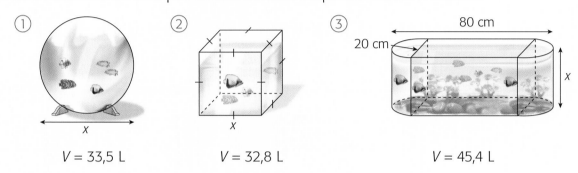

①	②	③
$V = 33,5$ L	$V = 32,8$ L	$V = 45,4$ L

Pour mieux informer la clientèle, un employé de l'animalerie veut ajouter aux spécifications techniques de ces trois aquariums leurs dimensions respectives.

a) Détermine, au centimètre près, la mesure manquante de chacun de ces aquariums.

b) Calcule l'aire de chacun de ces aquariums.

Les sous-marins servent, entre autres, à effectuer des recherches en eaux profondes, à mener à bien des opérations militaires et à inspecter les infrastructures sous-marines des plateformes de forage de l'industrie pétrolière.

Pour faire plonger un sous-marin, on augmente son poids en remplissant d'eau de mer des réservoirs de plongée, appelés «ballasts». Pour le faire remonter à la surface, de l'air comprimé est envoyé dans les ballasts, chassant ainsi l'eau dont on les a remplis.

4. Les ballasts d'un sous-marin peuvent contenir 1 200 L d'eau de mer. Quel est le volume, en mètres cubes, de ces ballasts?

5. Le sous-marin SLM400 est modélisé par deux cylindres droits concentriques prolongés par une demi-boule à chaque extrémité. Sur l'illustration ci-dessous, les ballasts correspondent à tout l'espace qu'il y a entre les deux coques.

Sous-marin SLM400

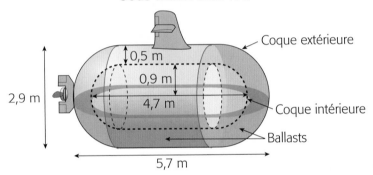

a) Quel est, en mètres cubes, le volume délimité par la coque intérieure qui correspond à l'espace habitable réservé à l'équipage du sous-marin SLM400?

b) La coque intérieure d'un sous-marin est plus épaisse que sa coque extérieure, car elle doit résister à la pression de l'eau. Selon les mesures indiquées sur le dessin, quelle est l'épaisseur de la coque intérieure du sous-marin SLM400?

c) Quelle est la capacité, en litres, des ballasts du sous-marin SLM400, si on considère que la structure unissant les deux coques a un volume négligeable?

Fait divers

Le *Nautile*, un petit sous-marin français conçu pour explorer les fonds marins jusqu'à une profondeur de 6 000 m, a effectué plus de 1 500 plongées depuis sa mise en service en 1984. Il a, entre autres, été utilisé à 32 reprises pour remonter quelque 1 000 objets qui se trouvaient dans l'épave du *Titanic*.

Plus un sous-marin plonge en profondeur dans l'eau, plus la pression de l'eau sur sa coque est forte. La coque intérieure d'un sous-marin doit donc être suffisamment épaisse pour résister à cette pression. Ainsi, si on souhaitait que le sous-marin SLM400 puisse plonger 100 m plus profondément dans l'eau, il faudrait augmenter l'épaisseur de sa coque de 10 mm.

6. Une entreprise veut concevoir le sous-marin SLM500 dont les dimensions extérieures et la capacité des ballasts seront les mêmes que celles du SLM400. Elle souhaite par ailleurs que son nouveau sous-marin descende à une profondeur qui dépasse de 450 m celle que peut atteindre le SLM400.

    a) Quelles seraient les dimensions, en mètres, de l'espace habitable de ce nouveau sous-marin?

    b) Quel serait le volume, en mètres cubes, de l'espace habitable de ce nouveau sous-marin?

7. Dans les sous-marins modernes, les ballasts ne se trouvent qu'à l'avant et à l'arrière de l'appareil. Sachant que les deux ballasts du sous-marin ci-dessous sont des demi-boules étanches et qu'ils peuvent contenir au total 1 200 L d'eau de mer, détermine leurs dimensions.

Ballasts

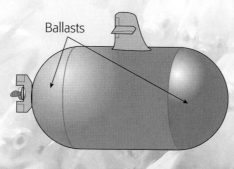

En bref

1. Nomme le solide correspondant à chacune des descriptions suivantes.
   a) Ma base est un polygone régulier et je suis formé de six faces, de six sommets et de dix arêtes. Cinq de mes arêtes mesurent 4 cm et les cinq autres, 8 cm.
   b) Je suis composé de deux faces seulement. Mon apex est situé vis-à-vis du centre de ma base.
   c) Tous les points qui composent ma surface sont situés à 3 cm de mon centre.

2. Vrai ou faux ? Justifie tes réponses.
   a) Un prisme droit à base triangulaire possède deux apex.
   b) La base d'un prisme droit est la face sur laquelle est appuyé le solide.
   c) L'aire d'un cône droit est représentée par l'expression $A = \pi r(r + a)$, où r est le rayon de la base et a, l'apothème du cône.
   d) Dans tous les cylindres droits, l'aire latérale est plus petite que l'aire des bases.

3. Reproduis les solides droits ci-dessous.

①

③

②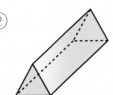

④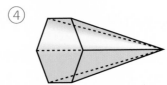

   Sur chacun de ces solides, inscris, s'il y a lieu, les éléments suivants.
   a) La hauteur
   b) L'apex
   c) La base ou les bases
   d) Le rayon

4. Représente les solides suivants en perspective cavalière et à l'échelle.
   a) Un cube de 3 cm de côté.
   b) Un prisme droit à base rectangulaire mesurant 15 cm sur 20 cm sur 42 cm.

5. Détermine la mesure manquante dans chacun des solides suivants. Arrondis tes réponses au millimètre près.

a)
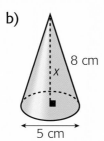
6 cm — x
6 cm

b)
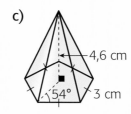
8 cm
x
5 cm

c)
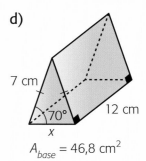
4,6 cm
54° 3 cm

d)
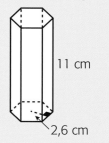
7 cm
70°
x
12 cm
A_{base} = 46,8 cm²

6. Soit les huit solides suivants.

① **Prisme droit à base triangulaire**
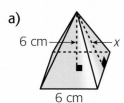
9 cm
5 cm

③ **Cube**
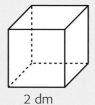
2 dm

⑤ **Cylindre droit**

12 cm
7 cm

⑦ **Prisme droit à base hexagonale**
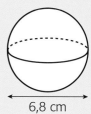
11 cm
2,6 cm

② **Cône droit**

2 cm
9 cm

④ **Pyramide droite à base hexagonale**
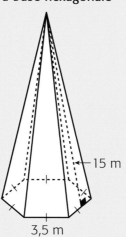
15 m
3,5 m

⑥ **Tétraèdre régulier**
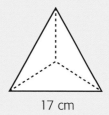
17 cm

⑧ **Boule**
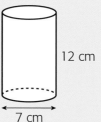
6,8 cm

a) Calcule le volume de chaque solide.

b) Calcule l'aire de chaque solide.

7. Regroupe les mesures représentant des quantités équivalentes.

① 1 L ② 10 cm³ ③ 0,001 m³ ④ 1 mL ⑤ 1 dm³ ⑥ 1 cm³

8. Détermine, au décimètre près, la mesure du rayon d'une boule dont le volume est de 904,78 dm³.

9. Calcule l'aire et le volume du solide suivant.

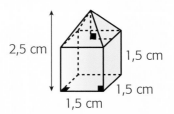

10. Quelle est la longueur de la plus grande tige pouvant entrer entièrement dans un cube dont le volume est de 512 cm^3?

11. Représente le solide correspondant à la description suivante. Calcule ensuite l'aire et le volume de ce solide.

> Le solide est formé d'une demi-boule, d'un cylindre droit et d'un cône droit placés bout à bout. Le rayon des trois solides qui le composent est de 6 cm. Le cône et le cylindre ont la même hauteur et le solide composé a une longueur totale de 24 cm.

12. Le solide ci-contre est composé d'un cube et d'un cylindre droit. Détermine l'expression algébrique correspondant:

a) à son volume;

b) à son aire.

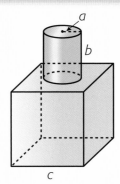

13. Sachant que les parois et le fond du cylindre droit ci-dessous ont une épaisseur de 2 cm, détermine sa capacité, en litres.

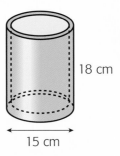

18 cm

15 cm

14. Calcule l'aire du solide ci-contre. Le volume de sa partie inférieure, formée d'un prisme droit à base triangulaire, est de 50 cm^3. Sa partie supérieure est formée par un tétraèdre régulier.

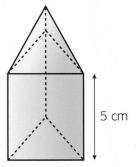

5 cm

Nouveau contenant, même qualité !  CD 1

Pour attirer l'œil des consommateurs et augmenter ses ventes, une entreprise qui produit de l'huile d'olive mise sur un nouveau contenant d'apparence plus moderne. Pour l'instant, l'huile est vendue dans un contenant comme celui présenté ci-dessous.

26 cm
LIADA
9 cm
15 cm

L'entreprise fait appel à tes services pour concevoir quatre nouveaux modèles de contenant. Chacun de ces modèles doit avoir une forme originale et contenir exactement la même quantité d'huile que l'ancien contenant.

Dessine à l'échelle les quatre nouveaux modèles de contenant que tu as conçus et précise leurs dimensions. Puis, indique pour chaque contenant un avantage et un inconvénient. Selon toi, quel est le modèle le plus intéressant pour les consommateurs ?

> ### Environnement et consommation
>
> L'apparence des biens de consommation influence le choix des consommateurs. Avant de lancer un nouveau produit sur le marché, les entreprises en présentent plusieurs versions aux membres d'un groupe témoin qui déterminent celle qu'ils préfèrent. Cela permet de prévoir ce qui plaira au plus grand nombre.
>
> Il est important que les consommateurs soient critiques et qu'ils évaluent avec objectivité les différents produits qui sont offerts. Cette capacité les aidera à ne pas faire de choix impulsifs qui ne correspondent pas à ses véritables besoins.
>
> Nomme deux façons de t'assurer que tu fais un bon choix quand tu achètes un produit.

Sculptures de cire

- **Solides équivalents**
- **Aire de solides équivalents**

Yin est une artiste qui travaille avec différents matériaux. Elle désire utiliser la cire pour fabriquer des chandelles de différentes formes, qu'elle vendra ensuite au Salon des artisans. Voici les quatre modèles de chandelle en forme de solides droits qu'elle a conçus.

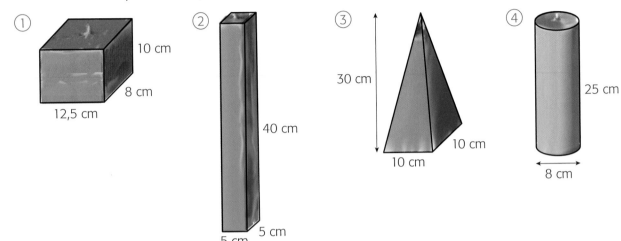

① 10 cm / 8 cm / 12,5 cm

② 40 cm / 5 cm / 5 cm

③ 30 cm / 10 cm / 10 cm

④ 25 cm / 8 cm

Yin se rend dans une boutique spécialisée pour acheter de la cire. Elle constate que la cire est offerte en plusieurs couleurs. Pour chaque couleur, il y a trois formats différents : 500 cm^3, 1 000 cm^3 et 1 300 cm^3. Yin souhaite que chacune de ses chandelles soit d'une couleur différente.

Pièges et astuces

On arrondit les résultats à l'unité près seulement à la fin des calculs. Les arrondir à chaque étape affecte la précision du résultat final.

A Estime le volume de chaque chandelle créée par Yin. Détermine ensuite le format du bloc de cire à acheter pour la fabriquer.

B Vérifie tes réponses données en **A** en calculant le volume des quatre chandelles que Yin souhaite créer. Arrondis tes résultats au centimètre cube près. Que constates-tu ?

Fait divers

Pour évaluer le volume des solides sans faire de calculs, on peut appliquer le principe du vase à trop-plein élaboré par Archimède qui consiste à mesurer le volume d'un objet dont la forme est irrégulière en l'immergeant dans l'eau. En effet, l'objet déplace alors une quantité d'eau équivalente à son volume et, avec un bac gradué, il est possible de mesurer cette quantité.

C Yin affirme que les quatre chandelles ont la forme de **solides équivalents**. A-t-elle raison? Justifie ta réponse.

Solides équivalents
Solides ayant le même volume.

Une fois ses chandelles fabriquées, Yin souhaite les emballer. Pour réduire la quantité de matériau nécessaire à l'emballage et afin de rendre son produit attrayant, elle fait appel aux services d'une artiste locale qui conçoit des emballages sur mesure.

D Comme plusieurs de ses chandelles ont le même volume, Yin affirme que la quantité de papier utilisée pour emballer chacune d'elles sera la même. A-t-elle raison? Justifie ta réponse.

E À partir des calculs effectués en **D**, que peux-tu conclure à propos de l'aire des solides équivalents?

Ai-je bien compris?

1. Au centimètre cube près, les solides suivants ont-ils le même volume qu'une boule ayant un rayon de 5,9 cm?

   a) **Prisme droit à base rectangulaire**

   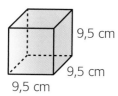
   10 cm
   21,5 cm
   4 cm

   c) **Cône droit**

   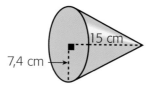
   15 cm
   7,4 cm

   b) **Cube**

   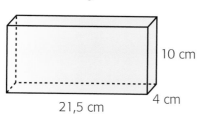
   9,5 cm
   9,5 cm
   9,5 cm

   d) **Cylindre droit**

   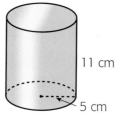
   11 cm
   5 cm

2. Voici le développement de deux solides.

   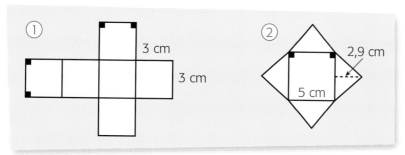
   ① 3 cm
   3 cm
   ② 2,9 cm
   5 cm

   Calcule l'aire et le volume de chacun de ces deux solides. Sont-ils équivalents?

Un design personnalisé

Jade emménage dans un nouvel appartement et doit acheter des lampes pour l'éclairer. Dans une boutique de décoration, elle remarque cinq modèles différents d'abat-jour qui lui plaisent.

A Selon les descriptions qui figurent au catalogue, ces abat-jour occupent tous un espace de même volume malgré leur forme différente. Comment qualifierais-tu les cinq solides qui pourraient représenter les différents modèles d'abat-jour?

Le modèle «Standard» a la forme d'un cône droit tronqué.

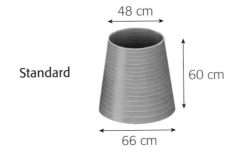

Standard — 48 cm — 60 cm — 66 cm

B Si le cône n'était pas tronqué, il aurait une hauteur totale de 220 cm. Calcule, au centimètre cube près, le volume de l'espace occupé par le modèle «Standard».

Les modèles «Moderne» et «Torchère» ont une hauteur de 70 cm. Le premier a la forme d'un cylindre droit et le second, la forme d'un cône droit renversé.

Moderne   Torchère

C Détermine, au millimètre près, les dimensions des modèles «Moderne» et «Torchère».

Le modèle «Urbain» a la forme d'un cube, tandis que le modèle «Épuré» a la forme d'un prisme droit à base carrée. Ce modèle est trois fois plus haut que le modèle «Urbain».

D Détermine les dimensions des modèles «Urbain» et «Épuré». Représente ensuite ces deux modèles à l'échelle.

Jade achète finalement deux modèles d'abat-jour: le modèle dont la hauteur est la plus grande et le modèle dont la hauteur est la plus petite.

E Quels modèles d'abat-jour Jade a-t-elle choisis?

Pour limiter ses achats, Jade décide de fabriquer elle-même les trois autres abat-jour qu'elle a vus à la boutique de décoration.

F Détermine la quantité de tissu nécessaire pour recouvrir, sans superposer le tissu, la surface des trois abat-jour que Jade a décidé de fabriquer.

Environnement et consommation

Souvent, un même produit est offert dans une multitude de modèles. Pour les consommateurs, la possibilité de choisir entre différents modèles est intéressante. Cependant, avoir l'embarras du choix peut pousser certaines personnes à surconsommer: incapables de faire un choix, elles achètent parfois plusieurs modèles d'un même produit au lieu d'un seul, comme elles l'avaient prévu au départ.

Donne des exemples de ce type de surconsommation. Que suggérerais-tu à une personne qui a tendance à surconsommer?

Ai-je bien compris?

1. Détermine, au dixième près, la valeur de *x* qui fait en sorte que les deux solides donnés sont équivalents.

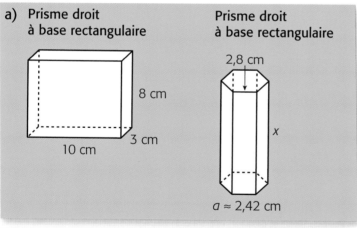

a) **Prisme droit à base rectangulaire**   **Prisme droit à base rectangulaire**

8 cm

10 cm   3 cm

2,8 cm

x

a ≈ 2,42 cm

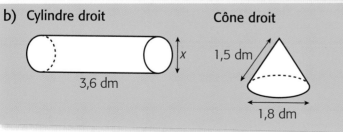

b) **Cylindre droit**   **Cône droit**

x

3,6 dm

1,5 dm

1,8 dm

2. Quel est, au centimètre près, le rayon d'une boule équivalente à un cube ayant 1,2 m d'arête?

Faire le point

Les solides équivalents

Des solides de même volume sont des solides équivalents.

Exemple :

Soit les quatre solides suivants.

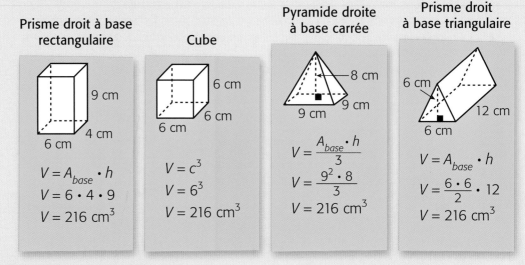

| Prisme droit à base rectangulaire | Cube | Pyramide droite à base carrée | Prisme droit à base triangulaire |

Prisme droit à base rectangulaire

9 cm
4 cm
6 cm

$V = A_{base} \cdot h$
$V = 6 \cdot 4 \cdot 9$
$V = 216 \text{ cm}^3$

Cube

6 cm
6 cm
6 cm

$V = c^3$
$V = 6^3$
$V = 216 \text{ cm}^3$

Pyramide droite à base carrée

8 cm
9 cm
9 cm

$V = \dfrac{A_{base} \cdot h}{3}$
$V = \dfrac{9^2 \cdot 8}{3}$
$V = 216 \text{ cm}^3$

Prisme droit à base triangulaire

6 cm
12 cm
6 cm

$V = A_{base} \cdot h$
$V = \dfrac{6 \cdot 6}{2} \cdot 12$
$V = 216 \text{ cm}^3$

Ces quatre solides sont équivalents puisqu'ils ont tous le même volume, soit 216 cm³.

Remarques :

– Des solides équivalents n'ont pas nécessairement la même aire. Par exemple, les solides ci-dessus ont respectivement des aires de 228 cm², 384 cm², 165 cm² et 269 cm².

– Quelle que soit la forme d'un solide, il est possible en théorie de trouver un cube qui lui est équivalent. Cependant, dans la plupart des cas, les dimensions du cube seront exprimées à l'aide d'un nombre irrationnel. Pour construire une représentation de ce cube, on devra donc se contenter d'approximations.

Exemple :

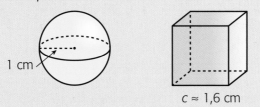

1 cm

$c \approx 1,6$ cm

Le volume d'une boule de 1 cm de rayon est $\frac{4\pi}{3}$ cm³. Le cube équivalent à cette boule a donc des arêtes qui mesurent chacune $\sqrt[3]{\frac{4\pi}{3}}$ cm. Cette mesure est constituée d'un nombre irrationnel. Arrondie au millimètre près, elle est égale à 1,6 cm.

La recherche de mesures manquantes

Lorsqu'on sait que des solides sont équivalents, on peut déterminer leurs dimensions. La recherche de mesures manquantes s'appuie alors sur l'égalité de leur volume.

Exemple :

Voici deux solides équivalents.

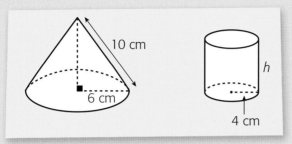

Le tableau suivant présente la démarche qui permet de déterminer la hauteur du cylindre droit.

Étape	Démarche
1. Déterminer, s'il y a lieu, les mesures manquantes d'un des deux solides.	Hauteur du cône droit : $$c^2 = a^2 + b^2$$ $$10^2 = 6^2 + h^2$$ $$h^2 = 10^2 - 6^2$$ $$h^2 = 64$$ $$h = 8 \text{ cm}$$
2. Calculer le volume de ce solide. Puisque $V_1 = V_2$, le volume du second solide est automatiquement déterminé.	$$V = \frac{A_{base} \cdot h}{3}$$ $$V = \frac{\pi \cdot r^2 \cdot h}{3}$$ $$V = \frac{\pi \cdot 6^2 \cdot 8}{3}$$ $$V = 96\pi \text{ cm}^3$$
3. Trouver la mesure manquante en utilisant la formule du volume appropriée.	$$V = A_{base} \cdot h$$ $$96\pi = \pi r^2 \cdot h$$ $$96 = 4^2 \cdot h$$ $$96 = 16h$$ $$6 \text{ cm} = h$$

Remarque : Pour la recherche de mesures manquantes, on peut se référer à la section *Faire le point sur les connaissances antérieures*, aux pages 381 à 387 traitant de la géométrie des figures planes. On peut aussi reproduire les solides s'ils ne sont pas illustrés.

Mise en pratique

1. Parmi les solides suivants, lesquels sont équivalents à un cylindre droit ayant une hauteur de 12 cm et un rayon de 9 cm?

   ① **Boule**   ② **Demi-boule**   ③ **Cône droit**   ④ **Cylindre droit**

   9 cm

   18 cm

   9 cm

   36 cm

   27 cm

   12 cm

2. Vrai ou faux? Justifie ta réponse.
   a) Deux solides équivalents non identiques peuvent avoir la même aire.
   b) Dans la réalité, il est impossible de construire un cylindre droit parfaitement équivalent à un cube ayant 10 cm d'arête.
   c) Toutes les boules de même aire sont équivalentes.
   d) Tous les cylindres droits de même aire sont équivalents.

3. Détermine les dimensions de deux prismes à base rectangulaire équivalents, mais de dimensions différentes. Les polygones correspondant au développement de ces deux prismes sont-ils équivalents? Justifie ta réponse.

4. Carl prétend que deux boîtes qui ont la même hauteur et une base de même aire, sont équivalentes et peuvent donc contenir le même nombre de dictionnaires. A-t-il raison? Justifie ta réponse par un raisonnement mathématique ou à l'aide d'un contre-exemple.

5. Un cube, une boule et un cylindre droit ayant un rayon de 3 cm ont tous une aire de 205 cm².
   a) Détermine les dimensions de ces solides au dixième de centimètre près.
   b) Compare les volumes des trois solides.

6. Sachant que les solides suivants sont équivalents, détermine, au millimètre près, la mesure manquante pour chacun d'eux.

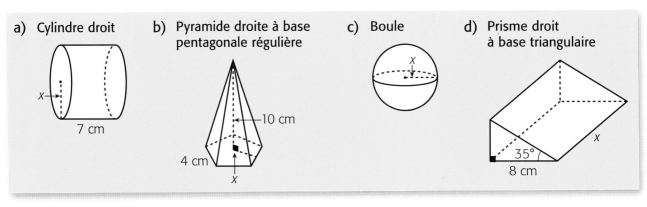

a) **Cylindre droit**

x

7 cm

b) **Pyramide droite à base pentagonale régulière**

10 cm

4 cm

x

c) **Boule**

x

d) **Prisme droit à base triangulaire**

x

35°

8 cm

7. Une entreprise qui produit du jus de légumes en canette désire commercialiser un nouveau contenant dans lequel il y aura deux fois plus de jus de légumes que dans le contenant original. Lucie, la directrice du service marketing de l'entreprise, propose de doubler la hauteur ou le rayon du contenant original. L'une des deux propositions de Lucie ne peut pas être appliquée. Modifie cette proposition pour qu'elle devienne réalisable.

8. Détermine, au millimètre près, la mesure du côté de la base d'une pyramide qui a une hauteur de 10 cm et qui est équivalente:

a) à une boule ayant une aire de 289π cm^2;

b) à un cylindre droit d'une hauteur de 10 cm ayant une aire latérale de 120π cm^2;

c) à un prisme droit à base triangulaire dont l'aire totale est de 265,4 cm^2, et dont la base a un périmètre de 24,6 cm et une aire de 22 cm^2.

9. Amélie est animatrice dans un camp de jour. Dans le cadre d'un atelier d'arts plastiques, elle organise une activité où les enfants travaillent avec de la pâte à modeler. Chaque enfant reçoit un contenant de pâte à modeler comme celui-ci.

Réponds aux questions suivantes en arrondissant tes résultats au millimètre près.

a) De quelle longueur sera le plus long serpent de forme cylindrique ayant un corps de 2 cm de diamètre qu'un enfant pourra réaliser avec sa pâte à modeler?

b) Quelles sont les dimensions du plus grand dé qu'un enfant peut réaliser avec sa pâte à modeler?

c) Pour réaliser un igloo, Amélie demande aux enfants de façonner une demi-boule pleine avec leur pâte à modeler. Quel sera le diamètre de cette demi-boule si un enfant utilise toute la pâte à modeler qui se trouve dans son contenant?

8 cm

7 cm

10. Fabien conçoit des décors. Pour une pièce de théâtre, il installe des bordures de bois qui délimitent une patinoire en utilisant quatre rectangles isométriques. Il les conçoit de manière à pouvoir les réutiliser pour le décor d'une autre pièce où les quatre rectangles, placés à la verticale et repeints, formeront un gratte-ciel.

Qu'ont en commun les deux solides délimités par les quatre rectangles? Sont-ils équivalents? Justifie ta réponse.

11. Soit les deux solides équivalents ci-contre.

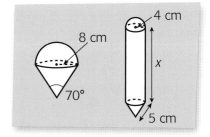

a) Détermine la capacité, en litres, des deux solides.

b) Détermine la mesure manquante du second solide.

12. Un cube peut être composé de trois pyramides à base carrée ayant la même base et la même hauteur que lui. On peut affirmer que tout assemblage des trois pyramides forme un solide équivalent au cube initial.

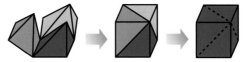

À l'aide des formules de volume, détermine le solide équivalent à l'assemblage de trois cônes ayant un diamètre de 6 cm et une hauteur de 12 cm.

13. Jason demande à un ferblantier de lui fabriquer une boîte en métal pouvant contenir 18 L de sable. Cette boîte, une fois fermée, aura la forme d'un prisme droit à base rectangulaire de 8 cm de hauteur. La base aura une longueur de 60 cm.

a) Quelle surface d'une feuille de métal le ferblantier devra-t-il utiliser pour fabriquer cette boîte?

b) Quelles auraient été les dimensions de cette boîte si Jason avait souhaité qu'elle soit cubique?

c) Sachant que le coût de fabrication de la boîte varie en fonction de la quantité de métal utilisée, détermine lequel des deux modèles s'avère le plus économique.

14. En coupant un prisme droit à base rectangulaire selon le plan illustré ci-dessous, on obtient deux prismes droits à base triangulaire équivalents.

a) Quels solides obtient-on en coupant le même prisme selon les deux plans illustrés ci-contre?

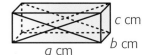

b) Les solides ainsi obtenus sont-ils équivalents? Justifie ta réponse par un raisonnement mathématique pour un prisme initial mesurant a sur b sur c cm ou à l'aide d'un contre-exemple.

15. Une seringue est modélisée par un cylindre droit. Pour injecter une quantité de 5 mL de vaccin, il faut pousser le piston de la seringue sur 4 cm. Détermine le rayon de cette seringue au millimètre près.

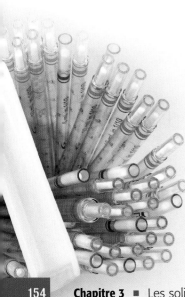

Du sable au musée  CD 2

Mélanie est responsable de la collection de sable d'un musée d'histoire naturelle. La collection du musée est composée d'échantillons de sable prélevés dans diverses régions du monde. La taille, la forme et la couleur des grains de sable de ces échantillons varient selon l'endroit d'où ils viennent. Les échantillons contiennent tous la même quantité de sable, soit une quantité qui correspond au volume du cône présenté ci-contre.

3,7 cm

12,5 cm

Mélanie désire conserver les échantillons de sable dans des flacons de verre identiques, afin que la totalité de la collection du musée puisse être transportée ou entreposée facilement. Elle souhaite également utiliser le moins de verre possible pour minimiser la masse de la collection. Elle hésite entre deux modèles de flacon. Le premier a la forme d'un prisme droit à base rectangulaire, le second, celle d'un cylindre droit.

Sachant que les deux modèles de flacon entre lesquels Mélanie hésite peuvent contenir, au centimètre cube près, exactement la quantité de sable d'un échantillon, détermine les dimensions possibles de ces deux flacons.

Émets une conjecture sur le flacon qui, selon toi, répond le mieux aux besoins de Mélanie. Détermine ensuite la forme et les dimensions d'un nouveau flacon qui répond le mieux aux contraintes du musée en matière d'entreposage.

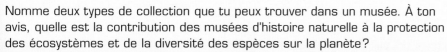

Environnement et consommation

Les musées d'histoire naturelle sont des lieux privilégiés pour enrichir nos connaissances sur les sciences de la Terre. Ces musées s'intéressent autant aux espèces qui peuplent aujourd'hui la Terre qu'aux espèces disparues, par exemple les dinosaures. Qu'il s'agisse de végétaux, d'animaux ou de minéraux, les collections que possède un musée permettent au grand public de se familiariser avec les différents éléments d'un écosystème.

Nomme deux types de collection que tu peux trouver dans un musée. À ton avis, quelle est la contribution des musées d'histoire naturelle à la protection des écosystèmes et de la diversité des espèces sur la planète?

ACTIVITÉ D'EXPLORATION ①

Volume de solides de même aire

Des ballons dans le ciel

Un ballon solaire est semblable à une montgolfière, sauf qu'il ne s'élève pas dans le ciel grâce à l'air chauffé par un brûleur mais grâce à l'énergie solaire. Le ballon solaire s'élève donc dans le ciel quand l'air qu'il contient est suffisamment chauffé par le soleil. Plus le ballon est volumineux, plus il contient d'air chaud et plus il est performant.

Un concours lancé à l'échelle de la province invite les élèves du secondaire à concevoir et à fabriquer, à l'aide de matériaux que les organisateurs du concours leur remettent, un ballon solaire dont l'aire, arrondie au mètre carré près, est de 37 m².

L'équipe de Benoît et celle de Judith conçoivent un ballon solaire qui a la forme d'un prisme à base rectangulaire. Le ballon de l'équipe de Benoît mesure 2 m sur 2,5 m et a une hauteur de 3 m. Celui de l'équipe de Judith mesure 1 m sur 1,78 m et a une hauteur de 6 m.

A Modélise chacun des ballons conçus par les deux équipes afin de déterminer celui qui est le plus performant.

B Détermine les dimensions d'un troisième ballon ayant la forme d'un prisme à base rectangulaire dont l'aire correspond à celle qui est prescrite par les organisateurs du concours, mais qui est encore plus performant que les deux autres. Qu'observes-tu par rapport aux dimensions de ce troisième ballon?

C À l'aide de ce que tu as observé en **A** et en **B**, complète l'énoncé suivant.

> De tous les prismes à base rectangulaire de même aire, c'est le ▬▬ qui a le plus grand volume.

Les illustrations suivantes sont des représentations de ballons solaires conçus par trois autres équipes qui participent au concours.

① **Tétraèdre régulier**

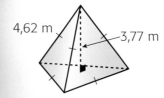

4,62 m · 3,77 m

② **Cylindre droit**

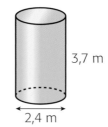

3,7 m

2,4 m

③ **Pyramide droite surmontée d'un cube**

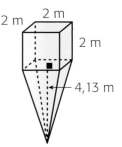

2 m · 2 m · 2 m · 4,13 m

D Parmi ces illustrations, laquelle représente le ballon solaire le plus performant? Justifie ta réponse à l'aide de calculs.

Un enseignant profite de l'enthousiasme que suscite ce concours pour présenter à ses élèves les solides de Platon. Il s'agit de cinq polyèdres dont les faces sont des polygones réguliers isométriques et qui peuvent être inscrits dans une sphère. Voici le tableau que l'enseignant présente à ses élèves.

	Tétraèdre régulier	Cube	Octaèdre régulier	Dodécaèdre régulier	Icosaèdre régulier
	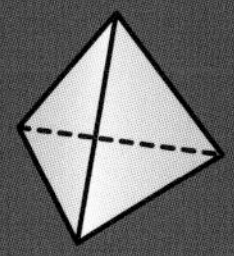		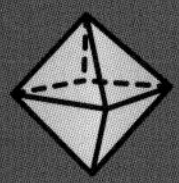	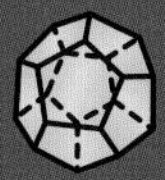	
Nombre de faces	4	6	8	12	20
Mesure de l'arête	4,62 m	2,48 m	3,27 m	1,34 m	2,07 m
Aire (arrondie)	37 m^2	37 m^2	37 m^2	37 m^2	37 m^2
Volume (arrondi)	$11,6 \text{ m}^3$	$15,3 \text{ m}^3$	$16,5 \text{ m}^3$	$18,4 \text{ m}^3$	$19,3 \text{ m}^3$

E Compare le nombre de faces et le volume des solides de Platon présentés dans le tableau ci-dessus. Que remarques-tu? Quel solide de Platon ferait le ballon solaire le plus performant?

F À l'aide de ce que tu as observé en **E**, émets une conjecture semblable à celle émise en **C**, mais qui s'applique à tous les solides.

G Selon toi, pourquoi les équipes n'ont-elles pas décidé de concevoir un ballon solaire ayant la forme du solide que tu as désigné en **E**? Que penses-tu de leur décision?

Ai-je bien compris?

1. À quel solide devrait correspondre une boîte de carton ayant une base rectangulaire, si on souhaite maximiser l'espace intérieur et minimiser la quantité de carton utilisée pour sa fabrication?

2. Parmi tous les solides qui ont une aire de 1 000 cm^2, détermine les dimensions de celui qui a le plus grand volume.

Former, déformer, reformer

Amani fabrique des dalles de marbre qui servent à recouvrir le sol ou les murs.

Voici trois dalles qu'Amani a taillées.

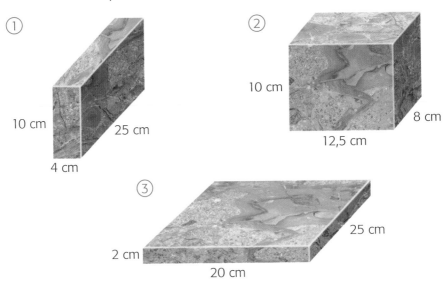

① 10 cm 25 cm 4 cm

② 10 cm 8 cm 12,5 cm

③ 25 cm 2 cm 20 cm

A Vérifie que ces trois dalles sont équivalentes.

B Calcule l'aire de chacune des dalles qu'Amani a taillées.

C Quelle dalle a la plus petite aire? Qu'est-ce qui caractérise sa forme par rapport aux deux autres dalles?

D À l'aide de ce que tu as observé en **C**, décris un prisme à base rectangulaire qui a 10 cm de hauteur et un volume de 1 000 cm^3, mais dont l'aire est plus petite que celle de chacune des dalles d'Amani.

E À l'aide de ce que tu as observé en **C** et en **D**, complète l'énoncé suivant.

> De tous les prismes à base rectangulaire de même ▬,
> c'est le ▬ qui a la plus petite ▬.

Fait divers

La gare Jean-Talon, située à Montréal, a été construite en 1931 à la demande de la compagnie de chemin de fer Canadien Pacifique. À l'époque, la ville était le centre ferroviaire du Canada.

L'architecture de cet édifice a des caractéristiques art déco, visibles notamment par le traitement des blocs de pierre en relief qui ont des formes géométriques régulières. Ce style a été révélé à Paris en 1925.

Aujourd'hui, cette ancienne gare abrite des commerces ainsi qu'une station de métro.

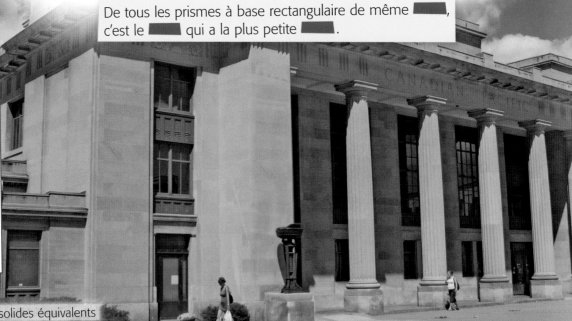

Amani a taillé la suite de blocs de pierre ci-dessous afin d'aménager le parterre de son jardin. Tous ces blocs ont une hauteur de 10 cm et un volume de 1 000 cm³.

 ①  ②  ③  ④

F Que peux-tu affirmer, sans faire de calculs, sur l'aire de la base de ces quatre blocs ?

G Parmi ces blocs, quel est celui qui a la plus petite aire ? Justifie ta réponse en comparant le périmètre de leur base respective.

H En poursuivant cette suite de blocs, quel solide obtiens-tu ? Calcule l'aire de ce solide et compare-la avec celle de chacun des quatre premiers blocs de la suite.

I Amani constate que les blocs ayant la plus petite aire sont ceux dont la distance entre la surface et le centre est la plus petite, et ce, pour toute la surface du solide. À partir de cette constatation, détermine les dimensions optimales d'un corps rond permettant de minimiser l'aire d'un solide de 1 000 cm³.

J En t'inspirant de la conjecture émise en **E**, émets une conjecture qui compare l'aire de solides équivalents.

Ai-je bien compris ?

1. Les solides suivants sont tous équivalents et ils ont tous la même hauteur. Place-les en ordre croissant selon leur aire.

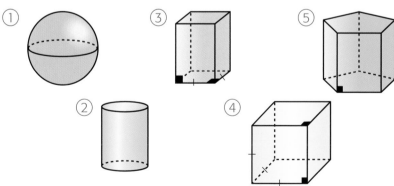

2. Détermine la plus petite aire que peuvent avoir les solides décrits ci-dessous. Arrondis ta réponse au centimètre carré près.

   a) Un prisme droit à base rectangulaire dont le volume est de 6 m³.

   b) Un solide dont le volume est de 6 m³.

Faire le point

L'optimisation dans différents contextes impliquant des solides

Dans certains contextes, il est nécessaire de déterminer les dimensions optimales d'un solide ayant une aire ou un volume précis. C'est le cas, par exemple, lorsqu'il faut minimiser l'aire d'un emballage ou maximiser la capacité d'un contenant.

Afin de trouver la solution optimale, il peut être utile de se rappeler les quatre énoncés suivants qui mettent en lien la forme, l'aire et le volume de solides.

Les solides de même aire

1) De tous les prismes à base rectangulaire de même aire, c'est le cube qui a le plus grand volume.

Exemple:

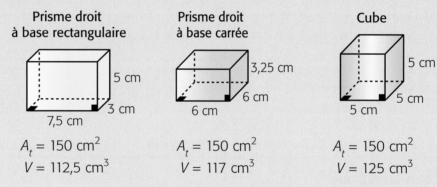

Prisme droit à base rectangulaire	Prisme droit à base carrée	Cube
5 cm, 3 cm, 7,5 cm	3,25 cm, 6 cm, 6 cm	5 cm, 5 cm, 5 cm
$A_t = 150 \text{ cm}^2$	$A_t = 150 \text{ cm}^2$	$A_t = 150 \text{ cm}^2$
$V = 112,5 \text{ cm}^3$	$V = 117 \text{ cm}^3$	$V = 125 \text{ cm}^3$

2) De tous les solides de même aire, c'est la boule qui a le plus grand volume.

Exemple:

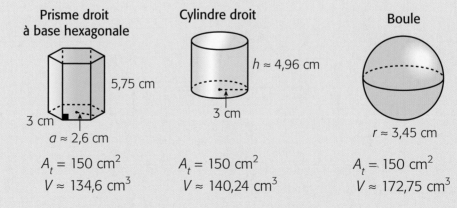

Prisme droit à base hexagonale	Cylindre droit	Boule
5,75 cm, 3 cm, $a \approx 2,6$ cm	$h \approx 4,96$ cm, 3 cm	$r \approx 3,45$ cm
$A_t = 150 \text{ cm}^2$	$A_t = 150 \text{ cm}^2$	$A_t = 150 \text{ cm}^2$
$V \approx 134,6 \text{ cm}^3$	$V \approx 140,24 \text{ cm}^3$	$V \approx 172,75 \text{ cm}^3$

Les solides de même volume

3) De tous les prismes à base rectangulaire de même volume, c'est le cube qui a la plus petite aire.

Exemple :

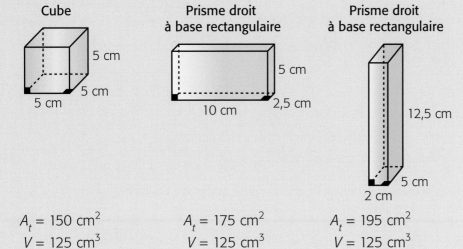

Cube	Prisme droit à base rectangulaire	Prisme droit à base rectangulaire
$A_t = 150$ cm^2	$A_t = 175$ cm^2	$A_t = 195$ cm^2
$V = 125$ cm^3	$V = 125$ cm^3	$V = 125$ cm^3

4) De tous les solides de même volume, c'est la boule qui a la plus petite aire.

Exemple :

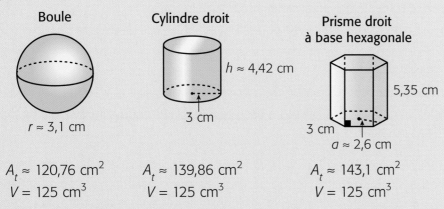

Boule	Cylindre droit	Prisme droit à base hexagonale
$A_t \approx 120,76$ cm^2	$A_t \approx 139,86$ cm^2	$A_t \approx 143,1$ cm^2
$V = 125$ cm^3	$V = 125$ cm^3	$V = 125$ cm^3

Remarque : Il est important de vérifier si la solution optimale d'un point de vue strictement géométrique peut s'appliquer dans un contexte donné. Par exemple, on veut déterminer les dimensions optimales pour un contenant à jus de fruits permettant, d'une part, de minimiser la quantité de matériel utilisée pour sa fabrication et, d'autre part, de faciliter son entreposage. Il est peu probable que l'on choisisse un contenant de forme sphérique même si la boule est le solide permettant de minimiser l'aire pour un volume donné.

Mise en pratique

1. Soit les quatre solides suivants.

① **Cube** ② **Boule** ③ **Prisme droit à base rectangulaire** ④ **Cylindre droit**

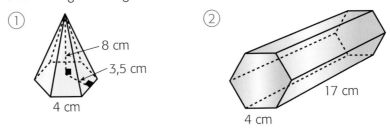

Parmi ces solides, lequel a :

a) le plus grand volume, si tous ont la même aire ?

b) la plus petite aire, si tous sont équivalents ?

2. Soit la pyramide droite et le prisme droit ci-dessous, ayant tous les deux une base hexagonale régulière.

① 8 cm 3,5 cm 4 cm

② 17 cm 4 cm

Pour chaque solide, détermine, au centimètre près :

a) les dimensions du solide équivalent ayant la plus petite aire possible ;

b) les dimensions du prisme à base rectangulaire de même aire ayant le plus grand volume possible ;

c) les dimensions du solide de même aire ayant le plus grand volume possible ;

d) les dimensions du prisme à base rectangulaire équivalant ayant la plus petite aire possible.

3. La plupart des verres à boire sont de forme cylindrique. Justifie l'utilisation quasi exclusive de cette forme par des arguments mathématiques (qui tiennent compte des relations entre l'aire et le volume) et par un argument qui n'est pas de nature mathématique.

4. Détermine les dimensions des solides correspondant aux descriptions suivantes.

a) Un solide ayant une aire de 550 cm^2 et qui occupe le plus grand volume possible.

b) Un solide ayant un volume de 800 cm^3 et qui a la plus petite aire possible.

c) Un prisme à base rectangulaire ayant une aire de 835 cm^2 et qui occupe le plus grand volume possible.

d) Un prisme à base rectangulaire ayant un volume de 650 cm^3 et qui a la plus petite aire possible.

5. Audrey est électricienne. Elle désire fabriquer huit boîtes transparentes pour ranger divers petits articles dont elle se sert régulièrement. Audrey souhaite que les boîtes aient la plus grande capacité possible et qu'elles soient toutes de mêmes dimensions.

Par ailleurs, pour pouvoir les transporter facilement, Audrey veut pouvoir les déposer dans un coffre rectangulaire fermé dont les dimensions intérieures sont de 26 cm sur 20 cm sur 15 cm. Les boîtes seront fabriquées à partir de matières plastiques de 5 mm d'épaisseur.

Dessine le plan de l'une des huit boîtes en indiquant ses dimensions. Explique ensuite la façon dont les huit boîtes doivent être disposées dans le coffre.

6. L'enseignante de Noémie lance à ses élèves le défi de concevoir et de dessiner un prisme de 2 000 cm^3 de volume, arrondi au centimètre cube près, mais dont l'aire est minimale. Noémie dessine un cube de 12,6 cm d'arête.

Selon toi, pourra-t-elle relever le défi ? Si oui, justifie ta réponse à l'aide d'un énoncé. Dans le cas contraire, choisis un solide qui correspond davantage au défi lancé.

7. Une agence conçoit une publicité pour faire mousser les ventes d'un rouleau de pellicule plastique. Cette pellicule mesure 60 m de longueur sur 30 cm de largeur. On veut donner l'impression aux consommateurs que la quantité de pellicule plastique est vraiment très grande. Les publicitaires ont donc décidé de recouvrir d'une couche de pellicule plastique le solide ayant le plus grand volume possible et dont l'aire correspond à la superficie totale que peut recouvrir la pellicule plastique du rouleau. Détermine les dimensions du solide que l'on devrait utiliser dans le cadre de cette campagne publicitaire.

8. Chaque Québécois génère annuellement, en moyenne, l'équivalent de 260 sacs de déchets. Si chacun de ces sacs contient 30 L de déchets, détermine la surface minimale d'un sac qui pourrait contenir tous les déchets générés en un an par un seul Québécois.

Fait divers

David Suzuki, généticien et écologiste de renom, s'efforce de faire prendre conscience aux Canadiens des problèmes environnementaux et de les amener à poser des gestes pour les amoindrir. Interrogé sur ses habitudes de consommation, David Suzuki affirme que sa famille et lui ne génèrent qu'un seul sac de déchets par mois. Pour générer si peu de déchets, ils privilégient l'achat de produits non emballés, évitent l'utilisation de produits jetables et compostent les déchets de table.

9. Un solide ayant une aire de 12,57 m² peut-il avoir un volume supérieur à 4,2 m³? Explique ton raisonnement.

10. Un bidon contient 3,78 L de peinture. Il faut 111 mL de peinture pour couvrir une surface de 1 m². Détermine les dimensions:

a) de la plus vaste pièce rectangulaire de 3 m de hauteur qu'il est possible de peindre avec un seul bidon de peinture, sachant que la porte, qui mesure 2 m sur 0,8 m, les deux fenêtres, qui mesurent 1,3 m sur 0,85 m, le plancher et le plafond ne sont pas à peindre;

b) du solide ayant le plus grand volume qu'il est possible de peindre avec un seul bidon de peinture.

11. Un fabricant de cartes à jouer expédie sa marchandise par lots de 99 paquets. Sachant qu'un paquet mesure 2 cm sur 6,5 cm sur 9 cm et que l'on veut en mettre 99 par boîte expédiée, détermine:

a) le volume qu'occupe une boîte contenant 99 paquets de cartes;

b) la façon dont le fabricant devrait s'y prendre pour disposer les 99 paquets de cartes dans une boîte de manière à minimiser la quantité de carton utilisée pour sa fabrication.

12. Un thermos parvient à maintenir la température des aliments au chaud en minimisant la surface de contact entre l'air extérieur et son contenu.

a) Pour minimiser au maximum la surface de contact, quelle forme devrait avoir un thermos?

b) Selon toi, pourquoi les fabricants de thermos n'ont-ils pas choisi la forme que tu as obtenue en **a**?

13. Pour se garder bien au chaud durant l'hiver antarctique, les colonies de manchots se réunissent en formant un cercle. Les manchots qui se tiennent à l'extérieur du cercle forment un mur qui protège ceux qui se trouvent à l'intérieur. Après un moment, ceux qui étaient à l'extérieur se déplacent vers le centre du cercle, là où il fait le plus chaud. Cette rotation des positions dans le cercle permet aux manchots de survivre malgré les conditions extrêmes de leur milieu de vie.

Détermine le solide qui modélise le mieux la colonie de manchots lorsque ceux-ci forment un cercle. Explique ensuite dans tes mots les avantages de ce solide si on le compare avec d'autres solides.

14. Lorsqu'elles sont livrées à l'épicerie, les laitues sont rangées dans des cageots en forme de prisme à base rectangulaire. Il y a 30 laitues par cageot et chaque laitue peut être représentée par une boule dont le rayon mesure 9 cm.

a) Détermine les dimensions d'un cageot qui permet de minimiser la quantité de bois nécessaire à sa fabrication, si :

   1) toutes les laitues y sont disposées les unes à côté des autres et non empilées ;

   2) le cageot a une hauteur de 36 cm.

b) Lequel des deux cageots proposés en réponse à la question **a** permet de minimiser la quantité de bois nécessaire à sa fabrication ?

Fait divers

Les affichettes placées au-dessus des étalages de fruits et de légumes dans les épiceries indiquent, outre le prix, la grosseur des aliments. La grosseur d'un fruit ou d'un légume est déterminée en fonction du nombre de fruits ou de légumes du même type et de même taille qui peuvent entrer dans un cageot. Par exemple, une orange de calibre 56 est plus grosse qu'une orange de calibre 138 puisqu'il ne faut que 56 oranges pour remplir un cageot.

15. Les gouttes de pluie, contrairement à la croyance populaire, n'ont pas la forme d'une larme. Des études ont démontré qu'une goutte de pluie, d'un volume donné, prend plutôt la forme qui lui permet de minimiser son contact avec l'air. Aussi, la force de friction de l'air dans l'atmosphère terrestre fait en sorte que les gouttes n'ont jamais un volume supérieur à 0,113 1 mL.

a) Détermine la forme qu'ont les gouttes de pluie.

b) Détermine, au millimètre près, les dimensions d'une goutte de pluie de grosseur maximale.

16. Dans le cadre d'une campagne de financement pour des activités parascolaires, des étudiants en design intérieur vendent des coussins de formes variées qu'ils confectionnent eux-mêmes. Les coussins peuvent être modélisés par des solides remplis de 6 000 cm^3 de rembourrage chacun.

a) Détermine les dimensions possibles d'un coussin de forme sphérique, d'un coussin de forme cubique et d'un coussin de forme cylindrique.

b) Afin de minimiser la quantité de tissu nécessaire pour recouvrir les coussins, quelle forme devrait avoir le coussin que les étudiants fabriqueront en plus grande quantité ?

Consolidation

1. Parmi les solides suivants, lesquels sont équivalents?

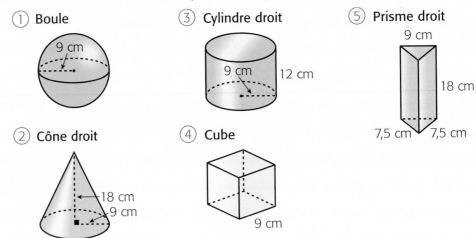

① Boule
9 cm

③ Cylindre droit
9 cm   12 cm

⑤ Prisme droit
9 cm
18 cm
7,5 cm   7,5 cm

② Cône droit
18 cm
9 cm

④ Cube
9 cm

2. Détermine la valeur de x de façon que les deux solides de chaque paire ci-dessous soient équivalents. Arrondis tes réponses au millimètre près.

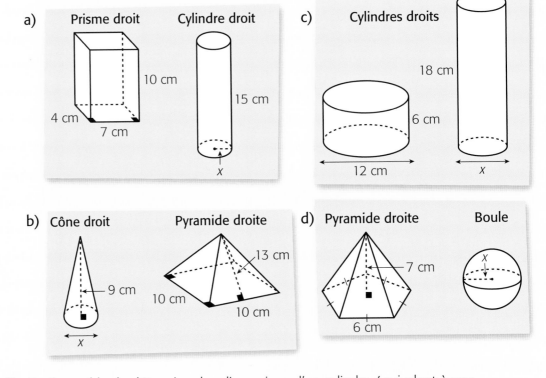

a) Prisme droit   Cylindre droit
10 cm
15 cm
4 cm   7 cm
x

c) Cylindres droits
18 cm
6 cm
12 cm x

b) Cône droit   Pyramide droite
13 cm
9 cm
10 cm   10 cm
x

d) Pyramide droite   Boule
7 cm
x
6 cm

3. Est-il possible de déterminer les dimensions d'un cylindre équivalent à une boule ayant 12 cm de diamètre et une plus petite aire que ce cylindre? Si oui, détermine les dimensions d'un tel cylindre.

4. Les solides suivants ont le même volume au mètre cube près, sauf un.

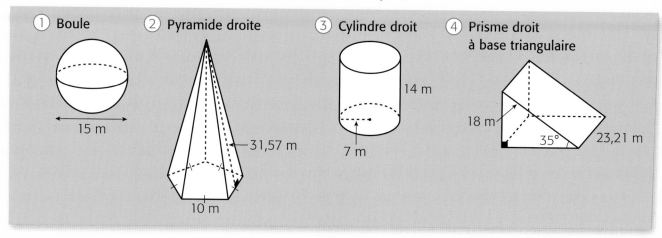

① **Boule**

② **Pyramide droite**

③ **Cylindre droit**

④ **Prisme droit à base triangulaire**

15 m

31,57 m

10 m

14 m

7 m

18 m

35°

23,21 m

a) Trouve ce solide et modifie l'une de ses mesures pour qu'il ait le même volume, au mètre cube près, que les trois autres.

b) Quelle autre mesure de ce solide peux-tu modifier pour qu'il ait le même volume, au mètre cube près, que les trois autres?

5. Soit les quatre solides suivants.

①    ②    ③ 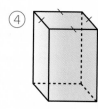   ④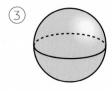

La hauteur du cylindre droit, du cône droit et du prisme droit est égale au diamètre de la boule et les quatre solides ont tous le même volume. Place ces solides en ordre croissant d'aire.

6. Vrai ou faux? Justifie tes réponses.

a) La boule est le solide qui a le plus petit volume pour une aire donnée.

b) Si un cylindre droit et un prisme droit à base rectangulaire sont équivalents, le cylindre droit a nécessairement une plus petite aire.

c) La boule est le solide qui a la plus petite aire pour un volume donné.

7. Lequel des solides de chaque paire suivante a le plus grand volume? Justifie tes réponses.

a) Un cube et une boule ayant tous deux la même aire.

b) Un cylindre droit et un prisme droit à base octogonale régulière qui ont la même aire latérale et la même hauteur.

8. Dans un sens comme dans l'autre

Alice forme deux cylindres en roulant sur elle-même une feuille de papier de 21,5 cm sur 28 cm. Elle forme le premier cylindre en roulant la feuille dans le sens de la longueur. Elle forme le second cylindre en roulant la feuille dans le sens de la largeur. Dans chaque cas, Alice joint les extrémités de la feuille sans les superposer.

Premier cylindre   **Second cylindre**

a) Qu'ont en commun les deux cylindres ainsi formés ?

b) Ces deux cylindres sont-ils équivalents ?

9. Cinq cents choses à noter   `CD 2`

Dans le bloc-notes ci-contre, il y a 500 feuilles carrées ayant chacune 0,09 mm d'épaisseur et mesurant 5 cm de côté. Calcule le volume du bloc-notes. Explique ton raisonnement.

10. La piscine dans la piscine   `CD 2`

En lisant un magazine, Marianne apprend qu'une piscine olympique a, en principe, toujours les mêmes dimensions, soit une longueur de 50 m, une largeur de 25 m et une profondeur de 3 m. Selon le père de Marianne, la quantité d'eau contenue dans une telle piscine correspond à environ 30 fois la quantité d'eau contenue dans la piscine hors terre de forme circulaire qui se trouve dans leur cour.

Est-il possible que le père de Marianne ait raison ? Justifie ta réponse.

Point de repère

Bonaventura Cavalieri

Le mathématicien et géomètre italien Bonaventura Cavalieri (1598 – 1647) a prouvé que deux solides ont le même volume s'ils sont constitués de « tranches » isométriques. Aujourd'hui, cette règle s'appelle « le principe de Cavalieri ». Elle permet d'affirmer que la relation $V = A_{base} \cdot h$ s'applique aussi bien aux prismes obliques qu'aux prismes droits.

11. Oh! Du chocolat!

Amélie est chocolatière. Les chocolats qu'elle fabrique ont tous la même hauteur et contiennent tous la même quantité de chocolat, mais sont de formes différentes.

Voici une boule de chocolat fabriquée par Amélie.

2,5 cm

a) De combien de millilitres de chocolat Amélie a-t-elle besoin pour fabriquer cette boule de chocolat?

b) Détermine les dimensions, arrondies au centimètre près, des chocolats pouvant être représentés par les solides suivants.

    1) Un cylindre droit   **3)** Un prisme droit à base carrée

    2) Une pyramide droite à base carrée

12. Ça roule! `CD 1`

Voici un rouleau de papier hygiénique de format standard produit par l'entreprise Rouleau, Rouleau et associés.

Cette entreprise désire se lancer dans la production de rouleaux de papier hygiénique de format commercial. Le rouleau de format commercial que l'entreprise produira sera, tout comme le rouleau de format standard, de forme cylindrique et aura une hauteur de 10 cm. Par contre, le cylindre de carton sur lequel sera enroulé le papier hygiénique sera plus rigide et aura un plus grand diamètre que celui du rouleau de format standard. De plus, il y aura cinq fois plus de papier hygiénique de même épaisseur sur le rouleau de format commercial que sur celui de format standard.

4,3 cm

10 cm

12 cm

Détermine les dimensions de deux rouleaux de format commercial que l'entreprise pourrait produire.

13. Raisonnement rationnel ou irrationnel? `CD 2`

Stéphane affirme qu'il est impossible qu'une boule et un cube soient parfaitement équivalents. Es-tu d'accord avec lui? Justifie ta réponse à l'aide des formules de volume de la boule et du cube, ainsi qu'à l'aide de la définition des solides équivalents.

Point de repère

La quadrature du cercle

La quadrature du cercle est un problème mathématique qui remonte à l'Antiquité. Il s'agit de tracer, à l'aide d'une règle et d'un compas, un carré ayant la même aire qu'un cercle donné. Plusieurs démonstrations fautives ont été présentées au cours des siècles jusqu'à ce que le mathématicien français Joseph Liouville prouve, en 1844, qu'il est impossible de tracer, avec une règle et un compas, un segment ayant exactement pour mesure un multiple de pi (π).

Le philosophe Aristote (384–322 av. J.-C.) fut l'un des premier à s'intéresser au problème de la quadrature du cercle.

14. Problème d'apesanteur

Dans une cabine de fusée voyageant dans l'espace, tout est soumis à l'apesanteur, même les liquides. Dans ce contexte, un verre sans couvercle laisserait échapper le liquide qu'il contient, qui resterait alors en suspension dans l'air.

Sachant que les liquides ont tendance à se lier pour minimiser leur surface de contact avec l'air, détermine la forme et les dimensions que prendrait le liquide contenu dans le verre sans couvercle ci-contre s'il se trouvait en suspension dans la cabine d'une fusée.

9 cm

8 cm

15. Tout est équivalent

Le corridor du rez-de-chaussée de l'école de Félix a la forme d'un prisme droit à base rectangulaire. Ce corridor a 12 m de longueur, 6 m de largeur et 4,5 m de hauteur.

L'enseignante de mathématique pose une énigme aux élèves de la classe de Félix. Ceux-ci doivent déterminer les dimensions d'un autre prisme droit à base rectangulaire ayant la même aire et le même volume que le prisme représentant le corridor. Elle leur fournit un indice : les trois mesures décrivant le nouveau prisme sont des entiers inférieurs à 15.

Résous cette énigme.

16. Suivre la recette

Colette, une jeune pâtissière, prépare une gelée de fruits. Dans un bol qui a la forme d'un cylindre droit de 18 cm de diamètre et qui contient 250 mL de jus de cerise bouillant, elle ajoute du sucre, de la poudre d'agar-agar et 250 mL de jus de cerise froid. Ensuite, elle répartit de façon égale le mélange dans six moules en forme de prisme ayant pour base un hexagone régulier. Le mélange atteint une hauteur de 5 cm dans chaque moule.

Sachant que le volume occupé par le sucre et la poudre d'agar-agar dissous est négligeable, détermine au millimètre près :

a) la hauteur atteinte par le mélange dans le bol que Colette utilise ;

b) les dimensions d'un moule.

17. Fleurira, fleurira pas

Zachary a entendu dire que pour stimuler la floraison de sa plante, il fallait la mettre dans une boîte de carton fermée pour l'isoler de la lumière pendant une certaine période. Il fabrique donc une boîte à six faces ayant la forme d'un prisme à base rectangulaire d'une hauteur de 65 cm. Pour s'assurer que sa plante ne soit pas à l'étroit, Zachary fabrique une boîte d'une capacité de 78 L.

Si la boîte doit être fabriquée avec le minimum de carton possible, quelles seront ses dimensions ?

18. Architecture cubique

Sofia est architecte. Elle explique à son ami Maxime qu'elle s'intéresse plus particulièrement à la volumétrie des bâtiments, c'est-à-dire aux différentes façons d'aménager un même espace en faisant varier la forme du bâtiment. Pour illustrer son propos, elle trace le prisme suivant fait de cubes ayant une arête de c cm.

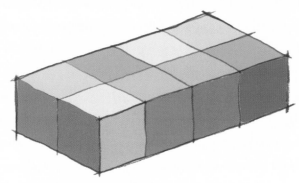

a) Détermine, en fonction de c, l'aire et le volume de ce prisme.

b) Sofia dispose autrement les cubes pour former un nouveau prisme, équivalent au premier mais ayant la plus petite aire possible.

   1) Quelle est la forme de ce nouveau prisme ?

   2) Quelle expression algébrique représente l'aire de ce nouveau prisme ?

c) Trace, en utilisant les mêmes cubes que Sofia, un prisme ayant la plus grande aire possible et qui est équivalent aux deux prismes tracés par Sofia. Quelle expression algébrique représente l'aire du prisme que tu as tracé ?

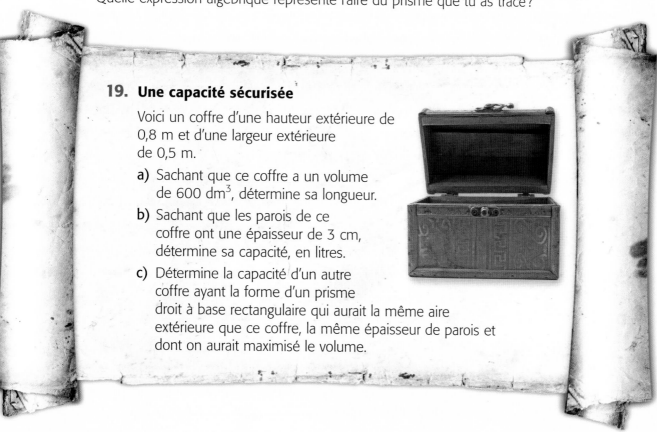

19. Une capacité sécurisée

Voici un coffre d'une hauteur extérieure de 0,8 m et d'une largeur extérieure de 0,5 m.

a) Sachant que ce coffre a un volume de 600 dm³, détermine sa longueur.

b) Sachant que les parois de ce coffre ont une épaisseur de 3 cm, détermine sa capacité, en litres.

c) Détermine la capacité d'un autre coffre ayant la forme d'un prisme droit à base rectangulaire qui aurait la même aire extérieure que ce coffre, la même épaisseur de parois et dont on aurait maximisé le volume.

20. Une question de priorité

Pour faciliter l'expédition de riz dans les pays en situation de crise humanitaire, un organisme de coopération internationale désire utiliser un nouveau contenant. Cet organisme fait appel aux services de Claude, un designer. Son mandat consiste, entre autres, à concevoir un contenant hermétique et robuste pouvant contenir 50 kg de riz. Détermine la forme du contenant que Claude devra concevoir si son mandat stipule aussi qu'il faut :

a) réduire au minimum le coût des matières premières servant à la fabrication du contenant ;

b) que la forme du contenant permette un entreposage facile et efficace ;

c) réduire les coûts de fabrication du contenant (un contenant aux faces courbes est plus dispendieux à produire) ;

d) tenir compte de toutes les contraintes énumérées ci-dessus.

21. Ça dépend de la forme

Élodie a fabriqué le pendentif en marbre ci-contre. Il a la forme d'un tétraèdre régulier. L'aire du pendentif est de 6 cm^2.

Avec la même quantité de matériau que celle utilisée pour la fabrication de ce pendentif, Élodie veut en fabriquer un autre, mais d'une forme différente et ayant la plus petite aire possible. Quelles seraient, au millimètre près, les dimensions de ce nouveau pendentif ?

22. Architecture mathématique

Les yourtes sont des maisons de forme presque cylindrique surmontées d'un toit conique. Nomme un avantage et un inconvénient d'une yourte par rapport à une maison de forme plus traditionnelle. Au moins un de ces avantages ou de ces inconvénients doit être en lien avec la mathématique.

23. Quel est le plan? **CD 1**

La municipalité de Saint-Xavier lance un appel d'offres pour la construction de son nouvel hôtel de ville.

Municipalité de Saint-Xavier
Appel d'offres

- L'hôtel de ville sera construit sur un terrain de forme rectangulaire mesurant 30 m sur 40 m. Le règlement municipal stipule que tout édifice doit être situé à au moins 4 m des limites extérieures du terrain.

- L'hôtel de ville aura deux étages de 4 m de hauteur chacun et un toit plat.

- La superficie de plancher disponible doit être maximisée pour qu'on puisse y tenir de grands rassemblements. Le rez-de-chaussée sera composé d'une seule grande pièce et l'étage supérieur pourra accueillir 12 bureaux fermés ayant chacun une fenêtre donnant sur l'extérieur.

- Pour respecter les normes de sécurité, il faut au moins trois portes donnant sur l'extérieur. Chacune de ces portes doit mesurer 1 m sur 2 m.

- L'ensemble des fenêtres couvre une surface de 15 m^2.

- Les murs extérieurs de l'édifice seront rectilignes et entièrement recouverts de briques. Le budget disponible permet de recouvrir de briques une surface maximale de 600 m^2.

- Le système d'aération conçu pour ce type d'immeuble permet de renouveler efficacement l'air d'un édifice ayant au maximum 5 000 m^3.

À partir des points mentionnés dans l'appel d'offres, dessine, à l'échelle, une vue du dessus et une vue de la façade extérieure du futur hôtel de ville. Laisse les traces de ta démarche.

24. Par paires rassemblées! **CD 3**

Victor veut concevoir un module en carton pour le rangement des chaussures. Sa première idée est d'assembler des prismes droits à base carrée. La perspective et la vue de face ci-contre représentent le modèle imaginé par Victor pour le rangement de 15 paires de chaussures.

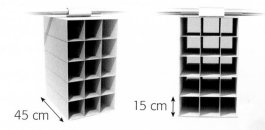

45 cm

15 cm

Un ami de Victor affirme que la forme hexagonale des alvéoles d'une ruche permet de minimiser la quantité de cire nécessaire à la fabrication d'un rayon de miel. Il suggère donc à Victor de réaliser les plans à l'échelle de son module de rangement en s'inspirant du modèle de la ruche et de vérifier si ce nouveau module minimise la quantité de carton utilisé pour sa fabrication tout en conservant des ouvertures de même aire.

Aide Victor en représentant la perspective et la vue de face du nouveau module de rangement. Laisse les traces de ta démarche et indique lequel des deux modules de rangement serait à privilégier.

Fait divers

L'homme s'est souvent inspiré de la nature pour concevoir des objets utilitaires. Par exemple, les petits crochets des fruits de bardane, qui s'accrochent aux vêtements quand on s'y frotte, ont inspiré la conception du velcro. Aussi, les propriétés adhésives des doigts des pattes du gecko, un petit lézard grimpeur, intéressent encore plusieurs chercheurs.

25. Demande spéciale   CD 3

Katie se spécialise dans la gravure sur métaux. Les élus d'une ville lui demandent de graver une vue du fleuve Saint-Laurent et des îles de l'archipel de Mingan sur une plaque d'argent. La ville est prête à payer cette plaque 420 $ plus les taxes.

Katie doit fournir une soumission à ses clients. Elle prévoit que la plaque d'argent aura la forme d'un hexagone régulier et qu'elle aura au minimum 3 mm d'épaisseur. Elle évalue le coût de la conception et de la réalisation de l'œuvre à 100 $. À ce coût, Katie doit ajouter le prix de l'argent utilisé pour fabriquer la plaque. Elle se sert du tableau ci-contre pour fixer ce prix.

Quantité d'argent utilisée (g)	Coût ($)
5	7,50
6	9,00
9	13,50
12	18,00

Sachant qu'un centimètre cube d'argent pèse environ 10,49 g, estime les dimensions de la plus grande plaque d'argent qu'elle pourra offrir à ses clients si elle veut respecter leur budget. Ajoute à la soumission les dimensions du cube d'argent qui sera nécessaire à la fabrication de la plaque.

26. Ma mère   CD 3

Suzie est graphiste. Un parfumeur lui demande de réaliser une brochure publicitaire pour présenter le nouveau produit qu'il compte lancer à l'occasion de la fête des Mères : un coffret contenant un assortiment de trois flacons de parfum.

Chaque coffret a la forme d'un prisme à base carrée. Les trois flacons, qui contiennent tous exactement 15 mL de parfum, ont chacun une forme différente : un flacon a la forme d'un cylindre droit, un autre a la forme d'un cube et le troisième a la forme d'une demi-boule. Le vaporisateur de chaque flacon occupe un volume de 1 cm³.

4 cm

7 cm

7 cm

Le parfumeur demande à Suzie de dessiner une vue de face de chacun des flacons et une vue du dessus du coffret, à l'échelle, qui montre la disposition des trois flacons. Aide Suzie à réaliser ces deux dessins. Laisse les traces de ta démarche.

Environnement et consommation

De nombreuses entreprises offrent, à l'occasion de la fête des Mères, de la Saint-Valentin ou de Noël, des assortiments de quelques-uns de leurs produits. Par exemple, certaines entreprises proposent des assortiments de parfums, de chocolats, de produits de beauté ou de produits alimentaires de luxe, comme des huiles ou des poivres rares.

Selon toi, quel est l'objectif de cette pratique pour les entreprises ? Quels sont les avantages pour les consommateurs d'acheter ces assortiments de produits ?

Le graphisme

Les graphistes sont des professionnels qui conçoivent et mènent à terme différents projets dans le domaine des arts graphiques. Ils conçoivent des affiches publicitaires, des jeux vidéo, des couvertures de livres, des sites Web, des logos et des pictogrammes. De nos jours, le principal outil des graphistes est l'ordinateur : grâce à de nombreux logiciels très performants, ils peuvent réaliser des dessins, des montages-photos ou du travail de mise en pages.

Les graphistes peuvent notamment travailler pour des maisons d'édition, des agences de publicité, des journaux ou des magazines. Des agences de communication et des studios de graphisme font aussi appel à leurs services. Les graphistes peuvent travailler pour des entreprises ou à leur compte.

La formation menant à cette profession peut être de niveau collégial ou universitaire. Certaines personnes s'inscrivent d'abord à un programme technique au cégep pour ensuite parfaire leur formation à l'université. La profession exige une très grande créativité, un souci du détail et des aptitudes particulières en arts plastiques. Une bonne capacité de concentration, une facilité pour la gestion d'échéanciers serrés et une capacité à travailler en équipe sont aussi des atouts précieux dans ce domaine.

Fait divers

Le pictogramme universel des matières recyclables a été créé par des graphistes en 1970 à l'occasion du jour de la Terre.

Les graphes

L'état de santé, le niveau de stress et le mode de vie sont des éléments qui influent sur le bien-être des gens. Sur le plan individuel, chaque personne est responsable de sa santé. En effet, l'alimentation et l'activité physique sont les premiers facteurs qui ont un effet sur l'organisme. Sur le plan collectif, la société fournit des services de santé et de sécurité qui contribuent également à assurer le bien-être de tous.

C'est la bonne organisation de ces services qui peut les rendre les plus efficaces possible. Réduire les délais d'attente, choisir des itinéraires pour minimiser les distances et réduire les coûts sont des exemples de défis qu'il faut relever chaque jour. Les graphes constituent un outil mathématique puissant pour représenter de telles situations. Par la suite, plusieurs algorithmes permettent de faire des choix d'organisation optimaux.

Selon toi, quelles actions convient-il de faire pour améliorer l'état de santé de la population en général? Donne deux exemples de choix que tu fais qui influent sur ta santé.

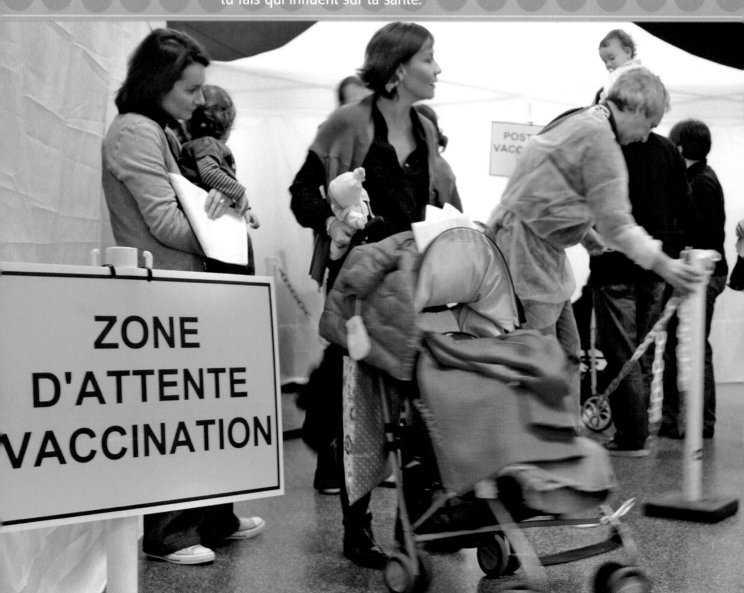

Survol

Contenu de formation

- Degré, distance, chaîne et cycle

- Graphes orienté et valué

- Représentation et modélisation d'une situation
à l'aide d'un graphe

- Comparaison de différents graphes

- Recherche de chaînes ou de cycles eulériens et
hamiltoniens, d'un chemin critique, de la chaîne de
valeur minimale, d'un arbre de valeurs minimales
ou maximales ou du nombre chromatique

En contexte

Le Défi 5/30 dure six semaines et vise à encourager les citoyens à adopter de saines habitudes de vie. Il consiste à consommer minimalement cinq portions de fruits et de légumes et à pratiquer 30 minutes d'activité physique chaque jour durant six semaines.

Le comité social d'une entreprise veut favoriser les bienfaits des bonnes habitudes de vie chez les employés. Il les encourage donc à s'inscrire au Défi 5/30 et planifie des activités pour les six semaines de l'événement.

1. Pour proposer des activités et des défis adaptés au personnel, le comité social distribue un questionnaire aux employés. La structure du questionnaire est représentée ci-dessous. La séquence des questions varie selon les réponses des participants.

La schématisation du questionnaire

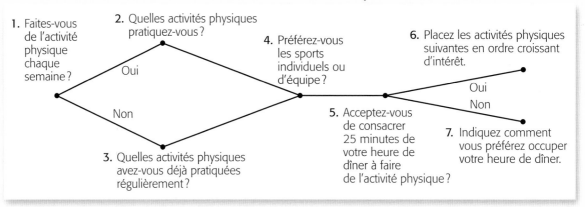

1. Faites-vous de l'activité physique chaque semaine ?

2. Quelles activités physiques pratiquez-vous ?

3. Quelles activités physiques avez-vous déjà pratiquées régulièrement ?

4. Préférez-vous les sports individuels ou d'équipe ?

5. Acceptez-vous de consacrer 25 minutes de votre heure de dîner à faire de l'activité physique ?

6. Placez les activités physiques suivantes en ordre croissant d'intérêt.

7. Indiquez comment vous préférez occuper votre heure de dîner.

Oui / Non

Oui / Non

a) Que représentent les points et les lignes dans ce schéma ?

b) Selon le schéma, à combien de questions les employés doivent-ils répondre ?

c) Josée affirme que le schéma présente quatre séquences de questions. Nomme ces quatre séquences.

2. À la suite du sondage, le comité social décide d'organiser un tournoi se déroulant deux soirs par semaine pour donner l'occasion aux employés de faire de l'activité physique. Cinq équipes sont formées et s'affrontent amicalement dans un tournoi de soccer. Chaque équipe jouera une seule fois contre les autres équipes. Josée note les résultats au fil des jours à l'aide de la représentation ci-contre. Chaque flèche pointe vers l'équipe qui a perdu.

Les résultats du tournoi de soccer

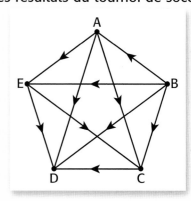

a) Combien de victoires a remporté :

    1) l'équipe B?   **2)** l'équipe C?

b) À l'aide de la représentation de Josée, établis le classement des cinq équipes à l'issue du tournoi.

c) Josée affiche, sous forme de tableau, les résultats du tournoi dans la cafétéria. À l'aide de sa représentation, reproduis et remplis le tableau suivant.

A vaincu : ↱	Équipe A	Équipe B	Équipe C	Équipe D	Équipe E
Équipe A	–				
Équipe B		–			
Équipe C			–		
Équipe D					
Équipe E					

3. Dans le cadre des six semaines du Défi 5/30, le comité social offre des collations équivalant à une portion de fruits ou de légumes aux employés. Parmi ces collations figurent une boîte de jus de fruits ainsi qu'un pot de compote de fruits non sucrée. Ces collations sont offertes dans des contenants qui ont la forme des polyèdres représentés ci-dessous.

Jus de fruits   **Compote de fruits non sucrée**

a) Combien de faces chacun des contenants possède-t-il?

b) Combien de sommets et d'arêtes ces polyèdres possèdent-ils?

c) À l'aide des représentations données, complète la relation d'Euler écrite ci-dessous, qui s'applique à tous les polyèdres convexes.

    Nombre de sommets + Nombre de faces = Nombre d'arêtes + ▨

d) Combien de faces un polyèdre qui possède 9 sommets et 16 arêtes a-t-il?

Santé et bien-être

Le Défi 5/30 est avant tout un défi à relever en famille, mais plusieurs entreprises y participent afin d'encourager leurs employés à adopter de saines habitudes de vie. Dans les entreprises où les employés ont une bonne hygiène de vie, on peut remarquer une diminution du taux d'absentéisme, une meilleure résistance au stress, une réduction des coûts d'assurance maladie et une amélioration de la motivation et de la productivité.

Outre les deux initiatives présentées dans cette situation, nomme deux façons pour une entreprise d'encourager ses employés à adopter de saines habitudes à long terme. Appliques-tu les habitudes de vie proposées par le Défi 5/30 dans ton quotidien?

Camille planifie un long voyage en Europe. Elle arrivera à l'aéroport Charles-de-Gaulle, situé à Paris, en France.

Durant son voyage, Camille désire visiter huit pays, dont l'Italie et l'Autriche. Elle utilisera le train comme moyen de déplacement d'un pays à l'autre. De plus, Camille souhaite ne pas passer une deuxième fois par un pays qu'elle aura déjà visité.

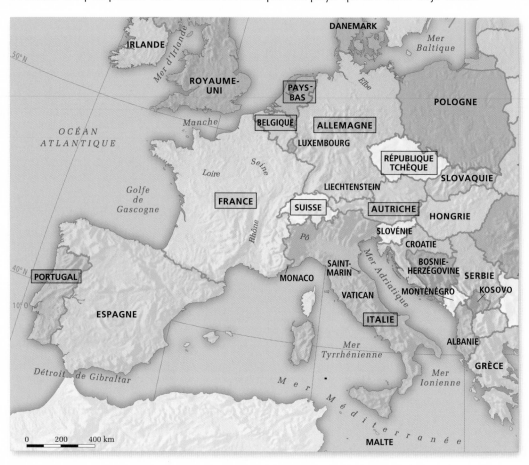

4. À l'aide de la carte ci-dessus :
   a) détermine deux itinéraires permettant à Camille de réaliser ses objectifs de voyage ;
   b) détermine si Camille pourra visiter le Portugal tout en respectant les contraintes qu'elle s'est données au départ. Justifie ta réponse.

5. Camille a représenté, dans le schéma ci-dessous, les liaisons offertes par une compagnie ferroviaire entre huit villes d'importance. Elle y a inscrit la distance, en kilomètres, de chaque liaison.

Les liaisons entre huit villes européennes

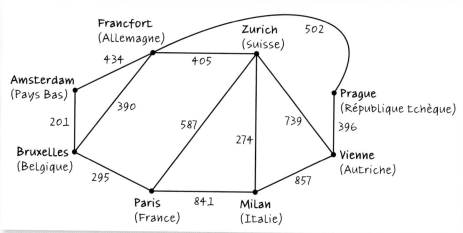

a) Dans combien de villes Camille peut-elle se rendre directement à partir de Francfort avec cette compagnie ferroviaire?

b) Quel avantage y a-t-il à représenter la liaison entre Francfort et Prague par une ligne courbe plutôt que par un trait?

6. À l'aide de la représentation de Camille:

a) détermine la façon la plus courte d'aller de Paris à Vienne;

b) détermine un itinéraire permettant de visiter une seule fois les huit villes à partir de Paris;

c) détermine la distance à parcourir pour l'itinéraire trouvé en **b**.

7. Le train avance en moyenne à une vitesse de 120 km/h pour tous les trajets, sauf pour ceux reliant Paris aux autres villes. Pour ces trajets, la vitesse moyenne est de 140 km/h. Compte tenu de cette information:

a) reproduis le schéma de Camille en notant le temps de parcours plutôt que la distance;

b) détermine le temps minimal nécessaire pour se rendre de Bruxelles à Zurich.

8. Détermine deux itinéraires possibles qui tiennent compte des contraintes de départ de Camille. Pour chacune des possibilités, combien de temps Camille passera-t-elle en train?

Fait divers

Le réseau ferroviaire est très développé en Europe. De plus en plus de liaisons sont d'ailleurs assurées par des TGV (trains à grande vitesse) qui peuvent aller jusqu'à 320 km/h sur des voies spéciales. Le coût d'un billet de TGV est plus élevé que celui d'un train, mais reste compétitif par rapport au transport aérien. Depuis plusieurs années, des discussions sont en cours afin de relier Montréal et New York par un train à grande vitesse.

En bref

1. Voici quatre polyèdres.

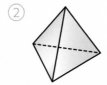   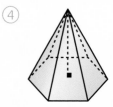

① ② ③ ④

a) Détermine le nombre de sommets, d'arêtes et de faces de chacun des polyèdres.

b) Vérifie que la relation d'Euler, transcrite ci-dessous, s'applique à ces polyèdres.

Nombre de sommets + Nombre de faces = Nombre d'arêtes + 2

2. On a représenté ci-dessous un réseau social Internet.

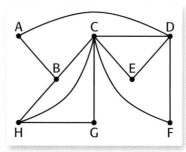

a) Dans ce contexte, que peuvent représenter :

1) les points ? **2)** les lignes ?

b) Le point C est celui qui est rattaché au plus grand nombre de lignes. Qu'est-ce que cela peut signifier dans le contexte ?

c) Dans ce contexte, que représenterait un point qui ne serait rattaché à aucun autre point ?

3. Un forfait de villégiature offre une journée de ski, un repas dans un des trois restaurants du site, puis une pièce de théâtre ou un spectacle d'humour en soirée.

a) Représente par un schéma les possibilités de soirées que représente ce forfait.

b) Combien de possibilités de soirées existe-t-il ?

4. Dans le labyrinthe ci-dessous, combien y a-t-il d'itinéraires différents permettant de se rendre du départ à l'arrivée sans passer deux fois par le même endroit ?

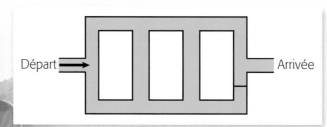

Compatibilité vitale

Dans le cadre d'une exposition scientifique, Édith s'est intéressée aux transfusions sanguines. Pour décrire le groupe sanguin d'une personne, on distingue deux systèmes : le système ABO et le système Rhésus. Dans le système ABO, une personne peut être de groupe O, A, B ou AB, selon les caractéristiques de son sang. Le facteur Rhésus, quant à lui, correspond au signe positif ou négatif attribué à une personne et repose sur la présence ou l'absence d'un antigène spécifique à la surface de ses globules rouges. Ces deux systèmes se combinent pour déterminer le groupe sanguin d'une personne.

Dans les deux représentations ci-dessous, les flèches indiquent les transfusions possibles d'un individu à un autre selon leur groupe sanguin respectif.

Les compatibilités sanguines
selon le système ABO

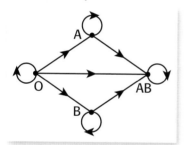

Les compatibilités sanguines
selon le système Rhésus

Afin de mieux expliquer les compatibilités sanguines à son auditoire, Édith souhaite représenter dans un tableau les transfusions possibles en combinant les deux systèmes. Aide Édith à terminer son tableau, puis à le remplir, et trouve un exemple simple qu'elle pourra donner à l'auditoire.

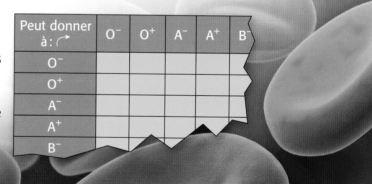

Peut donner à : ↱	O⁻	O⁺	A⁻	A⁺	B⁻
O⁻					
O⁺					
A⁻					
A⁺					
B⁻					

Santé et bien-être

Au Québec, toutes les 80 secondes, quelqu'un a besoin de sang. Presque un Québécois sur sept a déjà reçu une transfusion. Comme le sang ne peut pas être conservé longtemps, l'approvisionnement doit se faire constamment. Moins de 36 heures après le don, le sang est prêt à être livré aux hôpitaux. Entre-temps, le sang fait l'objet d'une batterie de tests afin d'assurer la qualité et la sécurité des transfusions. Pour donner du sang, il faut avoir au moins 18 ans et répondre à plusieurs critères de santé.

Nomme deux raisons qui pourraient t'inciter à donner du sang lorsque tu auras 18 ans.

Adapté de : Héma-Québec, 2009.

Réunion au sommet

- **Graphe et graphe orienté**
- **Chaîne et cycle, chemin et circuit**

Graphe

Représentation mathématique comprenant un ensemble de points appelés «sommets» et un ensemble de liens reliant ces sommets appelés «arêtes».

Marc-André vient d'être élu président du comité d'organisation d'un club de plein air. Le soir de la première rencontre, il constate que le local de réunion a été réservé une heure plus tôt que ce qu'il avait annoncé par courriel. Il veut donc appeler tous les membres rapidement pour les prévenir du changement d'horaire. Plusieurs membres du comité se connaissent bien.

Dans le **graphe** ci-dessous, chaque sommet représente un des membres et chaque arête indique que ces membres connaissent leurs coordonnées mutuelles.

Les liens entre les membres du comité d'organisation

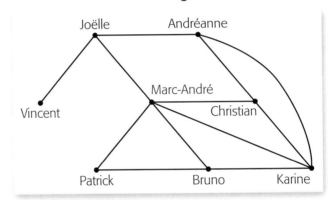

Chaîne

Suite d'arêtes consécutives.

Pour joindre les membres du comité, Marc-André se sert du graphe pour élaborer la **chaîne** suivante. Chacune des lettres correspond à la première lettre du sommet qu'elle représente.

$$M - P - B - K - C - A - J - V$$

A En faisant deux appels de départ plutôt qu'un seul, Marc-André pourrait joindre les membres plus rapidement. Propose à Marc-André deux chaînes téléphoniques toutes deux plus courtes que la sienne qui, ensemble, permettraient de joindre tout le monde.

Cycle

Chaîne pour laquelle le sommet de départ correspond au sommet d'arrivée.

Pour s'assurer que le message se rende bien, Marc-André souhaite que les dernières personnes à recevoir le message le rappellent. Dans la théorie des graphes, on appelle ce type de chaîne un **cycle**.

B Les chaînes que tu as trouvées en **A** peuvent-elles être transformées en cycle? Justifie ta réponse.

C Le groupe doit nommer parmi les membres une personne qui pourra entreprendre la chaîne de numéros de téléphone en cas d'urgence. Qui peut être le point de départ de cette chaîne sans qu'une même personne soit appelée deux fois?

Les huit membres se rencontrent à la nouvelle heure fixée et profitent de cette première réunion pour organiser une randonnée de ski de fond. N'ayant pas de carte à sa disposition, Joëlle présente dans un **graphe orienté** les pistes et les principaux points d'intérêt du site choisi.

Graphe orienté

Graphe dans lequel les arêtes sont des traits fléchés qu'on nomme «arcs». Dans un graphe orienté, on nomme les chaînes «chemins» et les cycles «circuits».

Les pistes et points d'intérêt du site de randonnée

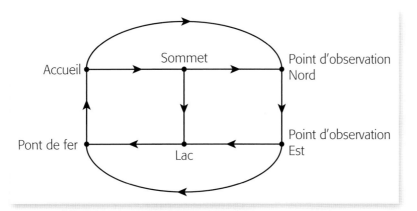

D Que représentent les arcs dans ce graphe à ton avis? Pourquoi est-il nécessaire d'utiliser des arcs plutôt que de simples arêtes dans ce contexte?

Joëlle propose d'offrir quatre itinéraires aux participants. Comme premier itinéraire, elle propose A – S – L – P – A, où chacune des lettres correspond à la première lettre du sommet qu'elle représente.

E Exprime en mots ce que représente cet itinéraire et indique s'il s'agit d'un chemin ou d'un circuit. Justifie ta réponse.

F Élabore trois autres itinéraires pour lesquels l'accueil serait le point de départ et l'arrivée.

Les membres du club souhaitent connaître le niveau de difficulté des quatre itinéraires afin que chaque personne trouve un défi à la hauteur de ses capacités.

G À partir des informations du graphe de Joëlle, t'est-il possible de déterminer lequel de ces itinéraires est :

1) le plus facile ?　　　　　　**2)** le plus difficile ?

Dans les deux cas, justifie ta réponse.

Ai-je bien compris ?

1. Soit les graphes suivants.

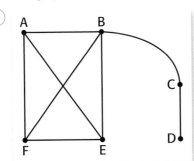
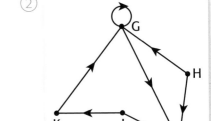

a) Détermine lequel (ou lesquels) :

　I) comporte six sommets ;

　II) comporte sept arêtes ou sept arcs ;

　III) correspond à un graphe orienté ;

b) forme une chaîne ou un chemin reliant trois sommets ;

c) forme un cycle ou un circuit reliant quatre sommets.

2. Si les sommets du premier graphe en **1** représentent les pavillons d'un établissement et les arêtes, des corridors reliant ces pavillons, trouve :

a) la chaîne la plus courte permettant de relier les pavillons D et F ;

b) un cycle commençant au pavillon A et passant par les pavillons B et E.

Marcher pour la forme

Nathalie a un mode de vie actif. Elle privilégie la marche pour ses déplacements quotidiens. Elle a chronométré et noté le temps qu'il lui faut pour effectuer quelques trajets réguliers. Le temps au retour est le même qu'à l'aller.

- **Graphe valué**
- **Degré des sommets**
- **Poids (valeur) d'une chaîne ou d'un cycle**

Trajet	Durée du trajet
École - Maison	16 minutes
École - Travail (en passant par le boisé)	25 minutes
École - Travail (sans passer par le boisé)	18 minutes
Maison - Travail	20 minutes
Maison - Dépanneur	8 minutes
Maison - Parc	7 minutes
Maison - Club vidéo	12 minutes
Travail - Club vidéo	8 minutes
Club vidéo - Parc	9 minutes
Sentier à l'intérieur du parc	28 minutes

Elle commence ensuite à consigner ses données dans le **graphe valué** ci-dessous.

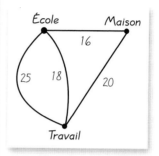

Graphe valué

Graphe dans lequel on a attribué une valeur à chaque arête; cette valeur est aussi nommée le «poids de l'arête».

(A) Reproduis le graphe de Nathalie et complète-le avec les notes qu'elle a prises.

(B) Détermine le **degré du sommet** Maison. À quoi correspond-il dans le contexte?

Degré d'un sommet

Nombre d'arêtes qui touchent ce sommet.

(C) Une fois au parc, combien de directions différentes Nathalie peut-elle prendre si elle souhaite faire un trajet dont elle a déjà chronométré la durée? Quel est le degré du sommet Parc?

Nathalie part de chez elle pour se rendre à l'école. Après l'école, elle devra se rendre au travail le plus rapidement possible. Elle prévoit passer au club vidéo avant de revenir chez elle en soirée.

(D) Nomme le cycle que Nathalie aura effectué au cours de cette journée. Quel en est le poids? Que représente le **poids du cycle** dans le contexte?

Poids d'une chaîne ou d'un cycle

Somme du poids des arêtes qui composent la chaîne ou le cycle. On peut aussi nommer cette somme la valeur d'une chaîne ou d'un cycle.

Au cours de la fin de semaine, Nathalie veut faire un peu d'exercice. Elle part de chez elle et décide de marcher pendant une heure sans arrêt. Au bout d'une heure, elle souhaite être de retour chez elle.

(E) Propose à Nathalie deux trajets lui permettant de réaliser son objectif.

(F) Quel est le poids de chacun des trajets proposés en **E**? Lequel te semble le plus attrayant? Justifie ta réponse.

Durant l'été, Nathalie décide de faire de la course à pied. Tous les jours, elle part de chez elle, se rend au parc et y parcourt le sentier, passe devant son lieu de travail et le club vidéo, puis retourne chez elle.

G Nathalie marche habituellement à une vitesse de 5 km/h. À partir de ses notes de la page précédente, trace le graphe représentant son entraînement de course à pied en donnant à chaque arête un poids équivalent à la distance qu'elle représente.

H Si Nathalie court à une vitesse de 14 km/h, combien de temps consacre-t-elle chaque jour à son entraînement?

I Dans le graphe que tu as tracé en **G**, détermine le degré de chacun des sommets. Quel lien y a t-il entre la somme des degrés de tous les sommets et le nombre de tronçons que Nathalie peut parcourir?

J Le lien trouvé en **I** est valable pour le graphe que tu as complété en **A**. Selon toi, cette caractéristique s'applique-t-elle aussi à tous les graphes? Explique ton raisonnement.

Santé et bien-être

La marche est l'activité physique la plus accessible. Ne requérant pour tout matériel qu'une bonne paire de chaussures, elle se pratique en tout lieu et en toute saison. C'est un moyen économique et écologique de garder la forme. Il est prouvé qu'une marche régulière d'un bon pas réduit, entre autres, le risque de maladies cardiovasculaires et d'hypertension. Une marche quotidienne d'environ 30 minutes aurait aussi des effets sur le niveau d'énergie, le niveau de stress et la qualité du sommeil.

Comment qualifies-tu ton niveau d'activité physique? Comment pourrais-tu intégrer 30 minutes de marche à tes activités quotidiennes?

Ai-je bien compris?

Soit le graphe valué suivant.

a) Sachant qu'une boucle compte pour deux, détermine le degré de chacun des sommets.

b) Détermine le poids:

  1) de la chaîne A – B – E – F – G;

  2) du cycle C – D – B – E – F – G – A – B – C;

  3) de la chaîne A – A – B – D – D.

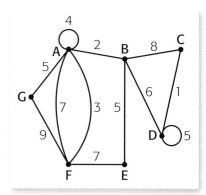

Souvenirs organisés

Étienne et Caroline aiment tous les deux prendre des photographies. En discutant, ils constatent qu'ils utilisent des façons différentes de classer leurs photos dans leur ordinateur respectif. Les **graphes connexes** ci-dessous représentent les liens entre les dossiers du système de classement de chaque photographe.

ACTIVITÉ
D'EXPLORATION **3**

- **Arbre**
- **Distance entre deux sommets**

Graphe connexe
Graphe dans lequel tous les sommets peuvent être reliés entre eux. Lorsqu'un seul sommet ne peut être relié au reste du graphe, on l'appelle «sommet isolé».

Le classement d'Étienne

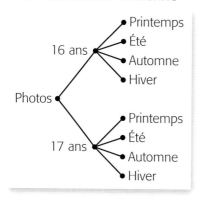

Le classement de Caroline

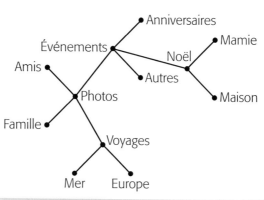

A Pour chacun des graphes ci-dessus, détermine le nombre de sommets et d'arêtes. Que représentent ces nombres dans le contexte?

B Les graphes d'Étienne et de Caroline sont appelés des **arbres**. À partir des réponses trouvées en **A**, détermine le rapport du nombre de sommets au nombre d'arêtes d'un arbre.

Arbre
Graphe connexe non orienté qui ne comporte aucun cycle.

C Propose une autre façon de classer des photos en l'exprimant sous forme de graphe. Ton système de classement est-il un arbre? Respecte-t-il le rapport énoncé en **B**?

D À partir du dossier Photos, réponds aux questions suivantes.
1) Combien d'arêtes doit-on suivre pour retrouver une photo du sapin de Noël d'Étienne et de Caroline prise lors de leur dernier Noël?
2) Les **distances** trouvées sont-elles les mêmes dans les deux cas?
3) Dans la situation, que signifierait une distance de 4?

E À partir du dossier Photos, trouve la chaîne la plus longue et la chaîne la plus courte pour chacun des graphes. Que remarques-tu?

Distance
Nombre minimum d'arêtes permettant de relier deux sommets. Cette distance est aussi la longueur de la chaîne reliant ces deux sommets.

Jean-François se joint à la conversation et explique qu'il classe pour sa part ses photos selon l'année, puis selon le mois où elles ont été prises.

F Combien d'arêtes comprendrait le graphe illustrant cette façon de faire pour les photos prises au cours :

1) des deux dernières années complètes ?

2) des cinq dernières années complètes ?

G Si on considère la distance à parcourir pour voir les photos dans chacun des graphes, lequel de ces trois systèmes t'apparaît le plus efficace ? Justifie ta réponse.

Ai-je bien compris ?

Soit les graphes suivants.

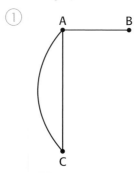

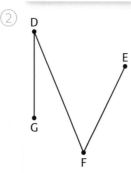

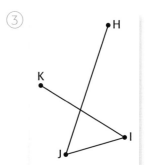

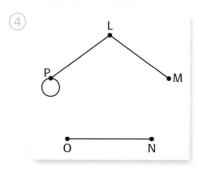

a) Lesquels sont des arbres ?

b) Détermine la distance entre :

1) A et C ;   **2)** E et G ;   **3)** H et I ;   **4)** M et P.

Faire le point

Le graphe

Un graphe est une représentation mathématique comprenant un ensemble de points appelés «sommets» et un ensemble de liens appelés «arêtes» reliant ces sommets. On utilise le graphe pour illustrer les relations qui existent entre les sommets.

Exemple : Dans le graphe ci-contre, les sommets représentent les arrêts d'autobus d'un service de transport en commun et les arêtes, différents tronçons des trajets d'autobus. On considère que les trajets se font dans les deux directions.

Les trajets d'autobus entre différents arrêts

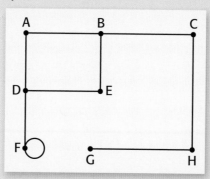

Description en contexte	Traduction en langage mathématique	Définition mathématique
1. Il y a 8 arrêts d'autobus et 9 tronçons différents.	Le graphe comporte 8 sommets et 9 arêtes.	**Sommet :** point appartenant à un graphe. **Arête :** ligne qui joint deux sommets, distincts ou non, d'un graphe.
2. Il est possible de voyager de l'arrêt E à l'arrêt G.	La chaîne E – B – C – H – G existe dans ce graphe.	**Chaîne :** suite d'arêtes consécutives.
3. Il y a un trajet qui permet de monter et de descendre à l'arrêt D en passant par les arrêts A, B et E.	Le cycle D – A – B – E – D existe dans ce graphe.	**Cycle :** chaîne qui commence et qui se termine au même sommet.
4. Le plus court trajet allant de l'arrêt E à l'arrêt G comporte 4 tronçons.	La chaîne E – B – C – H – G a une longueur de 4.	**Longueur d'une chaîne ou d'un cycle :** nombre d'arêtes constituant la chaîne ou le cycle.
5. À partir de l'arrêt F, l'autobus peut effectuer une boucle avant de poursuivre son trajet.	Une boucle est associée au sommet F.	**Boucle :** arête qui débute et se termine au même sommet.
6. L'autobus peut arriver à l'arrêt G d'une seule direction et aux arrêts B, D et F de trois directions différentes.	Le degré du sommet G est 1. Le degré des sommets B, D et F est 3.	**Degré d'un sommet :** nombre d'arêtes qui touchent le sommet. *Remarque :* Une boucle compte pour deux degrés puisque ses deux extrémités touchent au sommet.
7. La façon la plus rapide de passer de l'arrêt A à l'arrêt F est de passer par D. Dans ce cas, l'autobus n'emprunte que deux tronçons de trajet.	La distance entre A et F est 2.	**Distance entre deux sommets :** longueur de la plus courte chaîne qui relie deux sommets.

Certaines observations s'appliquent à tous les types de graphes.

1. Dans un graphe, contrairement au plan, la forme de l'arête n'a pas de signification précise. Dans l'exemple de la page précédente, le trajet entre les arrêts A et B n'est pas nécessairement rectiligne ni perpendiculaire au trajet entre les arrêts B et E.

2. Dans un graphe, $S = 2a$, où S est la somme des degrés des sommets et a, le nombre d'arêtes de ce graphe. Dans l'exemple de la page précédente, la somme des degrés des sommets est de 18, soit le double de 9, le nombre d'arêtes.

3. Dans un graphe, une chaîne simple est une chaîne qui ne passe pas deux fois par la même arête. De la même façon, aucune arête n'est répétée dans un cycle simple.

Les types de graphes

Il existe différents types de graphes pour illustrer de façon efficace la complexité d'une situation.

Le graphe connexe

Un graphe est dit connexe lorsque chaque paire de sommets peut être reliée par une suite d'arêtes.

Exemples :

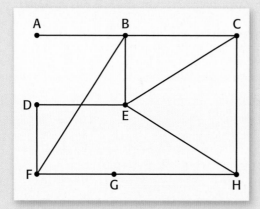 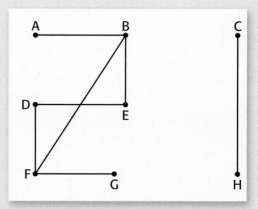

Le graphe de gauche est connexe puisque tous les sommets peuvent être reliés par une suite d'arêtes. Le graphe de droite n'est pas connexe puisque les sommets C et H sont isolés des autres sommets.

Le graphe orienté

Dans un graphe orienté, chacune des arêtes reliant deux sommets est orientée. De plus, les arêtes sont appelées «arcs». Aussi, les chaînes et les cycles sont-ils respectivement appelés «chemins» et «circuits».

Exemple : Dans le graphe qui suit, les sommets représentent différentes formations scolaires et les arcs représentent l'accès aux programmes d'étude d'autres établissements qui s'offrent aux personnes ayant complété cette formation.

Les programmes de formation postsecondaire

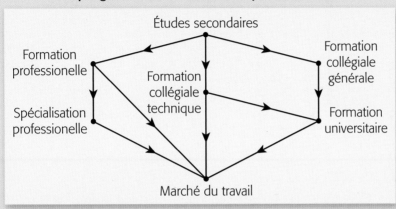

Le graphe valué

Un graphe valué est un graphe dans lequel on a associé une valeur numérique à chacune des arêtes.

Exemple : Dans ce graphe valué, les sommets représentent différentes succursales d'une chaîne de magasins. La distance en kilomètres entre celles-ci est indiquée sur les arêtes du graphe.

La distance entre les succursales d'une chaîne

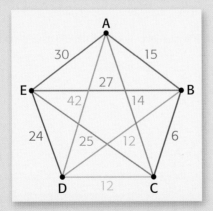

La valeur attribuée à chaque arête se nomme le «poids de l'arête».

Dans un graphe valué, le poids (ou la valeur) d'une chaîne ou d'un cycle est la somme du poids (ou de la valeur) des arêtes composant cette chaîne ou ce cycle.

Dans le graphe ci-dessus, le poids du cycle A – B – E – D – A est de $15 + 27 + 24 + 42 = 108$. Cela signifie que, par exemple, une représentante qui visite ces succursales dans cet ordre parcourra 108 km.

L'arbre

Un arbre est un graphe connexe non orienté qui ne comporte aucun cycle. On peut donc affirmer qu'il contient le minimum d'arêtes nécessaire pour que le graphe soit connexe.

Exemple : Les graphes ci-dessous représentent deux façons de relier six édifices par des souterrains en minimisant le nombre de souterrains.

Proposition 1

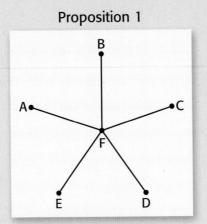

Proposition 2

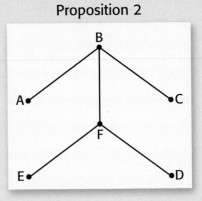

Un arbre comporte toujours une arête de moins que le nombre de sommets. Dans les graphes ci-dessus, on a cinq arêtes et six sommets.

Le choix du type de graphes

Le type de graphe choisi pour illustrer la relation entre différents éléments d'une situation dépend du contexte. Il est à noter qu'un graphe peut correspondre à plus d'un type à la fois.

Exemple : Le graphe ci-dessous représente les points d'intérêt d'une station de ski alpin. Il est à la fois orienté et valué. Le poids des arêtes représente la distance, en mètres, qui sépare deux lieux.

Les distances entre les différents points d'intérêt d'une station de ski

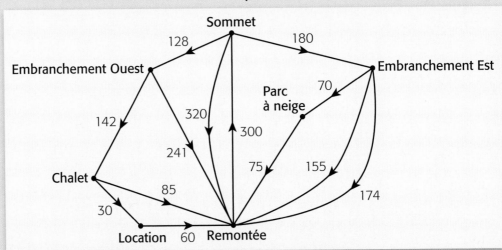

Mise en pratique

1. Dans le graphe ci-contre, détermine :

   a) le nombre d'arêtes et de sommets ;

   b) le degré de chacun des sommets ;

   c) une chaîne passant par tous les sommets dont le point de départ est D ;

   d) un cycle passant par quatre différents sommets dont le point de départ est G.

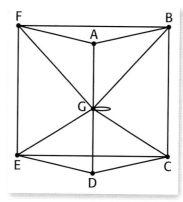

2. La carte ci-dessous représente les différentes régions du Québec.

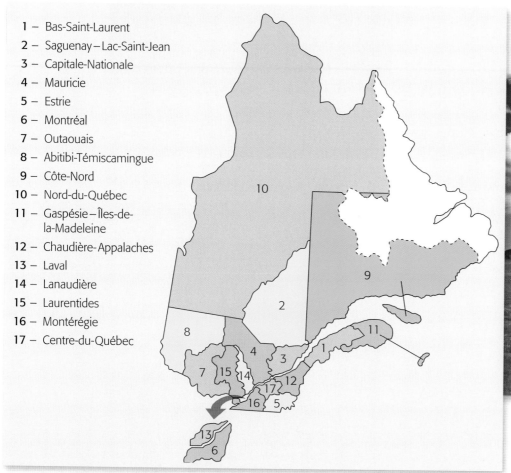

1 — Bas-Saint-Laurent
2 — Saguenay—Lac-Saint-Jean
3 — Capitale-Nationale
4 — Mauricie
5 — Estrie
6 — Montréal
7 — Outaouais
8 — Abitibi-Témiscamingue
9 — Côte-Nord
10 — Nord-du-Québec
11 — Gaspésie—Îles-de-la-Madeleine
12 — Chaudière-Appalaches
13 — Laval
14 — Lanaudière
15 — Laurentides
16 — Montérégie
17 — Centre-du-Québec

Adapté de : Gouvernement du Québec, 2008.

   a) Représente par un graphe les différentes régions de la province en reliant celles qui partagent une frontière terrestre. Ce graphe est-il connexe ? Combien de sommets et d'arêtes comporte-t-il ?

   b) Quel est le sommet de plus haut degré dans ton graphe ? Que représente ce degré dans le contexte ?

   c) Si on considère que les ponts reliant Montréal et Laval aux rives constituent des frontières terrestres entre les régions, quelle propriété du graphe modifie-t-on ?

3. La Petite Ourse est une des constellations les plus faciles à repérer à l'œil nu puisqu'au bout de sa queue se trouve l'étoile Polaire, très brillante. Sept étoiles principales donnent à cette constellation une forme de casserole, représentée dans le graphe ci-dessous.

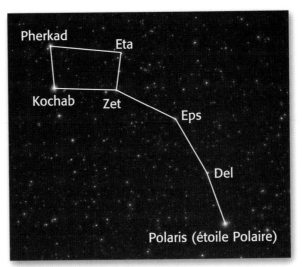

a) Combien de sommets et d'arêtes comporte ce graphe?

b) Quelle chaîne débutant par l'étoile Polaire permet de repérer chacune des étoiles de cette constellation?

c) Trouve un cycle passant par tous les sommets et débutant par l'étoile Polaire.

4. Construis un graphe ayant les caractéristiques suivantes.

- Il comporte quatre sommets et six arcs.
- Il est possible d'y parcourir le chemin D – B – C – C et le circuit D – B – A – D.
- Le degré des sommets A, B, C et D est respectivement 2, 3, 4 et 3.
- Un seul arc est orienté vers D.

5. Représente, par un graphe approprié, les rapports hiérarchiques d'une meute de six loups, sachant:

- que le mâle alpha domine tous les loups et que la femelle alpha domine tous les loups, à l'exception de son partenaire;
- que le mâle bêta ne craint que le couple alpha;
- qu'il y a une deuxième femelle à qui ses deux louveteaux doivent respect;
- qu'il n'y a pas encore de hiérarchie établie entre les deux louveteaux.

6. Judith a construit un tableau pour chacun des quatre graphes ci-dessous. Elle y indique le degré des sommets.

①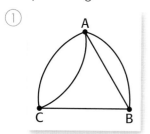

Sommet	A	B	C	Total
Degré	4	3		

②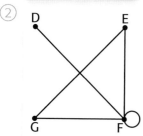

Sommet	D	E	F	G	Total
Degré	1				10

③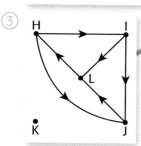

Sommet	H	I	J	K	L	Total
Degré	3	3	3			

④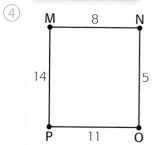

Sommet	M	N	O	P	Total
Degré					8

a) Complète ces tableaux.

b) Judith constate que le total de chacun des tableaux est un nombre pair. De façon générale, cette particularité s'applique-t-elle à tous les graphes? Justifie ta réponse par un raisonnement mathématique.

7. Observe le graphe suivant, puis indique :

a) de quel type de graphe il s'agit ;

b) le degré des sommets A et B ;

c) le poids de la chaîne A – B – B – C – E – F ;

d) un cycle reliant trois sommets dont le poids est 27.

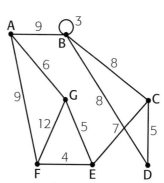

8. Lis attentivement les contextes qui sont sur le carton de gauche ci-dessous.

① Les déplacements d'un oiseau entre différentes mangeoires.

② Le branchement des composantes d'un cinéma maison.

③ La provenance et le nombre de messages textes échangés par plusieurs personnes au cours d'une journée.

④ Le nombre de kilomètres entre les principales villes du Québec.

Ⓐ Graphe connexe

Ⓑ Graphe orienté

Ⓒ Graphe valué

Ⓓ Arbre

Pour chacun d'eux:

a) associe un ou plusieurs types de graphe de la colonne de droite;

b) précise ce que représenteraient les sommets et les arêtes (ou les arcs) de chacun de ces graphes.

9. Observe le tableau suivant, puis réponds aux questions.

Le nombre d'heures de vol vers certaines destinations à partir de trois villes

Départ \ Destination	Montréal (Canada)	Paris (France)	Toronto (Canada)	Pékin (Chine)	Londres (Angleterre)	Lima (Pérou)	Johannesburg (Afrique du Sud)
Montréal		6 h 45 min	1 h 20 min		6 h 40 min		
Paris	7 h 40 min		8 h 00 min	10 h 00 min	0 h 45 min	14 h 00 min	11 h 00 min
Toronto	1 h 15 min	7 h 25 min		13 h 00 min	7 h 10 min	8 h 00 min	

a) Représente les données de ce tableau dans un graphe approprié.

b) Détermine deux trajets différents entre Montréal et Pékin. Lequel de ces deux itinéraires comporte le moins d'heures de vol?

c) Le temps de vol entre Montréal et Paris n'est pas le même à l'aller qu'au retour. Quelle est la différence de temps entre les deux vols?

10. Soit les graphes ci-dessous.

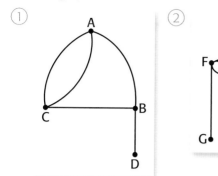

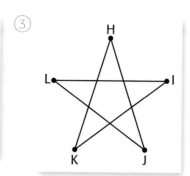

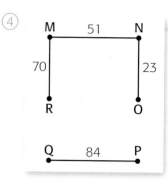

a) Explique pourquoi aucun de ces graphes n'est un arbre.

b) Décris le plus précisément possible les modifications minimales que tu pourrais apporter à ces graphes pour qu'ils deviennent des arbres.

11. Pour aborder la question du stress, un conférencier demande à 35 personnes d'écrire le premier mot qui leur vient en tête lorsqu'on parle de stress. Les résultats de ce test sont présentés dans le graphe ci-dessous.

a) Détermine précisément le type de graphe représenté ci-dessus.

b) Est-il vrai de dire qu'il y a eu six réponses différentes à la question du conférencier? Justifie ta réponse.

c) Que représente le poids de chacune des arêtes dans ce graphe?

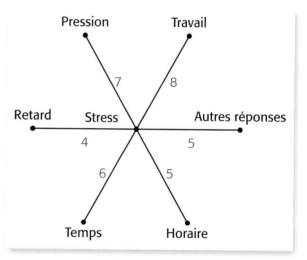

Les mots associés au stress

Santé et bien-être

Le stress est un état permettant au corps de s'adapter à l'environnement. Il est normal, et parfois même vital à la survie, de ressentir du stress dans différentes circonstances, par exemple au moment d'un incendie. Cependant, on constate qu'un trop haut niveau de stress engendre une prédisposition à certaines maladies physiques et mentales. C'est également une des premières causes d'absentéisme au travail.

Connais-tu des moyens de contrôler ton niveau de stress? Quels sont-ils?

12. Léonie vient de se procurer un ordinateur et les périphériques qui s'y rattachent.

a) Illustre par un graphe les différents branchements à effectuer, sachant que :

- la souris, l'écran et le clavier sont reliés à l'ordinateur;
- l'imprimante est reliée au réseau du logement;
- l'ordinateur est branché au réseau du logement;
- le routeur Internet est branché au réseau du logement.

b) Quel est le type de graphe utilisé?

c) Trouve la chaîne représentant le trajet d'une image que Léonie voit sur son écran à partir d'Internet. Quelle est la longueur de cette chaîne?

13. L'écurie Au petit trot offre des randonnées à cheval. Le graphe ci-dessous présente les principaux arrêts du site de randonnée ainsi que la distance, en kilomètres, entre ces arrêts.

**La distance entre les arrêts
du site de randonnée de l'écurie Au petit trot**

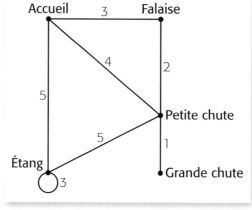

a) Combien de kilomètres parcourt un cavalier qui part de l'accueil, se rend à la petite chute en passant par la falaise, puis à l'étang, fait la boucle, pour revenir finalement à l'accueil?

b) Quel est le poids de la chaîne Accueil – Falaise – Petite chute – Grande chute?

c) Quelle est la longueur de la chaîne Accueil – Falaise – Petite chute – Grande chute?

d) Quelle est la distance entre les sommets Accueil et Grande chute?

e) Dans le contexte, explique tes réponses données en **b**, en **c** et en **d**.

f) Combien de sentiers pourrait-on fermer sans empêcher les visiteurs d'accéder à tous les lieux?

14. Représente par un graphe les liens entre un quadrilatère quelconque, un carré, un parallélogramme, un losange, un trapèze et un rectangle:

    a) en considérant la relation «a le même nombre de paires de côtés parallèles que»;

    b) en considérant la relation «est aussi un».

15. Un graphe comporte cinq sommets représentant des personnes: Alice, Benjamin, Claudie, Damien, Élisabeth.

    a) Invente un contexte pour lequel ce graphe devra être:

        1) orienté;   **2)** valué;   **3)** orienté et valué;   **4)** un arbre.

    b) Donne un exemple de graphe pour chaque cas.

16. Le plan ci-dessous illustre le premier étage d'un complexe sportif.

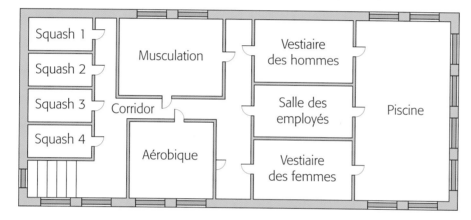

    a) Représente par un graphe le plan ci-dessus en joignant les lieux qui sont reliés par une porte.

    b) Détermine le degré de chacun des sommets.

    c) Détermine la distance entre la piscine et la salle d'aérobie. Que signifie cette distance dans le contexte?

    d) Le dernier employé qui quitte le complexe doit s'assurer qu'il ne reste personne dans l'édifice. Pour ce faire, il doit vérifier toutes les salles. Propose-lui un itinéraire qui débute dans la salle des employés et qui se termine dans le corridor.

17. Plusieurs jeux peuvent être représentés par des graphes. C'est le cas du labyrinthe illustré ci-dessous, dans lequel chaque ouverture est associée à une lettre. Dans ce jeu, il faut passer de l'extérieur (A) au centre (F).

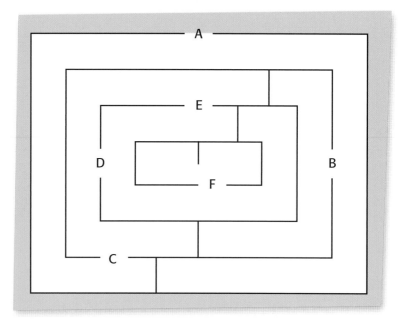

a) Représente ce labyrinthe par un graphe en utilisant les lettres données comme sommets.

b) Trouve la chaîne qui représente la solution de ce labyrinthe. Cette solution est-elle unique? Justifie ta réponse.

c) Quelle est la distance entre les sommets A et F? Que signifie-t-elle dans le contexte?

L'analyse de situations à l'aide de graphes

Sensibilisation colorée  CD 2

Suppose que la région administrative de la Montérégie veuille sensibiliser la population de son territoire aux bienfaits de l'activité physique. À cet effet, elle conçoit une brochure dans laquelle seront présentées les différentes installations sportives des municipalités régionales de comté (MRC) qui la composent. La carte suivante, qui représente ces MRC, sera incluse dans la brochure.

Les MRC de la Montérégie

Pour faciliter la lecture de la carte, les concepteurs de la brochure veulent que les MRC voisines soient de couleurs différentes. Si la carte comporte du gris, du blanc et du rouge, l'imprimerie ne demandera que 0,22 $ pour l'impression d'une brochure ; si elle comporte plus de couleurs, il en coûtera 0,35 $ par brochure.

Selon toi, est-il possible d'utiliser du gris, du blanc et du rouge sans que les MRC voisines soient d'une même couleur ? Justifie ta réponse.

Si la région administrative de la Montérégie doit livrer environ 600 000 brochures, quel devra alors être le budget alloué à l'impression de ces brochures ?

Santé et bien-être

Les gouvernements investissent beaucoup d'agent pour promouvoir l'activité physique auprès de la population.

Quels sont les bénéfices pour un gouvernement d'avoir une population en meilleure santé physique ? Qu'est-ce qui pourrait te convaincre d'adopter un mode de vie plus actif ?

Ponts historiques

Chaîne et cycle eulériens

La ville de Trois-Rivières a été baptisée en 1599 par le géographe Dupont-Gravé, capitaine d'un des deux navires qui participaient à une expédition de l'explorateur Samuel de Champlain. En naviguant sur le fleuve Saint-Laurent, le capitaine crut que la ville était située à l'embouchure de trois rivières qui se jetaient dans le fleuve Saint-Laurent.

En réalité, il ne s'agissait pas de l'embouchure de trois rivières, mais de l'embouchure de trois chenaux de la rivière Saint-Maurice. La carte ci-contre montre ces trois chenaux.

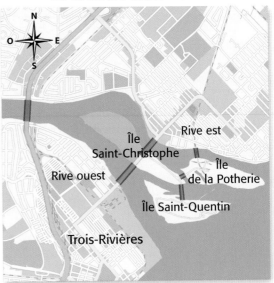

Les trois chenaux de la rivière Saint-Maurice

A Représente cette situation à l'aide d'un graphe. Les cinq sommets de ce graphe doivent représenter les rives est et ouest de la rivière Saint-Maurice et les trois îles situées à l'embouchure de cette rivière ; ses arêtes doivent représenter les six ponts qui relient les îles et les rives entre elles.

B Détermine les degrés de tous les sommets du graphe que tu as tracé en **A**. Que représentent ces degrés dans cette situation ?

L'office du tourisme de Trois-Rivières offre une visite guidée de la ville. Durant la visite, les touristes empruntent chacun des six ponts une seule fois.

Chaîne eulérienne

Chaîne passant une seule fois par chacune des arêtes d'un graphe.

C Dans le graphe que tu as tracé en **A**, trouve une **chaîne eulérienne** qui représente un trajet de visite. Quels sont les points de départ et d'arrivée de cette visite ?

D Quelle est la particularité des degrés des sommets représentant les points de départ et d'arrivée de cette visite qui les distingue des degrés des autres sommets du graphe ?

E Est-il possible de trouver un **cycle eulérien** dans le graphe que tu as tracé en **A**? Si oui, nomme ce cycle. Si non, ajoute une arête qui te permet de le trouver.

Cycle eulérien

Cycle passant une seule fois par chacune des arêtes d'un graphe.

F Quelle est la particularité des degrés de tous les sommets du graphe dans lequel tu as trouvé un cycle eulérien en **E**?

La ville de Kaliningrad, en Russie, est construite autour de deux îles reliées entre elles par un pont et reliées aux rives par six ponts. La carte ci-contre montre les ponts de Kaliningrad.

Les sept ponts de Kaliningrad

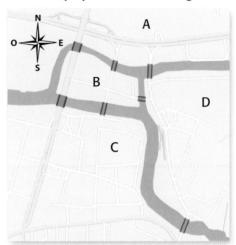

G Représente la situation des sept ponts de Kaliningrad à l'aide d'un graphe.

H Nomme une chaîne eulérienne du graphe que tu as tracé en **G**. La particularité nommée en **D** est-elle aussi une particularité de la chaîne eulérienne nommée ici? Justifie ta réponse.

I Nomme un cycle eulérien du graphe que tu as tracé en **G**. La particularité nommée en **F** est-elle aussi une particularité du cycle eulérien nommé ici? Justifie ta réponse.

Point de repère

Léonhard Euler

Le mathématicien et physicien suisse Leonhard Euler (1707-1783) a représenté pour la première fois en 1736 la situation des ponts de Königsberg (aujourd'hui Kaliningrad) à l'aide de graphes. Considéré comme le fondateur de la théorie des graphes, il a donné son nom aux chaînes et aux cycles passant une seule fois par chacune des arêtes d'un graphe.

Ai-je bien compris?

Voici trois graphes.

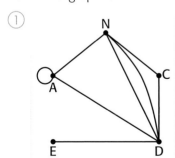

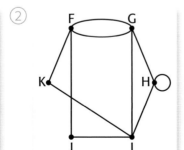

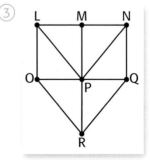

a) Lesquels de ces graphes contiennent une chaîne eulérienne? Nomme cette chaîne ou ces chaînes.

b) Trouve, si c'est possible, un cycle eulérien dans chacun de ces graphes.

La route des gourmets

Les producteurs maraîchers d'une région du Québec organisent une activité pour faire connaître leurs produits : durant une fin de semaine, ils invitent le grand public à visiter leurs fermes. L'illustration suivante représente l'emplacement des fermes des producteurs maraîchers participants.

**L'emplacement des fermes
des producteurs maraîchers**

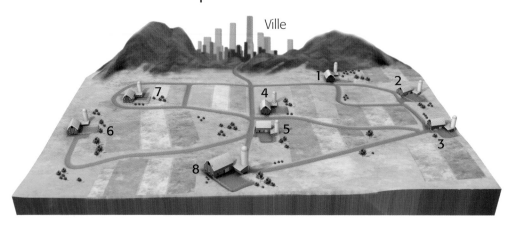

Julia fait partie de l'équipe chargée de planifier l'activité. Une de ses tâches consiste à déterminer un trajet qui permettra au public de visiter toutes les fermes.

A Pour aider Julia dans sa tâche, représente cette situation à l'aide d'un graphe. Dans cette situation, que représentent les sommets et les arêtes du graphe ?

B Trouve une **chaîne hamiltonienne** qui représente un trajet de visite possible.

C Combien de chaînes hamiltoniennes différentes peux-tu trouver dans le graphe que tu as tracé en **A** ? Nomme-les.

D Est-il possible de déterminer, en partant de la ville, un trajet passant une seule fois par chacune des fermes des producteurs ? Si oui, quel est ce trajet ? Si non, pourquoi est-ce impossible ?

Julia aimerait proposer un trajet en boucle pour que le public termine la visite à son point de départ.

E Est-il possible de trouver, dans le graphe tracé en **A**, un **cycle hamiltonien** représentant ce trajet ? Si oui, nomme ce cycle hamiltonien. Si non, quels producteurs Julia devrait-elle exclure de l'activité pour pouvoir déterminer un tel trajet ?

**Chaîne
hamiltonienne**

Chaîne passant une seule fois par chacun des sommets d'un graphe.

Cycle hamiltonien

Cycle passant une seule fois par chacun des sommets d'un graphe.

Chez l'un des producteurs maraîchers, Julia prévoit installer 12 kiosques où le public pourra rencontrer des diététiciens, des cuisiniers et des agronomes. Elle veut que les visiteurs ne passent qu'une seule fois devant chacun des kiosques et qu'ils circulent tous dans le même sens. L'illustration suivante représente l'emplacement de ces kiosques.

L'emplacement des kiosques des producteurs maraîchers

Point de repère

William Rowan Hamilton

Le mathématicien, physicien et astronome d'origine irlandaise William Rowan Hamilton (1805-1865) a donné son nom aux chaînes et aux cycles hamiltoniens. Ces chaînes et ces cycles sont utilisés pour résoudre des problèmes et des énigmes, comme celle du voyageur qui doit minimiser la distance totale parcourue durant son voyage.

F Détermine deux trajets différents qui respectent les contraintes imposées par Julia.

G Détermine un trajet qui permet au public de commencer la visite à n'importe quel kiosque et qui respecte les contraintes imposées par Julia.

H Soit l'affirmation suivante.

> La recherche de chaînes et de cycles hamiltoniens dans un graphe est une tâche complexe puisque rien n'y assure leur présence. Cependant, un graphe contenant un cycle hamiltonien contient nécessairement une chaîne hamiltonienne qui n'est pas un cycle.

Explique cette affirmation à l'aide d'un graphe.

I Comment peut-on former une chaîne hamiltonienne à partir d'un cycle hamiltonien?

Ai-je bien compris?

Voici trois graphes.

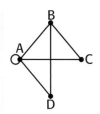

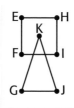

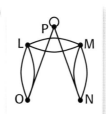

a) Trouve, si c'est possible, une chaîne hamiltonienne dans chacun de ces graphes.

b) Lequel ou lesquels de ces graphes contiennent un cycle hamiltonien? Nomme ce cycle ou ces cycles.

Une question de goût

- **Coloration des sommets d'un graphe**
- **Nombre chromatique**

Elliot est maître fromager et prépare, à l'occasion de réceptions, des plateaux de fromages. Une cliente lui demande de préparer des plateaux avec les huit fromages qu'elle a choisis.

Elliot sait qu'il doit disposer les fromages sur les plateaux en fonction de leur goût et de leur texture. Dans le graphe suivant, une arête qui relie deux fromages représente une incompatibilité de goût et de texture. Ces deux fromages ne doivent pas être présentés sur un même plateau.

Les incompatibilités entre les fromages

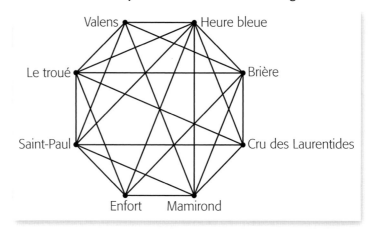

Ⓐ Quel est le degré du sommet représentant le fromage Le troué? Que signifie ce nombre dans cette situation?

Ⓑ Quel est le fromage qui compte le plus d'incompatibilités avec d'autres fromages? Quelle est la particularité du degré du sommet représentant ce fromage qui le distingue des degrés des autres sommets?

Ⓒ Reproduis le graphe et effectue la **coloration** de ses sommets. Utilise la même couleur pour les sommets qui représentent les fromages compatibles.

Ⓓ Explique comment tu as procédé pour colorer les sommets de ce graphe. Y a-t-il un avantage à commencer la coloration par un sommet ou un autre? Justifie ta réponse.

Ⓔ Trouve le **nombre chromatique** du graphe dont tu as coloré les sommets en **C**. Que signifie ce nombre dans cette situation?

Ⓕ Combien de plateaux Elliot doit-il préparer au minimum pour respecter les incompatibilités entre les huit fromages? Quel est le lien entre ta réponse et le nombre de couleurs utilisées pour colorer les sommets du graphe en **C**?

Coloration

Attribution d'une couleur à chacun des sommets d'un graphe de telle sorte que les sommets adjacents soient de couleurs différentes.

Nombre chromatique

Le plus petit nombre de couleurs qu'il est possible d'utiliser pour colorer les sommets d'un graphe.

Le tableau suivant présente les incompatibilités entre cinq fromages qu'Elliot dispose sur des plateaux pour une autre réception. Dans ce tableau, un crochet représente une incompatibilité entre deux fromages.

Les incompatibilités entre les fromages

	Capricieux	Chez nous	Fin palais	Sourbin	Délice d'ici
Capricieux		✓		✓	✓
Chez nous	✓		✓		✓
Fin palais		✓			✓
Sourbin	✓				
Délice d'ici	✓	✓	✓		

G Représente cette situation à l'aide d'un graphe. Ensuite, utilise la démarche de coloration des sommets d'un graphe présentée ci-dessous pour colorer ses sommets.

> 1. Énumérer tous les sommets du graphe et les placer en ordre décroissant de degré.
> 2. Attribuer une couleur au sommet de plus grand degré. Attribuer cette même couleur à tous les sommets placés en ordre décroissant de degré :
>   – qui ne sont pas reliés au sommet de plus grand degré ;
>   – qui ne sont pas reliés entre eux.
> 3. Répéter l'étape **2** avec de nouvelles couleurs jusqu'à ce que tous les sommets soient colorés.

H Trouve le nombre chromatique de ce graphe. Que signifie ce nombre dans cette situation ?

I Donne une autre façon de présenter les cinq fromages de manière à utiliser le moins de plateaux possible.

Pièges et astuces

La démarche de coloration des sommets d'un graphe peut être utile pour trouver son nombre chromatique. Elle n'est toutefois pas infaillible et peut parfois mener à l'utilisation de plus de couleurs qu'il n'est nécessaire. Vérifier si l'ordre des sommets de même degré influe sur le nombre de couleurs à utiliser pour colorer les sommets d'un graphe permet de n'en utiliser qu'un minimum.

Ai-je bien compris ?

Voici trois graphes.

① 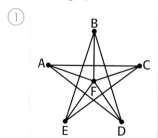 ② 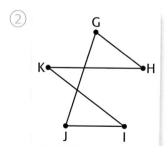 ③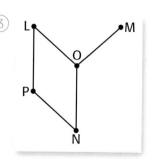

a) Détermine le degré des sommets de chacun de ces graphes.

b) Trouve le nombre chromatique de chacun de ces graphes.

La chaîne et le cycle eulériens

Une **chaîne eulérienne** est une chaîne passant une seule fois par chacune des arêtes d'un graphe. Les graphes qui comportent de telles chaînes sont connexes et n'ont aucun ou exactement deux sommets de degré impair. Dans le cas où un graphe a deux sommets de degré impair, la chaîne commence et se termine alors nécessairement à ces deux sommets.

Un **cycle eulérien** est un cycle passant par chacune des arêtes d'un graphe. Les graphes qui comportent de tels cycles sont connexes et ont des sommets de degré pair.

Exemple :

Le graphe ci-dessous a exactement deux sommets de degré impair : les sommets B et D. Cette information suffit pour savoir qu'il est possible de trouver au moins une chaîne eulérienne dans ce graphe.

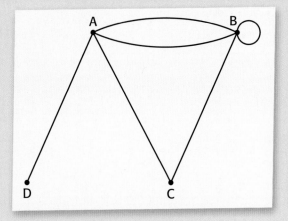

Voici deux chaînes eulériennes trouvées dans ce graphe.

$$B - B - C - A - B - A - D$$

et

$$D - A - B - B - A - C - B$$

Ce graphe ne contient aucun cycle eulérien puisque certains de ses sommets sont de degré impair.

La chaîne et le cycle hamiltoniens

Une **chaîne hamiltonienne** est une chaîne passant une seule fois par chacun des sommets d'un graphe. Les graphes qui comportent de telles chaînes sont connexes. Cependant, ce n'est pas parce qu'un graphe est connexe qu'il contient nécessairement une chaîne hamiltonienne.

Un **cycle hamiltonien** est un cycle passant une seule fois par chacun des sommets d'un graphe.

Exemple :

Dans le graphe ci-dessous, la chaîne C − B − A − D − E − F est hamiltonienne puisqu'elle passe une seule fois par chacun des sommets.

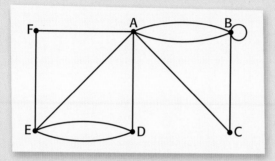

Ce graphe ne contient aucun cycle hamiltonien, car il est impossible de passer par chacun des sommets sans repasser plusieurs fois par le sommet A.

Remarque : Pour déterminer si un graphe contient une chaîne ou un cycle hamiltoniens, il faut procéder par essais.

La coloration des sommets d'un graphe et son nombre chromatique

La **coloration** des sommets d'un graphe consiste à attribuer à chacun des sommets du graphe une couleur de telle sorte que les sommets adjacents soient de couleurs différentes.

Le **nombre chromatique** est le plus petit nombre de couleurs qu'il est possible d'utiliser pour colorer les sommets d'un graphe. Le nombre chromatique d'un graphe est toujours inférieur ou égal à $s + 1$, où s représente le plus grand degré des sommets du graphe.

Point de repère

Francis Guthrie

En 1852, le mathématicien Francis Guthrie (1831-1899) affirma que quatre couleurs suffisaient pour colorer une carte sans que des pays voisins ne soient colorés d'une même couleur, mais il n'est pas arrivé à le démontrer scientifiquement. Ce n'est qu'en 1976, à l'aide d'un logiciel capable de passer en revue les milliers de cas possibles, que la preuve en fut donnée.

Exemple: Le directeur d'une école souhaite offrir à ses employés une formation qui leur permettra d'utiliser correctement un nouveau logiciel. L'horaire des ateliers de formation sera déterminé en fonction des disponibilités des différents employés. Voici les incompatibilités d'horaires des employés de cette école.

– Les enseignants (E) ont un horaire incompatible avec celui des surveillants (S).

– Les secrétaires (SE) ne peuvent assister au même atelier que les directeurs adjoints (A) et que les enseignants (E).

– Les employés de soutien (SO) ont un horaire incompatible avec celui des surveillants (S).

– Les préposés à l'entretien (P) ne peuvent pas assister au même atelier que les enseignants (E) et que les secrétaires (SE).

Quel est le nombre minimal d'ateliers à prévoir?

Voici les étapes à suivre pour colorer les sommets d'un graphe et trouver son nombre chromatique.

La coloration des sommets d'un graphe et son nombre chromatique

Étape	Démarche
1. Au besoin, représenter la situation à l'aide d'un graphe dans lequel les arêtes représentent les incompatibilités.	**Les incompatibilités d'horaires**
2. Énumérer tous les sommets du graphe et les placer en ordre décroissant de degré. *Remarque:* L'ordre n'a pas d'importance pour deux sommets de même degré.	E(3), SE(3), P(2), S(2), SO(1), A(1)
3. Attribuer une couleur au sommet de plus grand degré. Attribuer cette même couleur à tous les sommets placés en ordre décroissant de degré qui ne sont pas reliés au sommet de plus grand degré ou reliés entre eux.	La couleur rouge est attribuée au sommet E. Le sommet SO est le prochain sommet, selon l'ordre de l'énumération, auquel le sommet E n'est pas relié. La couleur rouge est aussi attribuée au sommet A, car ce sommet n'est relié ni à E ni à SO. E, SE, P, S, SO, A
4. Répéter l'étape **3** avec de nouvelles couleurs jusqu'à ce que tous les sommets soient colorés.	La couleur bleue est attribuée au sommet SE. Le sommet S est le seul sommet de l'énumération qui n'est pas encore coloré et qui n'est pas relié à SE. E, SE, P, S, SO, A La couleur verte est attribuée au sommet restant, le sommet P. E, SE, P, S, SO, A Voici le graphe coloré. **Les incompatibilités d'horaires**
5. Trouver le nombre chromatique du graphe et répondre à la question.	Le nombre chromatique du graphe est 3. Il faut minimalement 3 couleurs pour colorer les sommets du graphe, donc 3 ateliers pour former les employés de cette école.

Mise en pratique

1. Voici trois graphes.

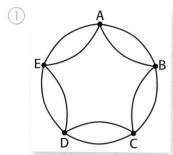

① A, E, B, D, C

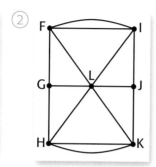

② F, I, G, L, J, H, K

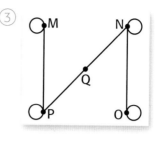

③ M, N, Q, P, O

Dans chacun de ces graphes, trouve, si c'est possible :

a) une chaîne eulérienne ;

b) un cycle eulérien.

2. Quelle arête ou quelles arêtes devraient minimalement être ajoutées au graphe ci-contre pour pouvoir y trouver :

a) une chaîne eulérienne ?

b) une chaîne hamiltonienne ?

c) un cycle eulérien ?

d) un cycle hamiltonien ?

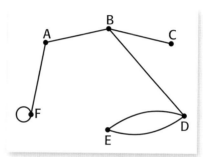

3. Voici trois graphes.

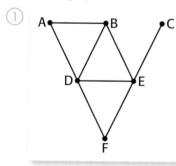

① A, B, C, D, E, F

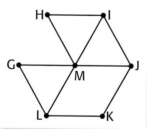

② H, I, G, M, J, L, K

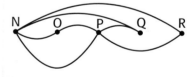

③ N, O, P, Q, R

Dans chacun de ces graphes, trouve, si c'est possible :

a) une chaîne hamiltonienne ;

b) un cycle hamiltonien.

4. Trouve le nombre chromatique de chacun des graphes suivants.

a)

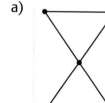

b)

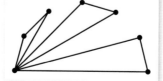

c)

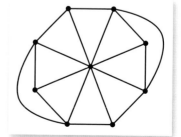

5. Est-il possible de tracer un graphe qui contient à la fois un cycle eulérien et une chaîne eulérienne qui n'est pas un cycle ? Justifie ta réponse.

6. Peux-tu reproduire chacune des figures suivantes sans soulever la pointe de ton crayon et sans passer une deuxième fois sur un même trait ? Justifie tes réponses.

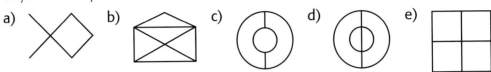

a)   b)   c)   d)   e)

7. Dans un centre de ski de fond, une patrouilleuse inspecte quotidiennement toutes les pistes afin de s'assurer qu'elles sont en bon état. Le graphe suivant représente le réseau des pistes de ce centre de ski.

Le réseau des pistes du centre de ski

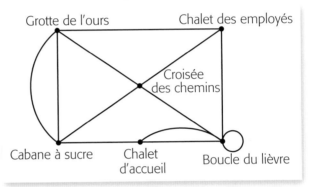

Sachant que la patrouilleuse commence l'inspection des pistes au chalet d'accueil, détermine, si c'est possible, un trajet qui lui permet de faire l'inspection des pistes sans passer une deuxième fois par une même piste et de terminer son inspection :

a) au chalet des employés ;   **b)** au chalet d'accueil.

8. Il n'y a pas de moyen sûr de déterminer qu'un graphe contient une chaîne ou un cycle hamiltoniens. Cependant, il est parfois possible de déterminer rapidement qu'un graphe n'en contient pas. Explique comment tu peux affirmer avec certitude que chacun des graphes suivants ne contient aucun cycle hamiltonien.

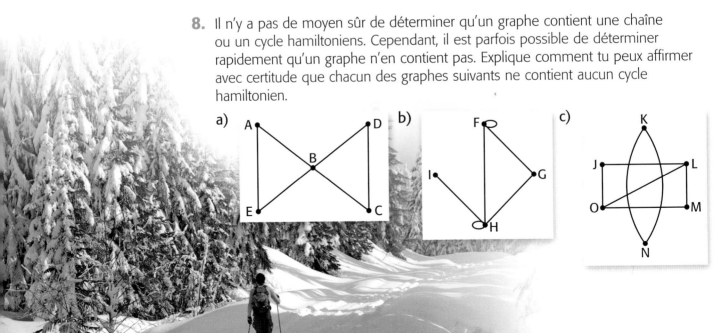

a)   b)   c)

9. Simone visite un parc équipé de bornes d'interprétation de la nature. Le graphe suivant représente les sentiers reliant ces bornes.

Les sentiers reliant les bornes d'interprétation

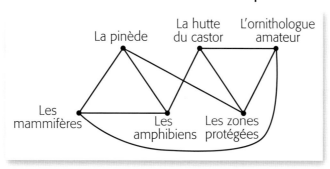

Détermine deux trajets différents qui permettent à Simone de passer devant toutes les bornes d'interprétation sans passer une deuxième fois devant une même borne. Un seul des trajets déterminés doit mener Simone à son point de départ.

10. Il arrive souvent que des blogueurs incluent sur leur site des liens susceptibles d'intéresser les internautes. Le graphe suivant représente les liens entre certains blogues visités par un internaute.

Les liens entre certains blogues

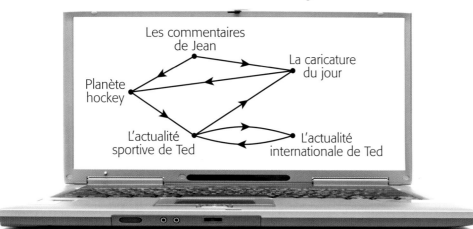

Détermine l'ordre qui permet de visiter tous ces blogues en passant facilement de l'un à l'autre sans avoir à entrer les adresses des sites Internet qui les abritent.

Santé et bien-être

Internet est une vitrine pour des millions de personnes : chacune peut y exprimer des opinions, y publier des textes, des photos et des vidéos, et y soumettre des questions. Par exemple, les artistes profitent de cette vitrine pour exposer leurs œuvres et ainsi se faire connaître. Pour d'autres personnes, cette utilisation d'Internet menace la vie privée. En effet, il arrive que des photos réservées à un public restreint, comme les amis et la famille, se retrouvent sur les écrans de milliers d'internautes.

Nomme deux règles à suivre qui permettent de profiter pleinement d'Internet tout en protégeant sa vie privée et en respectant celle des autres.

11. Pour l'exposé qu'il doit faire dans son cours d'histoire, Yan a trouvé une carte des différentes régions de la France.

Les différentes régions de la France

Reproduis et colore cette carte de façon que les régions voisines soient de couleurs différentes et qu'un minimum de couleurs soient utilisées.

12. Vrai ou faux? Justifie ta réponse.

a) Les graphes qui ne sont pas connexes ne peuvent contenir aucune chaîne ou cycle eulériens et aucune chaîne ou cycle hamiltoniens.

b) Pour qu'un graphe connexe contienne une chaîne hamiltonienne, tous ses sommets doivent être de degré pair.

c) Les cycles hamiltoniens et les cycles eulériens sont nécessairement des chaînes.

d) Il est impossible qu'un graphe connexe contienne une chaîne eulérienne s'il comprend un seul sommet de degré 1.

e) Un graphe connexe qui contient une chaîne hamiltonienne contient nécessairement un cycle hamiltonien.

13. Une équipe de hockey féminine midget du Québec doit se rendre au Manitoba pour un match. Pour financer le voyage, les joueuses vendent du chocolat. La carte ci-contre représente le quartier de Sara, la gardienne de but de l'équipe. Les rues feutrées en jaune représentent les rues où sont situées les maisons aux portes desquelles elle ira frapper.

a) Représente la situation à l'aide d'un graphe.

b) Sara peut-elle déterminer un trajet de façon à frapper à la porte de toutes ces maisons sans passer une deuxième fois devant une de ces maisons si elle frappe :

   1) à la porte d'une maison située d'un côté de la rue puis à la porte d'une maison située de l'autre côté de la rue, en alternance jusqu'au bout de la rue?

   2) aux portes des maisons situées d'un même côté de la rue avant de frapper aux portes des maisons situées de l'autre côté de la rue?

c) Détermine un trajet qui permet à Sara de frapper à la porte de toutes ces maisons le plus rapidement possible.

Le quartier de Sara

14. Des disjoncteurs, c'est-à-dire des dispositifs de protection contre les surcharges de courant, sont reliés aux différents appareils électriques d'une maison. Les sommets du graphe suivant représentent des appareils et les arêtes représentent les incompatibilités entre ces appareils.

Les incompatibilités entre les appareils électriques d'une maison

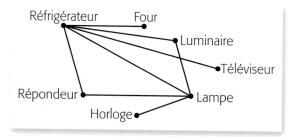

Quel est le nombre minimal de disjoncteurs nécessaires pour éviter des surcharges de courant?

Santé et bien-être

Des normes sévères régissent l'installation et la réparation des circuits électriques d'une maison. Pour des raisons de sécurité, il faut toujours faire appel à une main-d'œuvre qualifiée quand un problème électrique survient.

Nomme un risque que court une personne qui fait elle-même une réparation pour laquelle elle n'est pas qualifiée. Nomme deux situations où il est recommandé de faire appel à une main-d'œuvre qualifiée pour effectuer un travail qui comporte des risques.

15. Jean-Étienne est inscrit à un cours de fabrication de vitraux. Il a fait des plans pour trois vitraux faciles à fabriquer. Ces vitraux sont composés de figures géométriques semblables. Voici les plans de ces trois vitraux.

a)  b) 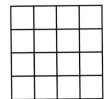 c)

Sachant que Jean-Étienne souhaite que deux morceaux ayant un côté commun soient de couleurs différentes, détermine le nombre minimal de couleurs dont sera composé chaque vitrail.

16. Pour trouver le nombre chromatique d'un graphe, Rachel et Charlotte ont, chacune de leur côté, coloré les sommets de ce graphe. Leur coloration leur permet-elle de trouver le nombre chromatique du graphe ? Justifie tes réponses.

Le graphe de Rachel

Le graphe de Charlotte

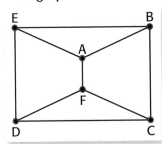 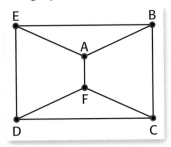

17. Madame Campion est responsable d'un camp de vacances et reçoit un groupe d'élèves provenant de différentes écoles. Pour une activité, elle souhaite former des équipes qui réunissent des élèves qui ne se connaissent pas. Elle conçoit le tableau suivant pour déterminer quels élèves se connaissent. Dans ce tableau, chaque crochet indique un lien entre deux élèves.

Les liens entre les élèves

	Maude	Alexie	Oli	Catherine	Sabrina	Bryan	Félicité	Jonathan	Kevin	Victor
Maude		✓			✓		✓		✓	
Alexie	✓		✓				✓			
Oli		✓		✓	✓	✓				
Catherine			✓				✓			
Sabrina	✓		✓						✓	
Bryan			✓							
Félicité	✓	✓		✓					✓	
Jonathan									✓	✓
Kevin	✓				✓		✓	✓		✓
Victor								✓	✓	

Sachant qu'il doit y avoir le moins d'équipes possible, détermine, à l'aide d'un graphe, quelles seront les équipes.

Aller au plus court  CD 1

Il faut transférer un blessé d'un hôpital de la ville de Thetford Mines à un hôpital de la ville de Québec pour lui administrer d'urgence des soins spécialisés. Le graphe suivant représente les routes qui relient Thetford Mines et Québec. La valeur de chaque arête représente la distance à parcourir, en kilomètres, entre deux villes.

Les routes qui relient Thetford Mines et Québec

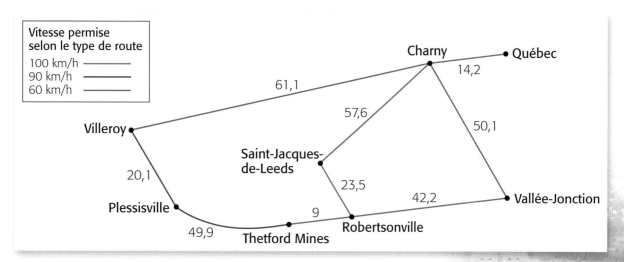

L'ambulancière qui assure le transfert du blessé doit choisir le trajet le plus rapide pour se rendre à Québec.

À l'aide du graphe, détermine ce trajet.

Santé et bien-être

Il arrive souvent que des blessés doivent être transférés d'un hôpital à un autre pour recevoir des soins spécialisés. Au Québec, les grands brûlés sont systématiquement transférés dans l'un des deux seuls hôpitaux qui disposent des ressources nécessaires pour soigner les brûlures graves, soit à Montréal ou à Québec.

Selon toi, quels facteurs déterminent le choix d'un hôpital comme siège d'une spécialité médicale ?

En route !

Les employés d'une entreprise de forage sont logés dans l'un des sept camps construits sur un terrain de forage : le camp de base (CB) ou l'un des camps numérotés de 1 à 6 (C1 à C6). Le graphe ci-contre représente les routes qui relient ces différents camps. La valeur de chaque arête représente la distance à parcourir, en kilomètres, entre deux camps.

Une violente tempête de neige rend la circulation difficile entre les camps. Manuela, la responsable des opérations, veut s'assurer qu'aucun des camps ne se retrouve isolé. Pour ce faire, elle lance une grande opération de déneigement. L'entreprise dispose de souffleuses et de conducteurs de souffleuse dans tous les camps.

Les routes qui relient les camps

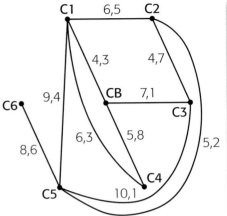

- **Arbres de valeurs minimales et maximales**
- **Algorithme de Kruskal**

A Quel est le nombre minimal de routes à déneiger pour qu'aucun des camps ne se retrouve isolé ?

B Trace deux graphes différents qui représentent uniquement les routes à déneiger pour qu'aucun des camps ne se retrouve isolé.

C Les graphes tracés en **B** contiennent-ils des cycles ? S'agit-il d'arbres, de graphes orientés, valués, connexes ?

D Pour chaque graphe tracé en **B**, détermine la longueur, en kilomètres, que représente l'ensemble des routes. Lequel des deux ensembles de routes semble le plus approprié à la situation ? Pourquoi ?

Manuela considère que toutes les souffleuses vont à la même vitesse. Elle veut limiter le plus possible le temps de déneigement.

E Trouve une méthode pour déterminer un ensemble de routes qui relie les camps et qui limite le plus possible le temps de déneigement. Explique ta méthode et donne la longueur, en kilomètres, de cet ensemble de routes.

L'ensemble de routes qui relie les camps et qui limite le plus possible le temps de déneigement peut être représenté par un **arbre de valeurs minimales**. Cet arbre peut être déterminé à l'aide de l'algorithme de Kruskal, dont voici les étapes.

Arbre de valeurs minimales

Arbre qui relie tous les sommets du graphe par une sélection d'arêtes de façon que le poids de l'arbre soit le plus petit possible.

L'algorithme de Kruskal

1. Énumérer toutes les arêtes et les placer en ordre croissant de poids.
2. Sélectionner l'arête de plus petit poids.
3. Répéter l'étape **2** jusqu'à ce que tous les sommets soient reliés, sans sélectionner les arêtes qui forment un cycle avec les arêtes déjà sélectionnées.

F À l'aide de l'algorithme de Kruskal, trace le graphe représentant l'ensemble des routes qui limite le plus possible le temps de déneigement.

G Compare l'algorithme de Kruskal et la méthode que tu as trouvée en **E**. Les résultats obtenus sont-ils les mêmes? Laquelle des deux méthodes semble la plus efficace?

En hiver, certaines routes empruntées par l'équipe de forage traversent des étendues d'eau gelée. En automne, alors que l'eau n'est pas encore gelée, six routes, parmi celles représentées dans le graphe de la page précédente, permettent de relier tous les camps.

H Sachant que ces six routes forment le plus long réseau routier possible, trace le graphe représentant ce réseau routier.

I Une même arête peut-elle faire partie à la fois de l'arbre de valeurs minimales et de l'**arbre de valeurs maximales** d'un graphe? Justifie ta réponse.

Arbre de valeurs maximales

Arbre qui relie tous les sommets du graphe par une sélection d'arêtes de façon que le poids de l'arbre soit le plus grand possible.

Point de repère

Joseph Bernard Kruskal

Le mathématicien américain Joseph Bernard Kruskal (1928-…) a entre autres étudié la statistique et la programmation informatique. Il a été le premier à programmer l'algorithme permettant de déterminer l'arbre de valeurs minimales d'un graphe par ordinateur. L'algorithme a été nommé ainsi en son honneur.

Ai-je bien compris?

Voici deux graphes.

①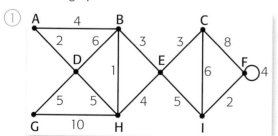

②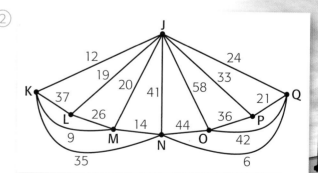

a) Détermine l'arbre de valeurs minimales et le poids de l'arbre de valeurs minimales de ces graphes.

b) Détermine l'arbre de valeurs maximales et le poids de l'arbre de valeurs maximales de ces graphes.

Redescendre rapidement

Léa et Félix, qui se sont rendus en raquettes au sommet du mont Castor, veulent en redescendre pour se rendre au chalet d'accueil. Le graphe suivant représente les sentiers du mont Castor. La valeur de chaque arête représente la distance à parcourir, en kilomètres, entre deux lieux.

Les sentiers du mont Castor

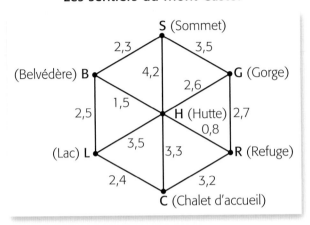

A Selon toi, quel trajet permettrait à Léa et à Félix de se rendre au chalet le plus rapidement possible? Explique ton raisonnement.

Léa constate que le trajet le plus court pour se rendre du sommet à la hutte est celui qui passe par le belvédère. Elle détermine ce trajet en annotant le graphe des sentiers présenté dans la brochure qui leur a été remise à leur arrivée au mont Castor. Voici le graphe annoté par Léa.

Les sentiers du mont Castor

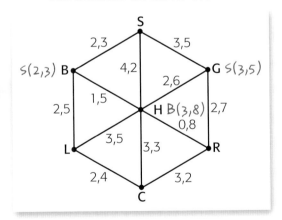

B Que représentent les annotations de Léa dans ce graphe?

C À l'aide de la méthode utilisée par Léa, détermine le trajet le plus court pour se rendre du sommet au refuge.

D À l'aide de la méthode utilisée par Léa, détermine le trajet le plus court pour se rendre du sommet au lac.

E Quel est le trajet qui permet de se rendre du sommet au chalet le plus rapidement possible?

La méthode utilisée en **E** pour déterminer le trajet le plus court pour se rendre du sommet au chalet est appelée «algorithme de Dijkstra».

F Compare cette méthode avec celle que tu as utilisée en **A**. Quelle est la meilleure méthode à utiliser selon la complexité du graphe?

Arrivés au chalet, Léa et Félix suggèrent au gardien du parc qui les reçoit d'installer des panneaux de signalisation à quelques points stratégiques le long des sentiers du mont Castor. Ces panneaux indiqueraient le trajet le plus court pour retourner au chalet.

G Détermine le trajet le plus court pour retourner au chalet qui devrait apparaître sur les panneaux installés près du belvédère et près de la gorge.

Santé et bien-être

Au Québec, en général, on trouve des panneaux de signalisation aux intersections des sentiers des parcs. Il arrive cependant que la végétation cache certains panneaux. Pour assurer la sécurité des randonneurs, la Société des établissements de plein air du Québec leur recommande d'emporter une carte du parc et de tracer un point sur celle-ci quand ils croisent un sentier ou un refuge. Ce point pourrait les aider à se repérer s'ils s'égaraient.

Nomme deux objets, autres qu'une carte, qu'il est bon d'emporter en forêt au cas où tu t'égarerais.

Ai-je bien compris?

Soit le graphe ci-contre.

Trouve la chaîne la plus courte de ce graphe pour se rendre:

a) du sommet A au sommet H;

b) du sommet B au sommet G;

c) du sommet D au sommet E.

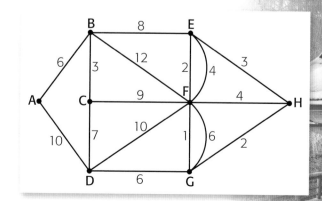

Organisation humanitaire

L'organisation humanitaire Soins sans frontières (SSF) est appelée en renfort dans une ville où il y a eu un tremblement de terre qui a fait de nombreux blessés. Le graphe suivant représente les étapes que doit suivre la SSF pour accomplir sa mission, qui est de venir en aide à la population. La valeur de chaque arc représente la durée estimée de réalisation d'une étape, exprimée en jours. Par exemple, l'étape de recherche de survivants devrait durer sept jours à partir du moment où s'est produit le tremblement de terre.

La mission de l'organisation humanitaire SSF

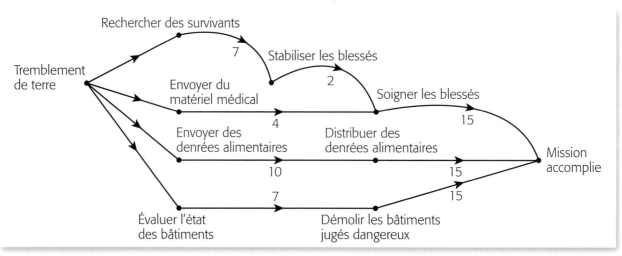

A Quel est le type de graphe utilisé pour représenter les étapes de la mission de la SSF? Pourquoi ce type de graphe a-t-il été retenu pour représenter cette situation?

B Que représentent les quatre chemins qui partent du sommet «Tremblement de terre» et qui se rendent au sommet «Mission accomplie»?

C Quel chemin a le plus petit poids? Quel chemin a le plus grand poids? Que signifie le poids de ces chemins dans cette situation?

D Si les estimations de la SSF concernant la durée des étapes sont justes, combien de temps faudra-t-il, au minimum, pour que l'organisation accomplisse sa mission? Justifie ta réponse.

La SSF juge que, dans la situation actuelle, la durée estimée de sa mission est trop longue. Elle procède donc à une réévaluation de chacune des étapes de la mission afin d'en réduire la durée. Jasmin, un consultant de la SSF, affirme qu'il est inutile de réduire la durée de toutes les étapes puisque seules certaines d'entre elles auront un effet sur la durée totale de la mission.

E Quelles sont ces étapes? Qu'ont-elles en commun?

Jasmin prétend qu'il est possible de réaliser l'étape «Envoyer des denrées alimentaires» en moins de 10 jours. Il construit le tableau suivant, qui présente les sous-étapes de cette étape et la durée nécessaire à leur réalisation.

L'envoi de denrées alimentaires

Sous-étape	Durée (jours)	Étape(s) préalable(s)
A Transporter par camion les denrées de différents pays jusqu'aux aéroports.	4	—
B Réserver des avions pour le transport des denrées.	1	—
C Acheminer les denrées par avion jusqu'à l'aéroport le plus près de la ville touchée par le tremblement de terre.	2	**A** et **B**
D Décharger et entreposer les denrées dans un lieu sécurisé.	1	**C**
E Déterminer les endroits où seront distribuées les denrées.	1	—
F Trouver les personnes et les camions qui feront la distribution des denrées.	1	**E**

F À l'aide d'un graphe, représente les sous-étapes de l'étape «Envoyer des denrées alimentaires».

G À l'aide du **chemin critique**, détermine la nouvelle durée nécessaire à la réalisation de l'étape «Envoyer des denrées alimentaires».

H Sachant que la SSF parvient à réaliser l'étape «Envoyer des denrées alimentaires» conformément à la durée estimée en **G**, détermine le temps qu'il lui faudra pour accomplir sa mission.

Chemin critique

Dans un graphe orienté et valué représentant les étapes à réaliser pour accomplir une tâche, chemin dont la valeur est maximale entre les sommets qui représentent le début et la fin de la tâche.

Ai-je bien compris?

Le tableau suivant présente les étapes à suivre pour repeindre la chambre de Murielle.

Repeindre la chambre de Murielle

Étape	Durée (heures)	Étape(s) préalable(s)
A Appliquer une couche d'apprêt sur tous les murs de la chambre.	2	—
B Laisser sécher l'apprêt.	4	**A**
C Peindre deux murs en bleu.	1,25	**B**
D Laisser sécher les murs peints en bleu.	4	**C**
E Peindre les deux autres murs en beige.	1	**B**
F Laisser sécher les murs peints en beige.	4	**E**
G Donner une deuxième couche de bleu.	1,25	**D**
H Donner une deuxième couche de beige.	1	**F**
I Nettoyer les rouleaux et les pinceaux.	0,25	**G** et **H**

a) À l'aide d'un graphe, représente les étapes à suivre pour repeindre cette chambre.

b) Détermine le temps qu'il faudra, au minimum, pour repeindre cette chambre.

Faire le point

L'arbre de valeurs minimales ou maximales

L'arbre de valeurs minimales ou maximales relie tous les sommets d'un graphe par une sélection d'arêtes de façon que le poids de l'arbre soit, respectivement, le plus petit ou le plus grand possible. Un arbre de valeurs minimales ou maximales permet de minimiser ou de maximiser un coût, une distance, etc. L'algorithme de Kruskal sert à déterminer ce type d'arbre.

Exemple :

Le graphe ci-contre représente des immeubles qu'il faut relier par des trottoirs. Le coût estimé pour la construction des trottoirs est représenté par le poids des arêtes du graphe. L'objectif est de minimiser le coût total de la construction de ces trottoirs en s'assurant que tous les immeubles soient reliés.

Voici les étapes de l'algorithme de Kruskal qui permettent de déterminer l'arbre de valeurs minimales de cette situation.

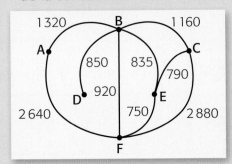

Le coût estimé de la construction des trottoirs

L'arbre de valeurs minimales

Étape	Démarche
1. Énumérer toutes les arêtes du graphe et les placer en ordre croissant de poids.	EF(750) – CE(790) – BE(835) – BD(850) – BF(920) – BC(1 160) – AB(1 320) – AF(2 640) – CF(2 880)
2. Sélectionner l'arête de plus petit poids qui ne forme pas un cycle avec les arêtes déjà sélectionnées jusqu'à ce que tous les sommets du graphe soient reliés.	Les arêtes dont le poids est 750, 790, 835 et 850 sont sélectionnées. L'arête de poids 920 ne peut pas être sélectionnée, car elle forme le cycle B – E – F – B. L'arbre est complété avec la sélection de l'arête de poids 1 320.
3. S'il y a lieu, calculer le poids de l'arbre obtenu et interpréter la réponse selon la situation.	Le poids de l'arbre de valeurs minimales est de 4 545, car 750 + 790 + 835 + 850 + 1 320 = 4 545. La construction des trottoirs reliant tous les immeubles coûtera donc 4 545 $.

Remarque : Pour déterminer l'arbre de valeurs maximales, il faut suivre les mêmes étapes de l'algorithme de Kruskal, mais il faut sélectionner, à l'étape **2**, les arêtes de poids maximal plutôt que les arêtes de poids minimal.

La chaîne la plus courte

Dans un graphe valué, la chaîne la plus courte entre deux sommets (ou chaîne de valeurs minimales) parmi les chaînes qui les relient est celle ayant le plus petit poids. L'algorithme de Dijkstra peut servir à trouver cette chaîne.

Exemple :

Soit le graphe suivant. Les sommets représentent des lieux et les arêtes, des chemins reliant ces lieux.

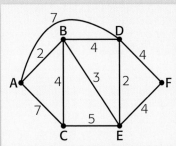

Voici les étapes de l'algorithme de Dijkstra qui permettent de trouver la chaîne la plus courte qui relie le sommet A au sommet F de ce graphe.

La chaîne la plus courte

Étape	Démarche
1. Trouver la chaîne la plus courte qui relie le sommet de départ à chacun des sommets qui lui sont adjacents. Ensuite, inscrire le sommet de provenance et le poids de la chaîne entre parenthèses pour chaque sommet évalué.	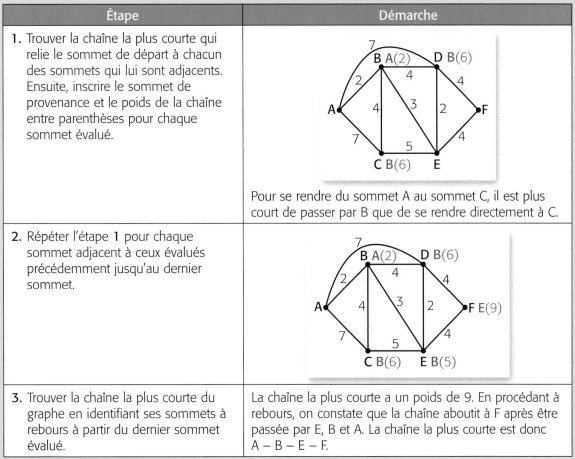 Pour se rendre du sommet A au sommet C, il est plus court de passer par B que de se rendre directement à C.
2. Répéter l'étape **1** pour chaque sommet adjacent à ceux évalués précédemment jusqu'au dernier sommet.	
3. Trouver la chaîne la plus courte du graphe en identifiant ses sommets à rebours à partir du dernier sommet évalué.	La chaîne la plus courte a un poids de 9. En procédant à rebours, on constate que la chaîne aboutit à F après être passée par E, B et A. La chaîne la plus courte est donc A – B – E – F.

Remarque : Pour les graphes qui contiennent peu de chaînes, il est plus rapide de procéder par essais que d'utiliser l'algorithme de Dijkstra.

Le chemin critique

Le chemin critique d'un graphe valué et orienté correspond au chemin qui a le plus grand poids. Le chemin critique sert à déterminer le temps minimal nécessaire pour accomplir une tâche. Les sommets du chemin critique représentent les étapes dont la durée influe directement sur le temps nécessaire pour accomplir la tâche.

Exemple :

Le tableau suivant présente les étapes à suivre pour faire une recette de spaghettis.

La recette de spaghettis

Étape	Durée (min)	Étape(s) préalable(s)
A Cuire les spaghettis.	12	—
B Cuire la viande.	14	—
C Couper les légumes.	5	—
D Faire revenir les légumes.	6	**C**
E Préparer la sauce.	3	**B** et **D**
F Laisser mijoter la sauce.	45	**E**
G Mélanger les spaghettis et la sauce, et déposer dans un plat de service.	2	**A** et **F**
H Râper le fromage.	5	—
I Parsemer les spaghettis de fromage râpé.	1	**G** et **H**
J Cuire les spaghettis au four.	30	**I**
K Servir les spaghettis.	—	**J**

Voici les étapes à suivre pour déterminer le temps minimal nécessaire pour faire cette recette.

Le chemin critique

Étape	Démarche
1. Représenter la situation à l'aide d'un graphe valué et orienté en tenant compte des étapes préalables.	
2. Déterminer le poids de chacun des chemins qui relient les sommets du début (SD) et de la fin de la tâche (K).	SD − A − G − I − J − K : 12 + 2 + 1 + 30 = 45 SD − B − E − F − G − I − J − K : 14 + 3 + 45 + 2 + 1 + 30 = 95 SD − C − D − E − F − G − I − J − K : 5 + 6 + 3 + 45 + 2 + 1 + 30 = 92 SD − H − I − J − K : 5 + 1 + 30 = 36
3. Le chemin critique de ce graphe correspond au chemin qui a le plus grand poids. S'il y a lieu, interpréter la réponse selon la situation.	Le chemin critique est SD − B − E − F − G − I − J − K et son poids est 95. Il faut donc au minimum 95 minutes pour faire la recette de spaghettis. Pour réduire ce temps, il faudrait consacrer moins de temps à l'une des étapes formant ce chemin critique, soit l'étape B, E, F, G, I ou J.

Mise en pratique

1. Voici deux graphes.

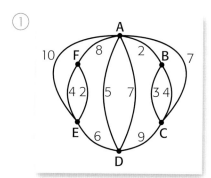

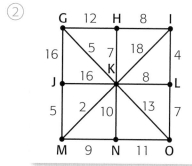

TIC

Il est possible d'inscrire le poids de chacune des arêtes d'un graphe dans un tableur et de les placer, à l'aide de la fonction de tri, par ordre croissant de poids. L'utilisation d'un tableur permet d'éviter de commettre des erreurs dans la sélection des arêtes. Pour en savoir plus, consulte la page 374 de ce manuel.

Pour chacun de ces graphes, détermine :

a) l'arbre de valeurs minimales ;

b) le poids de l'arbre de valeurs minimales.

2. Détermine l'arbre de valeurs maximales du graphe suivant.

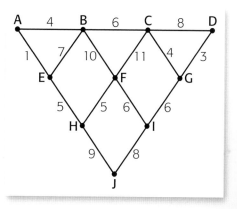

3. Les navires d'une entreprise de transport maritime assurent les liaisons entre des ports de la mer Méditerranée. Le tableau ci-contre présente les différentes liaisons ainsi que le revenu généré annuellement par le transport des marchandises en fonction de chaque liaison.

L'entreprise veut abandonner un maximum de liaisons tout en maintenant au moins une liaison avec chacun de ces ports. Quelle est la perte minimale de revenu que l'entreprise subira ?

Les liaisons entre des ports de la mer Méditerranée

Liaison	Revenu généré (centaines de milliers de dollars)
Barcelone – Toulon	22
Toulon – Naples	23
Naples – Messine	36
Messine – Alexandrie	18
Alexandrie – Athènes	72
Barcelone – Messine	55
Naples – Alexandrie	39
Barcelone – Naples	43

4. Monsieur Létourneau veut installer un bassin d'eau ainsi que des luminaires sur son terrain. Le graphe ci-contre représente la source électrique (S), la pompe du bassin d'eau (P) et les luminaires (L1 à L4). La valeur de chaque arête représente la distance, en mètres, entre ces éléments.

Sachant que le fil électrique pour relier ces éléments coûte 3 $ le mètre, détermine ce qu'il en coûtera, au minimum, à monsieur Létourneau pour que le bassin et les luminaires installés sur son terrain soient reliés directement ou indirectement à la source électrique.

L'emplacement de la pompe, du bassin et des luminaires

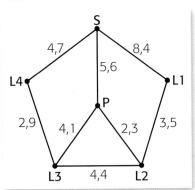

5. Maxime, un aériculteur, aménage une érablière. Il installe cinq réservoirs pour recueillir l'eau d'érable. Un tuyau reliera directement ou indirectement ces réservoirs (R1 à R4) au réservoir principal (RP) de la cabane à sucre, où l'eau sera mise à bouillir. Le tableau suivant présente la longueur de tuyau, en mètres, nécessaire pour relier les réservoirs.

La longueur de tuyau nécessaire pour relier les réservoirs

	R1	R2	R3	R4	RP
R1	–	550	428	268	189
R2	550	–	244	501	390
R3	428	244	–	352	489
R4	268	501	352	–	309
RP	189	390	489	309	–

Comment Maxime devrait-il s'y prendre pour relier les réservoirs de façon à minimiser la longueur de tuyau qui les reliera ?

6. Viviane joue à un jeu vidéo comportant 12 niveaux. Le graphe suivant représente les différentes façons d'accéder à ces niveaux. La valeur de chaque arc représente le temps, en minutes, nécessaire à Viviane pour passer d'un niveau à un autre.

Les différentes façons d'accéder aux 12 niveaux

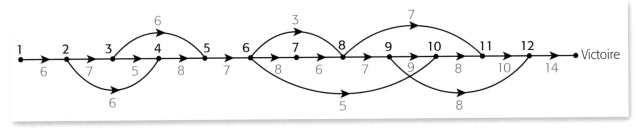

De quelle façon Viviane devrait-elle s'y prendre pour passer le plus rapidement possible du niveau 1 à la victoire ?

7. Est-il possible de déterminer deux arbres de valeurs minimales différents dans un même graphe? Si oui, trace un tel graphe. Si non, explique pourquoi.

8. Soit le graphe ci-contre.

Trouve la chaîne la plus courte de ce graphe pour se rendre :

a) du sommet A au sommet G;

b) du sommet B au sommet H;

c) du sommet D au sommet J.

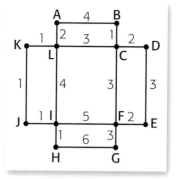

9. Jacob et Rose se rendent au parc à vélo. Le graphe suivant représente les tronçons de rue où il y a une piste cyclable. La valeur de chaque arête représente la longueur, en mètres, d'un tronçon de rue.

La longueur des tronçons de rues

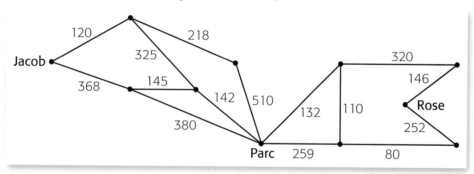

Combien de mètres Jacob parcourt-il de plus que Rose s'ils choisissent tous les deux le chemin le plus court pour se rendre au parc en empruntant les tronçons de rue où il y a une piste cyclable?

10. Le tableau suivant présente la longueur des tunnels qui relient les facultés d'une université.

La longueur des tunnels

Facultés reliées par un tunnel	Longueur du tunnel (m)	Facultés reliées par un tunnel	Longueur du tunnel (m)
Éducation – Droit	50	Ingénierie – Musique	33
Éducation – Lettres	41	Droit – Médecine	19
Lettres – Sciences humaines	58	Lettres – Sciences pures	142
Sciences humaines – Médecine	10	Musique – Sciences pures	65
Musique – Administration	32	Ingénierie – Sciences pures	21

À l'aide d'un graphe, trouve le chemin le plus court pour se rendre de la faculté de musique à la faculté de médecine en passant par les tunnels.

11. Dans le plateau de jeu suivant, la valeur inscrite près de chaque ligne représente le nombre de points qu'il en coûte à la joueuse ou au joueur pour déplacer son pion d'une position à une autre.

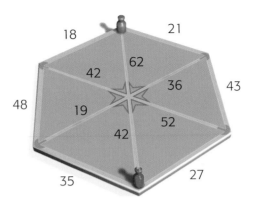

Combien en coûte-t-il au minimum à la joueuse propriétaire du pion bleu pour atteindre le pion rouge ? Quel est son itinéraire ?

12. Le tableau suivant présente les principales étapes suivies par les pompiers pour éteindre un feu.

L'extinction d'un feu

Étape		Durée (min)	Étape préalable
A	Recevoir l'appel au centre d'urgence.	1	—
B	Se rendre sur les lieux de l'incendie	10	A
C	Vérifier le nombre de personnes restées à l'intérieur.	4	B
D	Analyser la progression du feu.	2	B
E	Raccorder les tuyaux.	2	B
F	Rechercher les personnes restées à l'intérieur.	4	C
G	Arroser.	40	E
H	Protéger les immeubles environnants.	15	E
I	Vérifier que le feu est bien éteint.	3	G
J	Ranger le matériel et quitter les lieux.	5	I

Combien de temps s'écoule-t-il, au minimum, entre la réception de l'appel au centre d'urgence et le départ des pompiers des lieux de l'incendie ?

13. Justine affirme que, dans certains cas, elle peut trouver deux chemins critiques dans un graphe. A-t-elle raison ? Justifie ta réponse.

14. Soit le graphe suivant. Quelle valeur ou quelles valeurs peut prendre *x* si le poids du chemin critique de ce graphe est de :

a) 36 ? b) 30 ? c) 32 ?

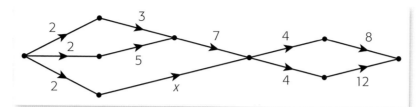

15. Pour financer un tournoi à l'extérieur de la ville, une équipe de basket-ball organise un lavothon. Les membres de l'équipe procèdent de la façon représentée dans le graphe suivant pour laver chaque voiture. La valeur de chaque arc représente le temps consacré, en minutes, à chaque étape du lavage d'une voiture.

Le lavage d'une voiture

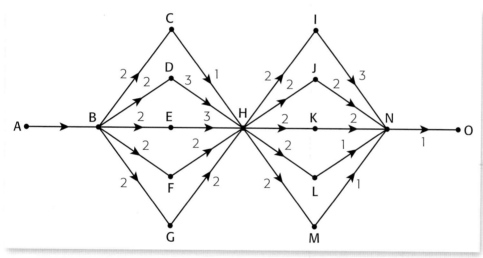

Étapes

A Assister à l'arrivée du client.
B Arroser la voiture.
C Nettoyer le toit.
D Nettoyer le côté du conducteur.
E Nettoyer le côté du passager.
F Nettoyer le devant de la voiture.
G Nettoyer l'arrière de la voiture.
H Rincer la voiture.

I Essuyer le toit.
J Essuyer le côté du conducteur.
K Essuyer le côté du passager.
L Essuyer le devant de la voiture.
M Essuyer l'arrière de la voiture.
N Faire payer le client.
O Assister au départ du client.

a) Combien de temps les membres de l'équipe mettent-ils, au minimum, pour laver une voiture ?

b) Que suggérerais-tu aux membres de l'équipe pour les aider à réduire le temps consacré au lavage d'une voiture ?

16. Détermine le poids du chemin critique des graphes suivants.

a)

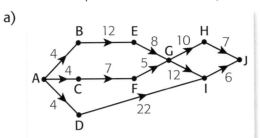

b)

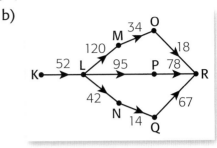

17. Dans une réunion qui a eu lieu au début de l'année scolaire, le comité d'organisation du bal de finissants d'une école secondaire a déterminé les étapes à accomplir avant le grand jour et la durée approximative de leur réalisation. Voici les notes prises par Cynthia, secrétaire du comité, durant cette réunion.

L'organisation du bal

– Préparer un sondage à l'intention des finissants pour connaître leurs attentes concernant le bal (durée : une semaine).

– Distribuer le sondage et compiler les résultats (durée : deux semaines).

– Rechercher des salles où le bal pourrait avoir lieu et comparer les tarifs de location (durée : trois semaines).

– Rechercher des traiteurs et comparer les coûts (durée : deux semaines).

– Choisir la salle et le traiteur à la lumière des attentes des finissants qui ont répondu au sondage (durée : une semaine).

– Rechercher des photographes et en choisir une ou un à la lumière des attentes des finissants qui ont répondu au sondage (durée : deux semaines).

– Rechercher des animatrices ou des animateurs et en choisir une ou un à la lumière des attentes des finissants qui ont répondu au sondage (durée : deux semaines).

– Rechercher des commanditaires (durée : quatre semaines).

– Établir le coût des billets en fonction des sommes d'argent reçues des commanditaires et des coûts de la salle, de la ou du photographe, du traiteur, etc. (durée : une semaine).

– Vendre les billets (durée : une semaine).

Combien de temps faudra-t-il, au minimum, pour organiser le bal selon les durées de réalisation estimées par le comité d'organisation ?

18. Le graphe suivant représente les étapes que Sébastien doit suivre pour acquérir sa première voiture. La valeur de chaque arc représente la durée, en jours, de la réalisation d'une étape.

L'acquisition d'une voiture

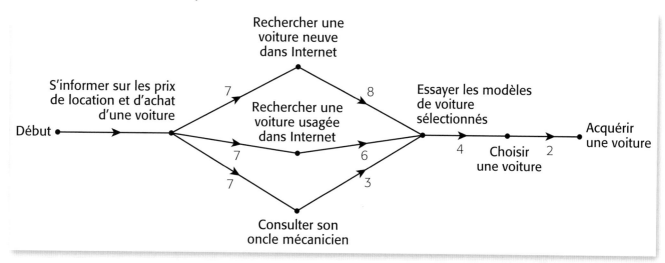

Sébastien a dû attendre neuf jours avant de pouvoir consulter son oncle mécanicien. Quel est l'effet de ce changement sur le temps minimal que Sébastien a consacré à la réalisation de toutes les étapes pour acquérir sa première voiture?

L'accomplissement d'une tâche

19. Le graphe ci-contre représente les étapes à suivre pour accomplir une tâche. La valeur de chaque arc représente le temps consacré, en jours, à la réalisation d'une étape. Trouve deux façons différentes d'accomplir cette tâche en trois semaines en réduisant le temps nécessaire à la réalisation d'une étape.

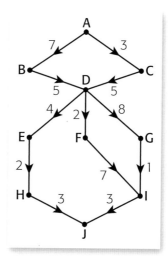

20. Que dois-tu chercher si on te demande:

a) de relier entre elles les bornes-fontaines d'un quartier à un coût minimal?

b) de déterminer le trajet que devrait choisir une patrouilleuse qui répond à une urgence pour se rendre aussi rapidement que possible du sommet au pied d'une montagne?

c) de déterminer le temps minimal nécessaire pour réaliser toutes les étapes de l'installation d'une piscine?

d) de choisir six chemins permettant de relier sept chantiers au moindre coût?

e) de choisir le trajet permettant à un policier de se rendre aussi vite que possible sur les lieux d'un accident?

Consolidation

1. Soit les graphes suivants.

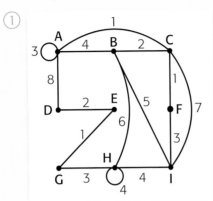

Pour chacun de ces graphes, détermine, si possible :

a) le degré du sommet A ;

b) une chaîne de longueur 5 ;

c) une chaîne ayant un poids de 5 ;

d) un chemin ;

e) un circuit ;

f) une chaîne eulérienne ;

g) un cycle eulérien ;

h) une chaîne hamiltonienne ;

i) un cycle hamiltonien.

2. À partir du graphe ci-contre, détermine :

a) l'arbre de valeurs minimales ;

b) l'arbre de valeurs maximales ;

c) la chaîne la plus courte entre les sommets A et H.

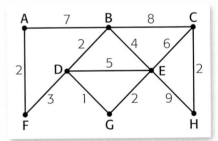

3. Soit le graphe ci-dessous.

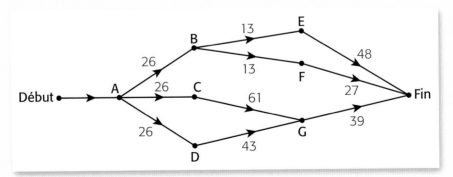

a) Détermine le chemin critique.

b) Si l'arc entre les sommets D et G avait plutôt un poids de 63, en quoi le chemin critique serait-il différent ?

4. La même situation?

Parmi les graphes ci-dessous, lesquels pourraient représenter la même situation?

①   ②   ③  ④ 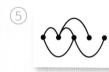 ⑤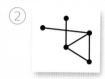

5. Maintenance industrielle

Patrick travaille dans une usine et il est responsable de la maintenance d'une chaîne de montage. Les arêtes du graphe ci-dessous représentent les convoyeurs de la chaîne, tandis que les sommets représentent des postes de travail.

La chaîne de montage

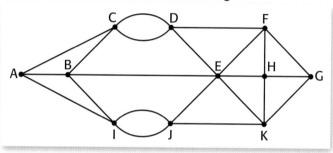

Détermine le trajet que Patrick devrait choisir:

a) s'il veut vérifier tous les convoyeurs en opération en suivant chaque convoyeur une seule fois;

b) s'il veut visiter tous les postes de travail en passant une seule fois par chacun, tout en suivant les convoyeurs.

6. Drapeaux chromatiques **CD 2**

Nadia doit procéder à la coloration des deux drapeaux ci-dessous. Elle doit utiliser un minimum de couleurs et colorer les zones voisines de couleurs différentes. Les drapeaux se ressemblent à un détail près: celui de gauche contient plus de zones que celui de droite. Nadia affirme donc qu'il lui faudra plus de couleurs pour le drapeau de gauche. Es-tu d'accord avec son affirmation? Justifie ta réponse en déterminant le nombre chromatique de chacun des graphes représentant ces drapeaux.

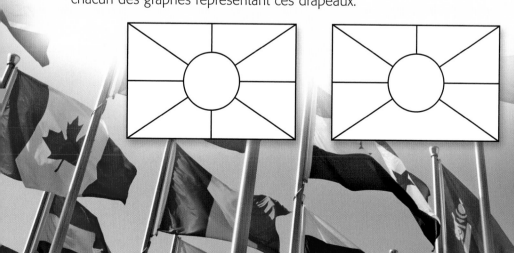

7. À des kilomètres de s'entendre !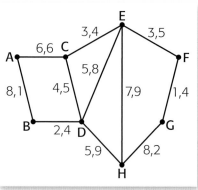

Dans le cadre d'un projet pilote, on souhaite transformer les pistes cyclables d'une ville en pistes de ski de fond une fois les premières neiges tombées. Les sommets du graphe ci-contre représentent les points d'arrêt du réseau cyclable de la ville et le poids des arêtes indiquent la longueur des pistes, en kilomètres.

Pour la première saison, les élus souhaitent relier tous les points d'arrêt du réseau cyclable, mais en entretenant une longueur de piste minimale. De leur côté, tous les adeptes de ski aimeraient relier les points d'arrêt en choisissant le plus petit nombre de pistes pour l'expérimentation, tout en maximisant le nombre de kilomètres de pistes.

Combien de kilomètres de différence y a-t-il entre les deux propositions ?

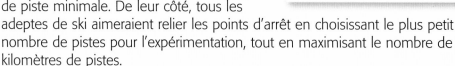

8. Prêts pour la première !

La troupe de théâtre Les masqués prépare une nouvelle pièce. Les producteurs aimeraient dresser un échéancier. Voici une liste des tâches associées à l'élaboration de la pièce de théâtre ainsi que leurs durées estimées.

• Choix de la pièce	2 semaines
• Attribution des rôles	1 semaine
• Prise des mensurations des comédiens	2 jours
• Conception du décor	3 semaines
• Essais et ajustements des costumes	2 semaines
• Apprentissage des textes et mise en scène	11 semaines
• Approbation des ébauches de costumes par les comédiens	1 semaine
• Construction du décor	3 semaines
• Achat des vêtements et des tissus	2 semaines
• Confection des costumes	5 semaines
• Ébauche des costumes sur papier	3 semaines
• Plans des éléments de décor	4 semaines
• Répétitions finales avec costumes et décor	3 semaines

a) Trace un graphe qui distingue clairement les tâches associées aux trois volets de la production : la mise en scène, la construction des décors et la fabrication des costumes.

b) Combien de temps s'écoulera-t-il au minimum avant la première ?

c) Kevin s'inquiète, car il a pris plus de temps que prévu pour élaborer les plans des éléments du décor. Combien de semaines peut-il prendre au maximum pour accomplir cette tâche sans compromettre la présentation de la première à la date prévue ?

9. Reconnaissance des lieux

Dans le cadre du Festival des familles, une équipe de bénévoles est responsable de la sécurité. Afin de les aider à la coordination des tâches, le responsable des bénévoles leur remet le graphe suivant. Les sommets représentent les principaux points d'intérêt du site et le poids des arêtes indiquent la longueur, en mètres, des corridors balisés entre ces points d'intérêt.

Le site du Festival des familles

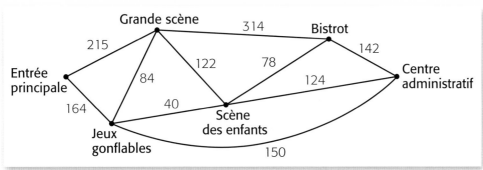

a) Le responsable des bénévoles veut que ces derniers se familiarisent avec le site. Propose un itinéraire qui permet de passer par tous les points d'intérêt au moins une fois en empruntant une seule fois chaque corridor balisé.

b) Un spectateur ressent un malaise au bistrot. Quel trajet devrait suivre une bénévole qui se trouve à l'entrée principale pour s'y rendre?

10. Pour mieux se comprendre

Une petite entreprise fait appel aux services d'un consultant en relations de travail. Ce dernier effectue des entrevues pour évaluer la communication entre les employés. Ensuite, afin d'analyser les données recueillies, il illustre la situation avec un graphe dans lequel les sommets représentent les employés et les arêtes, des liens de communication.

Le graphe présente les caractéristiques suivantes.

- Il comporte 15 sommets et 32 arêtes.
- Il n'est pas connexe.
- Le degré le plus élevé d'un sommet est 8.
- On trouve 5 sommets qui ont un degré 2.

À l'aide de l'information fournie, donne un exemple de ce à quoi peut ressembler le graphe du consultant et interprète ses caractéristiques selon le contexte.

Santé et bien-être

La communication est un élément important dans toute relation. On constate que de bonnes relations entre les employés d'une entreprise créent une meilleure atmosphère de travail, augmentent la productivité et permettent à l'entreprise de garder son personnel plus longtemps. Les relations de travail font d'ailleurs l'objet de la formation en ressources humaines et de diverses formations offertes aux dirigeants de petites et moyennes entreprises (PME).

Nomme deux moyens dont disposent les gestionnaires pour favoriser de bonnes relations de travail dans leur entreprise.

11. Parcours à huit pattes

C'est entre autres en posant des énigmes et en cherchant à généraliser les solutions obtenues qu'on a développé la théorie des graphes. Imagine que le graphe ci-contre est un fil d'araignée, dans lequel chaque arête est un segment du fil et chaque sommet, un point d'attache.

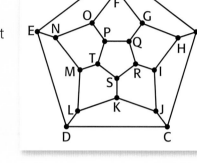

Si possible, détermine un itinéraire permettant :

a) de passer sur tous les segments une seule fois ;

b) de passer par tous les sommets une seule fois ;

c) de passer par tous les sommets une seule fois et de terminer au point de départ.

12. Conférencier pressé

Maxime est psychologue et il donne des conférences sur le décrochage scolaire. Après une conférence, il doit se rendre rapidement dans un studio de télévision communautaire afin d'accorder une entrevue. Le graphe ci-dessous représente les rues, ainsi que leurs intersections, qui relient le lieu de la conférence au studio. Le poids des arêtes représente les distances, en mètres, entre les intersections.

**Les rues menant du lieu de la conférence
au studio de télévision**

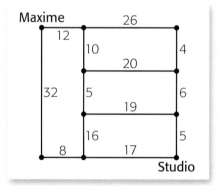

Quelle est la distance minimale que Maxime doit parcourir pour arriver au studio ?

13. À un clic de ce que vous cherchez **CD 2**

Jean-François travaille à la conception d'un site Internet. Il présente à ses clients une ébauche du site sous la forme d'un graphe dont les sommets représentent les pages et dont les arêtes indiquent qu'un lien unit deux pages. Le graphe qui représente le site Internet comporte 10 arêtes.

Sachant qu'il sera possible de passer directement d'une page du site à n'importe quelle autre, détermine le nombre de pages que contiendra ce site Internet.

14. Scène de crime

Les sommets du graphe ci-dessous présentent les actions entreprises par un corps policier à la suite d'un crime. Le temps nécessaire, en heures, pour accomplir une action est indiqué sur l'arête suivant le sommet qui représente cette action.

Les étapes de résolution d'un crime

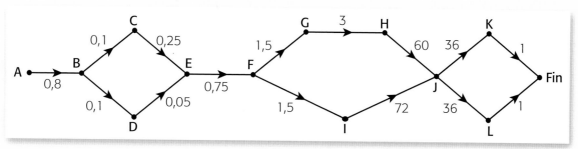

Les étapes de résolution d'un crime

A	Appel d'un citoyen
B	Arrivée des patrouilleurs
C	Établissement d'un périmètre de sécurité autour de la scène de crime
D	Appel aux spécialistes en scène de crime
E	Arrivée des spécialistes en scène de crime
F	Photographie de la scène de crime
G	Collecte d'éléments de preuve et d'échantillons
H	Analyse en laboratoire de certains échantillons
I	Recherche de témoins et prise de déclarations
J	Identification d'un suspect
K	Arrestation du suspect
L	Transmission des éléments de preuve à l'avocat de la Couronne

a) Au minimum, combien de temps s'est-il écoulé entre l'appel du citoyen et la fin de l'enquête policière?

b) L'agent Fontaine affirme que si les patrouilleurs avaient mis moins de temps à établir le périmètre de sécurité, le suspect aurait pu être arrêté plusieurs heures plus tôt. Es-tu d'accord avec cette affirmation?

Fait divers

Bien que les outils traditionnels, tels que les empreintes digitales et les photographies, soient encore largement utilisés, les experts en scène de crime bénéficient des avancées technologiques dans leur travail. Les analyses d'ADN et les analyses chimiques, les outils informatiques de classement et d'identification ainsi que la balistique sont autant d'outils pouvant aider à résoudre les enquêtes. Plusieurs crimes restés irrésolus pendant une vingtaine d'années ont pu être résolus à la suite d'analyses d'ADN.

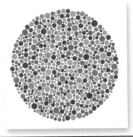

15. Téléphonie triangulaire   **CD 3**

Dans le cadre de leur travail, Nathan, Anaïs et Claudie s'appellent régulièrement. Chaque mois, l'entreprise qui les emploie dresse un diagramme à bandes comme celui présenté ci-dessous, à gauche, pour chacun de ses employés. Durant le dernier mois :

• Nathan a passé 102 minutes au téléphone avec Claudie.

• Anaïs a discuté en moyenne cinq minutes chaque fois qu'elle a appelé Claudie.

• Au cours du mois, les appels effectués par Claudie ont duré en moyenne une minute chacun.

Le graphe de droite représente le nombre d'appels que chaque employé a effectués et a reçus.

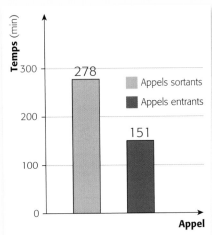

Le temps d'appel de Nathan en minutes

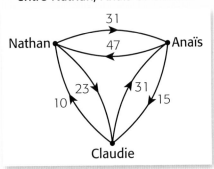

Le nombre d'appels entre Nathan, Anaïs et Claudie

À partir de l'information fournie, construis les diagrammes à bandes qui représentent les temps d'appels entrants et sortants de Claudie et d'Anaïs.

16. Demandes daltoniennes

Un jeu de société comporte plusieurs dizaines de pions de trois types différents. Certains ont la forme d'un cube, d'autres, celle d'une pyramide et d'autres encore ont la forme d'un prisme à base carrée. Chaque type de pion existe en trois couleurs : rouge, vert et jaune. Jason veut les ranger de manière à pouvoir les différencier facilement. Pour ce faire, il tient compte des facteurs suivants.

— Comme son frère est daltonien, les pions rouges et les pions verts ne doivent pas être rangés ensemble.

— Les pions ayant la forme d'une pyramide sont faciles à distinguer des deux autres types de pions.

— Les pions ayant la forme d'un cube et ceux qui ont la forme d'un prisme à base carrée peuvent être difficiles à distinguer selon l'angle avec lequel on les regarde. Il faut donc les ranger séparément.

Combien de sacs au minimum Jason doit-il utiliser pour ranger tous les pions ?

17. Produits frais!

Un distributeur de produits frais dessert plusieurs commerces et restaurants. Les sommets du graphe ci-dessous représentent les clients du distributeur et le poids des arêtes indiquent le temps, en minutes, qu'il lui faut pour se rendre d'un client à l'autre.

Les parcours du distributeur de produits frais

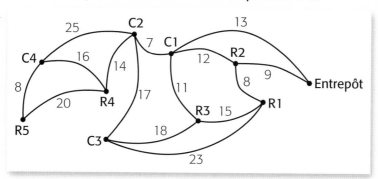

a) À partir de l'entrepôt, le distributeur peut-il visiter tous ses clients en un seul trajet sans passer deux fois devant l'un d'entre eux? Justifie ta réponse.

b) Le distributeur a fait une erreur: il a laissé à l'entrepôt la marchandise destinée au cinquième restaurant. Quel itinéraire devrait-il suivre, une fois de retour à l'entrepôt, pour retourner au cinquième restaurant le plus rapidement possible?

18. Paver pour voler

Un aéroport comporte six hangars et un bâtiment principal. On doit repaver les pistes qui relient ces bâtiments. Afin d'étaler les coûts, les gestionnaires de l'aéroport prévoient repaver cette année le minimum de pistes reliant tous les bâtiments et procéder au repavage des autres pistes l'année prochaine.

Le tableau ci-dessous présente la longueur, en mètres, des pistes existantes entre les différents bâtiments.

	Hangar 1	Hangar 2	Hangar 3	Hangar 4	Hangar 5	Hangar 6	Bâtiment principal
Hangar 1		420			325	250	330
Hangar 2	420		175	265			295
Hangar 3		175		190			170
Hangar 4		265	190		440		300
Hangar 5	325			440		235	315
Hangar 6	250				235		155
Bâtiment principal	330	295	170	300	315	155	

Sachant qu'il en coûte 120 $ par mètre à repaver, estime le coût à débourser si les gestionnaires:

a) décident de repaver cette année les pistes les plus coûteuses;

b) souhaitent minimiser les dépenses de l'année en cours.

19. **Problème électrique** `CD 3`

Alexandre aide Francis, son frère cadet, à faire son devoir de sciences. Il veut l'aider à comprendre la différence entre des circuits électriques en série, en parallèle et mixtes. Alexandre explique que dans un circuit en série, tous les appareils sont branchés l'un à la suite de l'autre, tandis que dans un circuit en parallèle, chaque appareil est branché de façon indépendante à la source d'énergie. Il accompagne ses explications des graphes ci-dessous, qui représentent des ampoules (A) et des résisteurs (R) branchés à une pile (P).

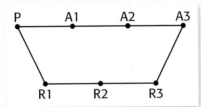

Un circuit en série

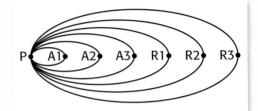

Un circuit en parallèle

Alexandre ajoute qu'un circuit mixte est un circuit dans lequel certains éléments sont branchés en parallèle alors que d'autres sont branchés en série. Francis montre à Alexandre un tableau des symboles utilisés dans son cours.

Pile	Fusible	Moteur	Résisteur
−┤├+	—o∿o—	—(M)—	—/\/\/\—
Ampèremètre	**Voltmètre**	**Ampoule**	**Batterie**
—(A)—	—(V)—	—(ampoule)—	−┤│┤│┤│┤│+

À partir de ces renseignements, aide Francis à faire son devoir, dont voici l'énoncé.

> Représente un circuit mixte composé de deux résisteurs branchés en série avec une batterie. Cette même batterie est aussi branchée en parallèle avec trois éléments : un voltmètre, une ampoule et un moteur.

20. Compléter le graphe complet

Les graphes ci-dessous sont des graphes complets.

  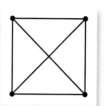

> Un graphe complet est un graphe dont tous les sommets sont adjacents les uns aux autres.

a) Dans un graphe complet, il existe une relation entre le nombre de sommets et leur degré. À l'aide de ces trois graphes, trouve cette relation.

b) Quel est le degré des sommets d'un graphe complet à cinq sommets.

21. Planification sécurisée

À l'occasion d'un rassemblement sportif, la sécurité est importante. Des équipes de patrouilleurs se tiendront à des endroits stratégiques durant l'événement. Le responsable de la sécurité a rempli le tableau suivant pour définir ses besoins en équipes supplémentaires. Les cases avec un crochet signifient qu'il doit y avoir une équipe de sécurité supplémentaire aux endroits spécifiés durant les heures indiquées.

Les besoins en équipes supplémentaires

	Porte A	Entrée des joueurs	Centre des médias	Porte B	Porte C	Casse-croûte	Terrain	Estrade Nord	Estrade Sud
12 h – 13 h	✓	✓	✓			✓			
13 h – 14 h	✓	✓	✓			✓			
14 h – 15 h	✓	✓	✓			✓			
15 h – 16 h	✓						✓		
16 h – 17 h	✓			✓	✓				
17 h – 18 h	✓			✓	✓	✓			
18 h – 19 h	✓			✓	✓	✓			
19 h – 20 h	✓					✓	✓	✓	✓
20 h – 21 h	✓						✓	✓	✓
21 h – 22 h	✓	✓				✓		✓	✓
22 h – 23 h	✓	✓						✓	✓
23 h – 00 h	✓	✓	✓						

a) Représente la situation par un graphe dans lequel les sommets représentent les postes. Deux postes reliés par une arête ne peuvent être surveillés par la même équipe.

b) Détermine, à l'aide de ton graphe, le nombre minimal d'équipes supplémentaires à prévoir pour cet événement.

22. Interprétation plus ou moins vraie

Sara planifie une tâche à l'aide d'un graphe. Lesquelles de ces affirmations sont vraies ? Justifie chacune de tes réponses.

a) Les étapes qui constituent le chemin critique sont celles dont les arcs associés ont le plus grand poids.

b) Pour terminer sa tâche plus vite, Sara doit diminuer le temps requis pour effectuer les étapes qui constituent le chemin critique.

c) Il est impossible que Sara trouve deux chemins critiques.

d) L'étape la plus longue fait nécessairement partie du chemin critique.

e) Il est possible que le temps nécessaire pour accomplir la tâche soit modifié, même si Sara respecte les temps établis pour les étapes du chemin critique.

23. Les impairs font la paire ! `CD 2`

Christine affirme que tous les graphes comportent un nombre pair de sommets qui sont de degré impair. Es-tu d'accord avec cette affirmation ? Justifie ta réponse à l'aide d'un raisonnement mathématique ou d'un contre-exemple.

24. Vous avez dit Nim ?

Sandrine et David jouent à une variante du jeu de Nim. Les règles sont simples. On commence avec une pile de 20 jetons. Les joueurs, à tour de rôle, retirent de la pile un, deux ou trois jetons. La personne qui réussit à prendre le dernier jeton remporte la partie.

Il reste six jetons et c'est à Sandrine de jouer. Représente les coups possibles jusqu'à la fin de la partie par un graphe dont les sommets correspondent au nombre de jetons restants et les arêtes, aux possibilités s'offrant à chaque personne. Trace des arêtes de couleurs différentes pour Sandrine et David. Conseille Sandrine sur le coup qu'elle devrait effectuer.

Fait divers

Les jeux de Nim sont des jeux très anciens qui font appel à la logique. Il en existe plusieurs variantes et on y joue avec des objets faciles à manipuler tels des billes, des jetons, des pièces de monnaie, etc. Le nom « Nim » leur a été donné par Charles Leonard Bouton, un mathématicien qui, en 1901, a élaboré des stratégies afin de gagner. En Chine, le jeu de Nim s'appelle Fan Tan, tandis qu'en Afrique, on le nomme Tiouk Tiouk.

25. Des dés déconcertants

Plusieurs jeux de société nécessitent l'utilisation de dés à 6 faces, mais il existe aussi des dés à 4, 8, 10, 12 et 20 faces. On a représenté les dés ci-dessous par un graphe dans lequel les sommets correspondants sont identifiés. Ce type de graphe, dans lequel il n'y a pas d'arêtes qui se croisent, est appelé «graphe planaire».

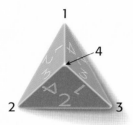

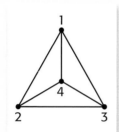

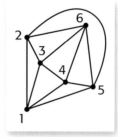

a) Représente un dé à 6 faces en perspective cavalière puis à l'aide d'un graphe planaire.

b) Compare, pour le dé à 6 faces et les deux dés ci-dessus, le nombre de sommets et d'arêtes du graphe et du dé. Que remarques-tu?

Dans un graphe planaire, une «face» est une région, intérieure ou extérieure, délimitée par des arêtes. Par exemple, le graphe planaire ci-dessous contient trois faces.

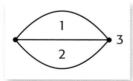

c) Que remarques-tu quand tu compares le nombre de faces des graphes et le nombre de faces des dés correspondants?

d) Observe les trois graphes et détermine une relation entre le nombre de sommets, de faces et d'arêtes dans les graphes planaires.

e) Le nombre chromatique de ces graphes correspond-il au nombre de couleurs nécessaires pour colorer le dé correspondant de sorte que des faces adjacentes soient de couleurs différentes? Explique ton raisonnement.

26. Aménager autrement CD 1

Justin est urbaniste. En collaboration avec une architecte et un ingénieur, il a élaboré les plans d'aménagement d'une clinique de santé. Le centre est constitué de quatre pavillons dont chacun est consacré à un aspect de la santé. On peut représenter l'emplacement des pavillons dans un plan cartésien, gradué en mètres, de la façon suivante.

(0, 0) : Pavillon central (cafétéria, salle d'entraînement et diététique)

(32, 0) : Pavillon de réadaptation (psychologie, physiothérapie et ergothérapie)

(⁻12, ⁻28) : Pavillon du mieux-être (chiropractie, acuponcture et massothérapie)

(0, 45) : Pavillon des spécialistes (podiatrie, ophtalmologie et audiologie)

Pour permettre aux personnes à mobilité réduite de passer facilement d'un pavillon à l'autre, Justin a prévu que des passerelles vitrées relieront certains pavillons en ligne droite.

Selon les données qu'il a obtenues, il en coûtera 108 $ par mètre de passerelle. Cependant, pour relier le pavillon central au pavillon du mieux-être ou au pavillon de réadaptation, chaque mètre de passerelle coûtera plutôt 146 $, car il faudra d'abord effectuer des travaux d'excavation.

Justin doit déterminer les pavillons qu'il peut relier en minimisant le coût des passerelles. Aide-le à déterminer deux aménagements différents de passerelles de façon à rendre quatre pavillons accessibles. Justifie tes choix et illustre ces aménagements à l'aide de représentations graphiques dans le plan cartésien.

Santé et bien-être

Depuis quelques années, on assiste à un retour de certaines pratiques alternatives en ce qui concerne les soins aux malades. Au moment de recevoir un traitement médical, des soins tels que la massothérapie peuvent favoriser l'état des patients et leur réponse au traitement, notamment en procurant de la détente. Plutôt que de les mettre en opposition, on considère certaines pratiques alternatives comme complémentaires à la médecine traditionnelle pour le bien-être global de la personne.

Décris quelques pratiques alternatives que tu connais. Selon toi, en quoi ces approches peuvent-elles être bénéfiques pour les malades ?

Le monde du travail

L'urbanisme

Les urbanistes planifient et contrôlent l'aménagement d'un territoire urbain ou régional. Ces professionnels intègrent de nombreuses contraintes dans l'élaboration de leurs projets, qui peuvent être de nature économique, mais aussi environnementale, légale, culturelle et géographique. Les urbanistes doivent avoir une vision à long terme afin que leurs projets s'inscrivent bien dans le développement de la ville au fil des ans.

Les urbanistes peuvent travailler dans plusieurs domaines, notamment à l'élaboration de quartiers, de réseaux routiers, d'aqueducs ou de traitements des eaux. Ils doivent réaliser des maquettes, produire des rapports et préparer des estimations pour les projets qui leur sont soumis. Il leur arrive aussi de faire adopter ou modifier des règles et des lois en lien avec l'aménagement du territoire afin de protéger ou de mettre en valeur les ressources du milieu.

Pour pratiquer cette profession, il faut d'abord obtenir un diplôme d'études collégiales, puis faire un baccalauréat de trois ans en études urbaines et urbanisme. Pour porter le titre d'urbaniste, il faut aussi être membre de l'Ordre des urbanistes du Québec.

Après leurs études, les urbanistes peuvent travailler pour une firme d'urbanisme, pour les municipalités, pour les gouvernements fédéral et provinciaux ou encore dans les établissements d'enseignement universitaire.

Publicité rotative

Tuong est responsable d'une campagne publicitaire pour une organisation de protection de l'environnement. Il veut concevoir un panneau publicitaire original qui attirera l'attention. Il trace un croquis du panneau tel qu'il l'imagine : un prisme droit à base carrée dont toute la surface latérale sera recouverte d'images. De plus, il imagine que ce panneau tournera sur lui-même.

Tuong installera son « solide » publicitaire dans les centres commerciaux et près des abribus. Il y aura donc certaines contraintes à respecter concernant les dimensions du panneau.

De plus, le mécanisme de rotation qui permet au panneau de tourner sur lui-même ne peut pas supporter plus qu'une certaine masse. Cette masse dépend de la quantité de matériaux utilisés pour fabriquer le panneau.

Cette situation peut être représentée par le système d'inéquations suivant.

$$\begin{cases} 1,5x \leq y \leq 4x \\ x \leq 0,8 \\ y \geq 0,5 \\ 8x + 4y \leq 10 \end{cases}$$

x : la mesure du côté de la base du panneau, en mètres

y : la mesure de la hauteur du panneau, en mètres

Tuong souhaite que la mesure du côté de la base du panneau, x, soit la plus grande possible. Il prétend qu'en maximisant x, il obtiendra une aire latérale du panneau équivalente à deux panneaux publicitaires standards de forme rectangulaire. Voici à quoi ressemble un panneau standard.

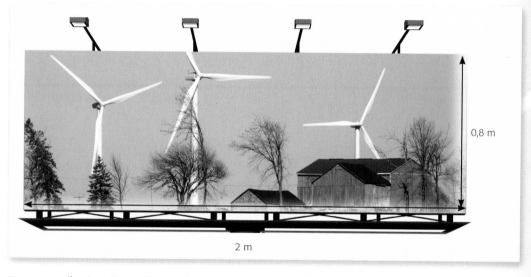

0,8 m

2 m

Tuong a-t-il raison? Justifie ta réponse en donnant des dimensions pour le solide publicitaire que Tuong a conçu.

Ravitaillement « antarctique »

Une équipe formée de dizaines de scientifiques provenant de différents pays est envoyée en Antarctique pour y étudier les variations de température et leurs effets sur la faune, la flore et le sous-sol de glace.

Les scientifiques dorment, mangent et travaillent dans des camps aménagés sur un site de recherche. Sur ce site, les déplacements se font par motoneige, sauf pour le ravitaillement des camps, qui s'effectue une fois par mois à l'aide d'un camion.

Le site de recherche est représenté dans le plan cartésien suivant. Dans ce plan, les distances sont en kilomètres.

Le site de recherche

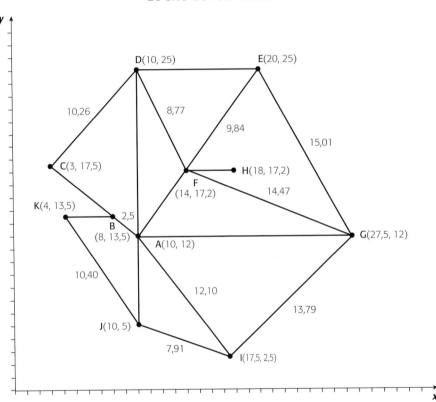

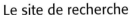

Le site de recherche

Camp	Fonction
A	Mécanique
B	Centre de recherche 1 (dortoir et cuisine)
C	Centre de recherche 2
D	Lieu de forage 1
E	Centre de recherche 3 (dortoir et cuisine)
F	Camp principal (entrepôt, dortoir et cuisine)
G	Lieu de forage 2
H	Station de communication
I	Lieu de forage 3
J	Centre de recherche 4 (dortoir et cuisine)
K	Station météorologique

Le tableau suivant présente les besoins mensuels moyens en eau et en nourriture pour chacun des camps. Des dortoirs et une cuisine sont aménagés dans les camps B, E, F et J pour y héberger tous les scientifiques du site. Les scientifiques du camp principal (F) et de la station de communication (H) ont un accès direct à l'eau et à la nourriture.

Les besoins en eau et en nourriture

Camp	Eau (contenants)	Nourriture (caisses)	Camp	Eau (contenants)	Nourriture (caisses)
A	Entre 4 et 6	1 ou 2	G	Entre 4 et 6	2 ou 3
B	Entre 15 et 17	Entre 22 et 25	I	1 ou 2	2 ou 3
C	Entre 4 et 6	1 ou 2	J	Entre 12 et 14	20 ou 21
D	Entre 4 et 6	2 ou 3	K	1 ou 2	1 ou 2
E	Entre 15 et 17	Entre 22 et 24	–	–	–

Puisque les chemins sont fragiles, le camion ne peut passer qu'une seule fois sur un même tronçon de chemin au cours du ravitaillement. Il ne peut transporter plus de 8 500 kg d'eau et de nourriture. La partie du camion où sont disposés les contenants d'eau et les caisses de nourriture a une longueur de 4 m, une hauteur de 2 m et une largeur de 3 m.

Un contenant d'eau pèse environ 85 kg et une caisse de nourriture, environ 25 kg. Voici une photo montrant les dimensions d'un contenant d'eau et d'une caisse de nourriture.

Le contenant d'eau

50 cm

50 cm

50 cm

La caisse de nourriture

50 cm

50 cm

50 cm

Le camion part du camp principal (F) et doit y retourner après le ravitaillement.

Tu dois planifier le ravitaillement afin que le conducteur du camion puisse se préparer adéquatement. Pour ce faire, tu dois produire un rapport détaillé qui comprend :

- un graphe représentant l'itinéraire du camion et indiquant la distance totale à parcourir, qui doit être la plus courte possible ;
- le nombre de contenants d'eau et de caisses de nourriture à disposer dans le camion, avec des calculs à l'appui ;
- une indication du nombre de contenants d'eau et de caisses de nourriture à distribuer à chaque camp du site de recherche, à l'exception des camps F et H.

Problèmes

1. Parc canin

Des élus municipaux ont proposé un projet de réaménagement d'un parc. Ils veulent séparer le parc en deux zones équivalentes : une zone canine, réservée aux chiens, et une zone de repos, avec fontaine et bancs, où les chiens sont interdits. Le schéma ci-dessous représente un plan aérien du parc. La clôture qui entourera la zone canine y est représentée.

$$m\overline{AB} = 145 \text{ m}$$
$$m\overline{BC} = 113 \text{ m}$$
$$m\overline{CA} = 150 \text{ m}$$

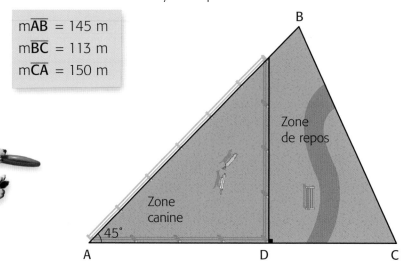

Quelle longueur de clôture sera nécessaire pour délimiter la zone canine ?

2. Nouvel emballage CD 2

Camilla est responsable de la mise en marché de produits pharmaceutiques. Elle travaille sur la nouvelle image à donner à un contenant de pastilles contre la toux. Elle doit modifier la forme de la bouteille de pastilles tout en réduisant la quantité de carton de la boîte qui contiendra la bouteille. La bouteille actuelle a la forme d'un cylindre surmonté d'un cône tronqué. La nouvelle bouteille est de forme cylindrique et de même hauteur que la bouteille actuelle. De plus, les deux modèles de bouteilles sont équivalents. Voici un croquis de la bouteille actuelle et de la nouvelle bouteille, ainsi que de leur boîte respective.

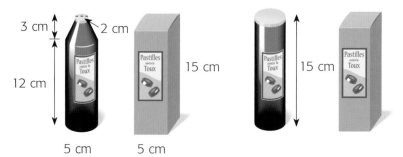

Camilla prétend que la boîte destinée à la nouvelle bouteille permettra de réduire de 5 % la quantité de carton comparativement à la boîte actuelle.

A-t-elle raison ? Justifie ta réponse.

3. Ski de fond

Nanook s'occupe de l'entretien des pistes de ski de fond dans un centre de plein air. La saison de ski achève et le directeur du centre demande à Nanook d'entretenir un nombre minimal de pistes qui assurera aux fondeurs l'accès à tous les refuges et à toutes les aires de repos. Voici un plan des pistes, avec l'entrée du secteur (O) et l'emplacement des refuges et des aires de repos (A à J).

Les pistes de ski de fond du centre

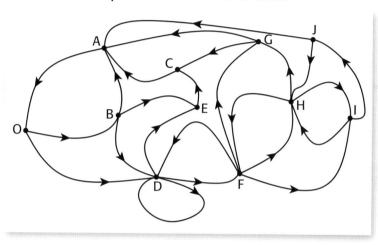

Aide Nanook à préparer son itinéraire d'entretien en donnant une chaîne qui lui permet de commencer et de terminer le parcours à l'entrée (O).

4. Salle de spectacle

Une salle de spectacle vient tout juste d'être rénovée. Il est maintenant possible de changer la configuration de la scène et d'enlever ou d'ajouter des sièges. Toutefois, les différentes configurations possibles dépendent des contraintes suivantes.

- Il y a toujours autant sinon plus de places assises que de places debout.
- Les places assises ne représentent jamais plus que le triple des places debout.
- La salle peut recevoir entre 1 800 et 2 400 spectateurs.

En moyenne, le prix d'un billet est de 24 $ pour une place assise et de 15 $ pour une place debout.

a) Quel est le profit maximal pour un spectacle donné dans cette salle?

Un groupe très populaire jouera dans cette salle. Les membres du groupe ont beaucoup d'équipement et le nombre de places debout ne pourra pas dépasser 800. Les directeurs de la salle désirent quand même faire un profit maximal équivalent à celui trouvé en **a**.

b) Pour ce faire, quel doit être le prix des places assises et des places debout?

5. Croissance

Marie-Eve prépare une présentation pour son cours de sciences au secondaire. Elle veut réaliser une affiche pour illustrer différents stades de croissance de la taille chez l'être humain. Elle fait donc un dessin très simple, avec des formes de base, afin de représenter la taille d'un garçon vers l'âge de deux ans. Voici un plan cartésien, gradué en centimètres, avec la représentation de cet enfant.

Marie-Eve veut agrandir cette figure deux fois : la première image sera 1,5 fois plus grande que la figure initiale, et elle représentera un enfant vers l'âge de 8 ans, et la deuxième image sera 2,1 fois plus grande que le dessin initial, et correspondra à la fin de la croissance chez les garçons, qui a lieu vers 20 ans. De plus, elle veut que toutes les figures soient debout les unes à côté des autres, sans se toucher, sur la droite d'équation $y = 0$.

Aide Marie-Eve à déterminer les règles de transformation qui lui permettront d'obtenir les deux images et trace ensuite ces images dans le même plan cartésien.

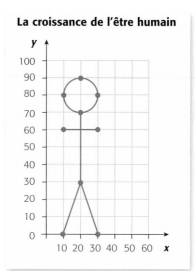

La croissance de l'être humain

6. Urgence

Un accident s'est produit sur l'autoroute alors qu'un camion-réservoir transportant de l'essence a violemment percuté une automobile. Un témoin de la scène a appelé un centre d'urgence. Voici les données qui rendent compte du temps qui s'est écoulé entre l'intervention du témoin et l'arrivée de tous les secours.

– Le témoin de l'accident appelle le 9-1-1. L'appel dure 34 secondes.

– La standardiste au centre d'appel 9-1-1 appelle simultanément les centrales policière et ambulancière et la caserne de pompiers. L'appel dure 45 secondes.

– Le policier à la centrale fait un appel à toutes les voitures disponibles. Trois auto-patrouilles peuvent se rendre sur les lieux de l'accident. La première voiture prend 2 minutes pour arriver sur les lieux, la deuxième voiture prend 3 minutes et la troisième voiture prend 4 minutes.

– En même temps, le coordonnateur des ambulanciers demande l'assistance de deux ambulances. La première ambulance est sur les lieux de l'accident en 4 minutes et la seconde, en 6 minutes.

– Pour ce qui est des pompiers, le premier camion met 5 minutes à se rendre sur les lieux de l'accident. Le feu est trop imposant et une deuxième alerte est nécessaire. Le deuxième camion de pompiers arrive 2 minutes après le premier camion.

a) Représente cette situation par un graphe approprié.

b) Combien de temps au minimum a-t-il fallu pour que tous les intervenants arrivent sur les lieux de l'accident ?

7. Services technologiques   CD 2

Jeffrey se renseigne sur des services technologiques afin d'en choisir pour son nouvel appartement : le service de câble numérique, un accès Internet haute vitesse et un service de téléphonie. Jeffrey se procure des dépliants chez trois fournisseurs : la compagnie Bleu, la compagnie Rouge et la compagnie Jaune.

La compagnie Bleu

– Le service de téléphonie est de 40 $ par mois et il n'est offert qu'avec le service Internet de la compagnie Bleu.

– Le service Internet haute vitesse coûte 40 $ par mois. Un rabais de 5 $ est offert si Internet est combiné au service de câblodistribution de la compagnie Bleu. Le service Internet est compatible avec les services de téléphonie et de câblodistribution des autres compagnies.

– Le service de câblodistribution coûte 51 $ par mois et peut être combiné à n'importe quel service des autres fournisseurs.

La compagnie Rouge

– Tous les services sont compatibles avec les services des autres fournisseurs.

– Le service de téléphonie coûte 30 $ par mois. Un rabais de 8 $ par mois est offert s'il est combiné au service Internet de la même compagnie.

– Le service Internet haute vitesse coûte 52 $ par mois. Un rabais de 4 $ est accordé s'il est combiné au service de câblodistribution de cette même compagnie.

– Le service de câblodistribution coûte 62 $ par mois.

La compagnie Jaune

– Les services de téléphonie et de câblodistribution de cette compagnie sont compatibles avec ceux des deux autres fournisseurs.

– Le service de téléphonie coûte 33 $ par mois. Un rabais de 3 $ est accordé si ce service est combiné au service Internet de cette même compagnie.

– Le service Internet haute vitesse n'est pas compatible avec les services des autres fournisseurs et coûte 45 $ par mois.

– Le service de câblodistribution coûte 70 $ par mois.

Jeffrey désire se procurer tous les services auprès d'un même fournisseurs. Ainsi, il croit qu'il fera des économies substantielles.

A-t-il raison ? Représente la situation par un arbre valué et justifie ta réponse.

8. Café rapide

Ernesto est responsable de l'approvisionnement d'un kiosque à café. Il s'interroge sur les quantités de grains qu'il doit acheter par jour pour le café de mélange velouté et pour le café de mélange corsé. Selon l'achalandage et la période de l'année, le kiosque peut servir de 225 à 570 cafés de mélange velouté et au moins 430 cafés de mélange corsé. Il n'a jamais servi plus de 1 250 cafés dans une journée. Il vend toujours autant sinon plus de cafés de mélange velouté que de cafés de mélange corsé.

Il est possible de préparer 70 cafés de mélange velouté avec 500 g de grains de café et 40 cafés de mélange corsé avec la même quantité de grains. Quelles quantités de grains de café Ernesto doit-il commander au minimum pour le prochain mois ?

9. Jeu de construction   CD 2

Ivan est designer industriel et il conçoit des jeux de construction. Il utilise des blocs de plâtre pour modeler les solides qui seront ensuite moulés pour la production. Son bloc de plâtre initial a la forme d'un prisme droit à base rectangulaire de 10 cm sur 15 cm sur 6 cm. Ivan voudrait modeler deux pièces équivalentes, une pyramide droite à base carrée et un cube, ainsi qu'une grande pyramide droite à base carrée. Il aimerait que les deux pyramides soient semblables et que la hauteur de la seconde soit égale à trois fois celle de la première. Voici les plans préliminaires de ces trois pièces.

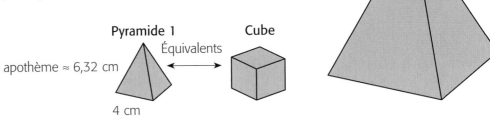

Pyramide 2

Pyramide 1   Cube

Équivalents

apothème ≈ 6,32 cm

4 cm

Ivan aura-t-il assez d'un bloc de plâtre pour modeler les trois pièces ? Justifie ta réponse.

10. Bassins piscicoles   CD 3

Satoshi travaille dans une animalerie. Il doit préparer des bassins pour exposer les nouvelles espèces de poissons qu'il vient de recevoir. Satoshi doit être prudent dans la composition de ces bassins, car certains poissons peuvent être agressifs avec d'autres ou même manger les poissons de plus petite taille. Il a donc pris des notes sur leurs caractéristiques générales.

- Le citrinellum est un poisson très agressif. Seuls le bagnard et l'acara bleu peuvent cohabiter avec lui.

- L'acara bleu est un poisson assez calme qui peut facilement cohabiter avec le bagnard, le kandango et le citrinellum.

- Le meeki a tendance à manger les petits poissons. Il est préférable de le placer dans le même aquarium que des poissons plus gros, comme le bagnard, le kandango et le discus.

- Le discus est très calme et peut être placé avec tous les poissons, sauf le citrinellum.

- Le julido est un poisson plus petit. Il peut cohabiter avec le kandango et le discus.

- Le bagnard peut être placé dans le même bassin que toutes les espèces, sauf le julido.

- Le kandango peut être placé avec n'importe quelle espèce, à l'exception du citrinellum.

À l'aide d'un graphe, où les sommets représentent les différentes espèces de poissons, résume les notes de Satoshi sur la compatibilité des poissons. Détermine ensuite le nombre minimal de bassins qui seront nécessaires pour exposer les nouvelles espèces de poissons, ainsi que la composition de chaque bassin.

11. Un déjeuner «à boire»

Valérie, nutritionniste, propose quelques recettes simples de déjeuners complets «à boire» qui peuvent se prendre sur le pouce, faute de mieux. Toutes les recettes doivent être composées d'un seul aliment de chacun des quatres groupes alimentaires. Ces aliments sont ensuite réduits en une purée lisse au mélangeur.

Voici la liste des aliments proposés par Valérie. Les calories correspondent à 100 mL de chacun des aliments, qui est la quantité nécessaire à la recette.

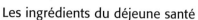

Les ingrédients du déjeune santé

Produits laitiers	Fruits	Produits céréaliers	Protéines
– Lait 2% (100 calories) – Yogourt à boire (140 calories)	– Fraises (36 calories) – Bananes (89 calories) – Compote de pommes sans sucre (54 calories)	– Graines de lin moulues (425 calories) – Poudre de céréales germées (334 calories)	– 1 œuf (146 calories) – Tofu mou (94 calories)

Valérie aimerait que les déjeuners qu'elle propose contiennent au plus 700 calories. À l'aide d'un arbre valué, détermine toutes les combinaisons possibles de déjeuners «à boire» qui tiennent compte de cette contrainte.

12. Souffleuse de verre

Kaleigh est une artisane qui travaille le verre. Elle vient tout juste de terminer sa dernière pièce : un vase qui a la forme d'un cylindre et dans lequel plusieurs couleurs s'entremêlent. Voici une représentation du vase.

16,6 cm

Épaisseur de la paroi latérale du vase : 4 mm

40 cm

Épaisseur du fond du vase : 10 mm

Kaleigh voudrait fabriquer d'autres vases de mêmes dimensions, mais elle n'a pas noté la grosseur de la boule de verre en fusion dont elle s'est servie au départ pour mouler son vase.

Trouve les dimensions de la boule de verre initiale sachant que Kaleigh a utilisé la totalité du verre pour produire son vase.

Fait divers

Le soufflage du verre à la bouche est un art qui est apparu au Proche-Orient, au Ier siècle avant notre ère. Les souffleurs utilisent une boule de verre en fusion qu'ils peuvent rouler dans diverses particules de verre colorées pour ajouter de la couleur aux pièces. Ils peuvent ensuite mélanger les couleurs et créer des effets en tirant sur le verre à l'aide d'une pincette. Les risques de brûlure sont grands, car la température du verre en fusion atteint 1 100 °C.

13. Un cadeau de taille CD 1

Une ville du Québec a reçu pour son nouvel hôtel de ville une sculpture magistrale. La pièce en question, un obélisque conique de 15 m de haut et de 62,8 m³ de volume, doit être transportée par bateau de sa ville d'origine jusqu'au Québec. Étant donné qu'elle est très lourde, on a décidé de scinder la sculpture en trois parties équivalentes : un petit cône et deux troncs de cône. Voici une représentation de la pièce en question.

Quelles seront les dimensions de chacune des boîtes qui serviront au transport de l'obélisque ?

14. Chemin de hamsters

Olivier a construit un labyrinthe formé d'une série de tunnels pour étudier le sens de l'orientation chez les hamsters. Son étude consiste à déposer un hamster à l'entrée du labyrinthe, représentée par le sommet D, et à observer le chemin qu'il emprunte. Une trappe empêche le hamster de rebrousser chemin une fois qu'il est engagé dans le tunnel. Certains tunnels mènent à des culs-de-sac, tandis que d'autres ramènent le hamster au point de départ. Pour que le hamster avance dans le labyrinthe, Olivier place de la nourriture stratégiquement à certaines intersections. L'expérience a été répétée avec 60 hamsters.

Voici un graphe dont les arcs représentent les tunnels et les sommets, les intersections du labyrinthe. Le poids de l'arc indique le rapport entre le nombre de hamsters qui ont emprunté un tunnel et le nombre total de hamsters observés durant l'étude.

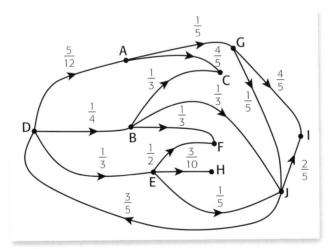

Selon les données de l'étude présentées sur le graphe ci-contre, combien de hamsters sont revenus à l'entrée du labyrinthe ?

Fait divers

L'éthologie est la science qui étudie le comportement animal. En observant les animaux dans des contextes naturels ou artificiels, en laboratoire par exemple, il est possible d'élaborer des théories sur leurs comportements innés et appris. C'est grâce à une bonne connaissance du caractère et du comportement des différentes espèces que le conditionnement des animaux, comme le dressage des chiens, devient possible et, surtout, efficace.

15. Visite guidée   CD 1

Laure est responsable des visites guidées dans un musée d'art contemporain. Le musée comporte trois salles reliées par un corridor central. Chacune des salles est équipée d'émetteurs qui décrivent les œuvres. Pour entendre ces descriptions, les visiteurs doivent se munir d'un casque d'écoute.

Les émetteurs accrochés aux murs ou au plafond sont représentés par des points rouges. Voici le plan du musée.

Le musée d'art contemporain

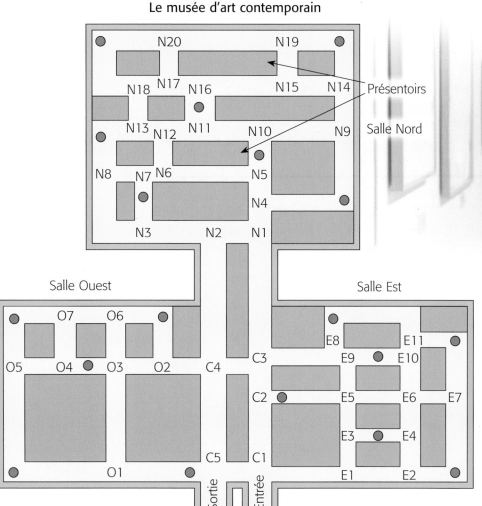

Laure veut planifier trois parcours de visite pour accommoder le plus de visiteurs possible. Voici une description des parcours.

- Les parcours doivent permettre de ne jamais passer deux fois au même endroit.

- Les deux premiers parcours débutent à l'entrée et se terminent à la sortie. Ils permettent tous les deux de visiter la salle Est, la plus époustouflante des trois salles, en croisant tous les émetteurs de cette salle.

- Le troisième parcours débute à l'entrée et permet de croiser tous les émetteurs du musée. Il se termine à la sortie.

Aide Laure à déterminer les trois parcours de visite du musée.

Défis mathématiques

1 Encore une séquence !

Quel est le 9ᵉ terme de cette séquence ?

| 1 | 4 | 9 | 61 | 52 | 63 | 94 | 46 | ... |

2 Symbolisme mathématique

Déchiffre ce code et détermine le symbole manquant.

$$Ł + \daleth = \exists \qquad \angle + \mathbb{N} = \boxtimes$$

$$\angle + \daleth = \bowtie \qquad \curlywedge + \daleth = \mathbb{Y}$$

$$X + \mathbb{G} = \boxed{?}$$

3 Cryptarithme

Dans l'addition suivante, chaque lettre représente un chiffre différent et la lettre R représente le chiffre 1. Associe chaque lettre au chiffre qu'elle représente.

```
    B  E  B  E
 +  D  O  D  O
 ─────────────
 R  E  P  O  S
```

4 Chaîne d'opérations

À partir des chiffres 1, 5, 5 et 6 utilisés une seule fois, et des opérations d'addition, de soustraction, de multiplication et de division, écris la chaîne d'opérations qui permet d'obtenir le nombre 29.

5 Malheur en mer

Des pêcheurs reviennent bredouilles de leur journée de pêche : les caisses où étaient déposés les poissons pêchés se sont renversées quand le bateau a été secoué par une vague. Les pêcheurs ne se rappellent plus combien de poissons ils avaient pêchés. En revanche, ils se souviennent qu'ils pouvaient diviser exactement les poissons en groupes de sept, mais qu'ils ne pouvaient pas les diviser en groupes de deux, de trois, de quatre, de cinq ou de six sans qu'il y ait toujours un reste de un.

Combien de poissons ces pêcheurs ont-ils perdus en mer ?

6 Pyramide mathématique

Remplis la pyramide suivante. Le nombre qui se trouve dans chacune des cases doit être égal à la somme des deux nombres placés directement en dessous.

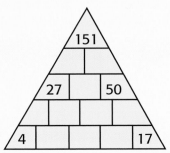

7 Relier les points

Voici un plan dans lequel sont disposés neuf points. Relie tous ces points à l'aide de segments de droite sans lever ton crayon.

Quel est le nombre minimal de segments de droite nécessaires pour relier les neuf points?

8 À qui le chat?

Il existe une rue un peu particulière où il y a cinq maisons de couleur différente. Chacune des maisons est habitée par une femme de profession différente. Chaque femme a un nombre d'enfants différent. Elles ont toutes un animal de compagnie différent et pratiquent toutes des sports différents. Voici une série d'affirmations concernant ces femmes.

- La coiffeuse habite la maison orange.
- L'hygiéniste dentaire a des tortues.
- La journaliste a deux enfants.
- La maison bleue est située à gauche de la maison verte.
- La femme qui habite la maison bleue a quatre enfants.
- La femme qui pratique la boxe a des poissons.
- La femme qui habite la maison blanche joue au tennis.
- La personne qui habite la maison du centre a un enfant.
- L'avocate habite la première maison.

- La femme qui fait de la natation habite à côté de la femme qui a un chien.
- La femme qui a une gerboise est la voisine de celle qui joue au tennis.
- La femme qui fait du vélo n'a pas d'enfant.
- La femme médecin fait du yoga.
- L'avocate habite juste à côté de la femme qui habite la maison rouge.
- La femme qui fait de la natation a une voisine qui a trois enfants.

Quelle est la profession de la femme qui a un chat?

Les probabilités et les procédures de vote

L'étude des probabilités permet de prendre des décisions éclairées. Par exemple, l'étude de la probabilité qu'un passager d'une voiture qui n'a pas bouclé sa ceinture de sécurité subisse des blessures graves au moment d'un accident de la route a permis aux autorités gouvernementales de rédiger un projet de loi visant à obliger tous les passagers d'une voiture à boucler leur ceinture.

Par ailleurs, la connaissance des procédures de vote, à l'aide desquelles, par exemple, nous choisissons des chefs d'État, adoptons des lois ou déterminons des récipiendaires d'un prix, nous aide à comprendre les mécanismes qui mènent à la prise de décisions.

Selon toi, à quelles conditions un gouvernement peut-il adopter une loi visant à assurer la sécurité des citoyens? Nomme deux situations où l'observation de comportements non sécuritaires a conduit à l'adoption d'une loi.

Survol

Vivre-ensemble
et citoyenneté

Contenu de formation

- Probabilité conditionnelle
- Dénombrement et énumération des possibilités
- Distinction entre des événements mutuellement exclusifs, non mutuellement exclusifs, indépendants et dépendants
- Représentation d'événements à l'aide de tableaux, d'arbres ou de diagrammes de Venn
- Calcul d'une probabilité conditionnelle et interprétation du résultat
- Comparaison et interprétation de différentes procédures de vote

Faire le (point) sur les connaissances antérieures

Les pages 266 à 272 font appel à tes connaissances en probabilités et en statistique.

En contexte

Les juges sportifs notent les athlètes à l'aide d'un système de pointage. Pour les disciplines sportives comprenant un volet artistique, les juges attribuent des points aux athlètes pour leur maîtrise de la technique et leur sens artistique.

1. Le tableau suivant présente les résultats de huit patineuses artistiques à une compétition qui ne comporte qu'un programme long.

Les résultats de la compétition

Patineuse	Juge 1	Juge 2	Juge 3	Juge 4	Juge 5	Juge 6	Juge 7	Juge 8
Sylvie Buchanan	9,7	9,6	9,7	9,7	9,7	9,6	9,6	9,5
Joanie Ciccariello	9,8	9,7	9,8	9,7	9,7	9,8	9,9	9,2
Brigitte De Courval	8,9	9,1	9,3	9,5	9,2	9,0	9,3	9,2
Anouk Kovac	9,6	9,9	9,6	9,7	9,6	9,7	9,6	9,6
Véronique Leroux	9,9	9,7	9,8	9,7	9,7	9,7	9,7	9,8
Nancy Mackenzie	8,8	9,2	9,1	8,9	8,7	8,8	8,6	9,0
Josée Rainville	9,5	9,4	9,3	9,7	9,5	9,2	9,6	9,8
Jennifer Szabo	9,7	9,5	9,4	9,6	9,8	9,3	9,7	9,4

a) Calcule la moyenne des points attribués par les juges à chacune des patineuses.

b) Selon les moyennes calculées en **a**, quelle patineuse remporte la compétition ? Laquelle se classe deuxième ? Laquelle se classe troisième ?

Selon le règlement en vigueur à cette compétition, la note finale de chaque patineuse est une moyenne de toutes les notes attribuées excluant la note la plus élevée et la note la plus basse.

c) Quels sont alors les noms des trois patineuses qui monteront sur le podium ?

d) Pourquoi tes réponses en **b** et en **c** sont-elles différentes ?

e) Quel avantage y a-t-il à exclure la note la plus élevée et la note la plus basse pour déterminer la note finale d'une ou d'un athlète dans un sport où les performances sont évaluées par des juges ?

Fait divers

Sylvie Fréchette, une athlète pratiquant la nage synchronisée, s'est vue privée d'une médaille d'or aux Jeux olympiques de Barcelone, en 1992, à cause d'une erreur de pointage commise par une juge. Cela a permis à l'Américaine Kristen Babb-Sprague de remporter cette médaille. Le Comité international olympique a finalement reconnu l'injustice et a décerné à Sylvie Fréchette, en 1996, la médaille qu'elle méritait pour sa performance olympique de 1992.

2. Des planchistes doivent se qualifier pour un championnat de demi-lune en surf des neiges. Les trois meilleurs planchistes au classement se qualifient pour le championnat. Le tableau suivant présente le classement des huit premiers planchistes pour la saison et le nombre de compétitions où ils se sont chacun classés premiers, deuxièmes et troisièmes.

Le classement des planchistes

Planchiste	Points accumulés	Premières positions accumulées	Deuxièmes positions accumulées	Troisièmes positions accumulées
Jean-François Crepel	158	4	3	2
James Bretz	150	5	1	2
Sylvio Dezzo	148	3	4	1
Benoit Matte	148	3	1	5
Markus Korpi	85	1	2	2
Christian Staale	80	0	3	2
Scott Fréchette	64	0	1	1
Murakami Kohei	62	0	1	1

Selon toi, quels planchistes se qualifient pour le championnat? Justifie ta réponse.

3. Dans une compétition de patinage artistique hommes, les patineurs doivent effectuer un programme court le samedi et un programme long le dimanche. La note finale de chacun des patineurs est calculée en fonction de la pondération suivante: 30% pour le programme court et 70% pour le programme long. Le tableau suivant présente les notes que les huit patineurs ont obtenues dans chacun des programmes.

Les notes obtenues

Patineur	Programme court	Programme long
David Candeloro	9,6	9,8
Alan Orser	9,8	9,7
Bryan Calmat	9,2	9,1
Philippe Jenkins	9,7	9,8
Karl Dolto	9,9	9,6
George Fraser	8,8	9,5
Mathieu Rainville	9,4	9,6
Albert Noto	9,6	9,4

a) Quelle est la note finale de chaque patineur?

b) Quel patineur remporte la compétition? Lequel se classe deuxième? Lequel se classe troisième?

4. Pour financer une partie des frais des compétitions de la saison, un club de gymnastique organise une loterie. Le prix d'un billet de loterie est de 10 $. Les gymnastes doivent vendre les 500 billets pour maximiser le profit du club. Le club doit payer 40 $ pour imprimer les billets de loterie et 300 $ pour acheter les lots de tirage. Le premier lot, d'une valeur de 150 $, est une journée de détente dans un spa. Le deuxième lot est un chèque-cadeau d'un restaurant d'une valeur de 100 $. Le troisième lot est un chèque-cadeau d'une boutique de sport d'une valeur de 50 $.

a) Si les gymnastes vendent tous les billets de loterie, quel profit le club de gymnastique réalisera-t-il ?

b) Calcule l'espérance mathématique de cette loterie et interprète le résultat selon le contexte.

c) Combien d'argent une personne qui achète cinq billets de loterie peut-elle espérer gagner ou perdre ?

5. Une école secondaire doit former un comité organisateur en vue des prochaines olympiades de l'école. Ce comité sera composé de 12 élèves. Le tableau suivant présente la répartition des élèves de cette école par cycle.

La répartition des élèves

Cycle	Nombre d'élèves
Premier cycle	422
Deuxième cycle	584

a) En tenant compte de la proportion d'élèves dans chacun des cycles, détermine le nombre d'élèves de chaque cycle qui feront partie de ce comité.

b) Si un membre de ce comité est choisi au hasard, quelle est la probabilité qu'il s'agisse d'une ou d'un élève du premier cycle ?

c) Les membres de ce comité ne s'entendent pas quant à l'organisation des olympiades. Propose une structure d'organisation, c'est-à-dire attribue un rôle à chacun des membres, afin de rendre le comité fonctionnel.

Vivre-ensemble et citoyenneté

Une bonne façon de participer à la vie sociale d'une école et d'exprimer son point de vue consiste à faire partie, par exemple, du comité organisateur d'un événement, du conseil des élèves ou de groupes de discussion. C'est en confrontant ses idées et en écoutant celles des autres qu'on s'enrichit mutuellement.

Quels sont les différents comités, conseils ou groupes qui permettent aux élèves de ton école d'exprimer leur point de vue ? Quelle tribune choisirais-tu pour exprimer ton point de vue ? Pourquoi ?

En bref

1. Soit le diagramme de Venn suivant.

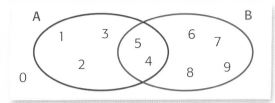

a) Reproduis ce diagramme et hachure la région correspondant à chaque ensemble.

1) A	**3)** A′	**5)** A∪B	**7)** (A∪B)′
2) B	**4)** B′	**6)** A∩B	**8)** (A∩B)′

b) Combien d'éléments y a-t-il dans chaque ensemble défini en **a**?

2. Pascal demande à Ida de choisir un chiffre au hasard entre 1 et 16. Il définit les événements A = {Choisir un nombre impair} et B = {Choisir un carré parfait}.

a) Trace le diagramme de Venn qui représente cette situation.

b) Calcule:

1) P(A)	**3)** P(A′)	**5)** P(A∪B)
2) P(B)	**4)** P(B′)	**6)** P(A∩B)

c) Les événements A et B sont-ils compatibles ou incompatibles?

> Dans une expérience aléatoire, deux événements ayant des résultats possibles en commun qui peuvent se réaliser en même temps sont des événements compatibles. Deux événements n'ayant aucun résultat possible en commun sont des événements incompatibles.

3. Parmi les 90 membres du personnel d'un supermarché, 40 % sont des femmes. Les membres du personnel qui travaillent aux caisses représentent 30 % de l'ensemble du personnel du supermarché et 74 % d'entre eux sont des femmes.

a) Reproduis et complète le diagramme de Venn suivant en insérant le nombre de membres du personnel dans chaque région du diagramme.

Le personnel d'un supermarché

Femme   Membre du personnel qui travaille aux caisses

b) Quelle est la probabilité qu'un membre du personnel choisi au hasard soit:

1) un homme?

2) une femme qui travaille aux caisses?

3) un homme qui ne travaille pas aux caisses?

L'espérance mathématique d'un jeu de hasard est ce qu'on peut espérer gagner ou perdre en moyenne lorsqu'on joue à ce jeu un très grand nombre de fois.

4. Un joueur lance deux dés à quatre faces numérotées de 1 à 4 et note la somme des nombres obtenus.

a) Représente la situation à l'aide d'un diagramme en arbre.

b) Définis l'univers des résultats possibles (Ω).

c) Quelle est la probabilité d'obtenir:

1) deux faces identiques?
2) deux faces différentes?
3) une somme de 5?
4) une somme de 9?

d) Calcule l'espérance mathématique de ce jeu.

5. Une joueuse tire 2 cartes parmi les 13 cartes de cœur d'un jeu de cartes. Elle s'intéresse aux événements A = {Tirer une figure au premier tirage} et B = {Tirer une figure au second tirage}.

a) Sachant qu'il s'agit d'un tirage avec remise, calcule:

1) P(A) **2)** P(B)

b) Sachant qu'il s'agit d'un tirage sans remise, calcule:

1) P(A) **2)** P(B)

c) Dans les deux cas, indique si les événements A et B sont compatibles ou incompatibles.

6. Quel type de probabilité (théorique, fréquentielle ou subjective) est le plus approprié pour déterminer la probabilité de chacune des situations suivantes? Justifie tes réponses.

a) Observer le nombre de clients masculins entrant dans un magasin le vendredi entre 18 h et 21 h.

b) Choisir une voyelle en tirant au hasard une lettre du mot «voyelle».

c) Prédire le gagnant de la prochaine course automobile de formule 1.

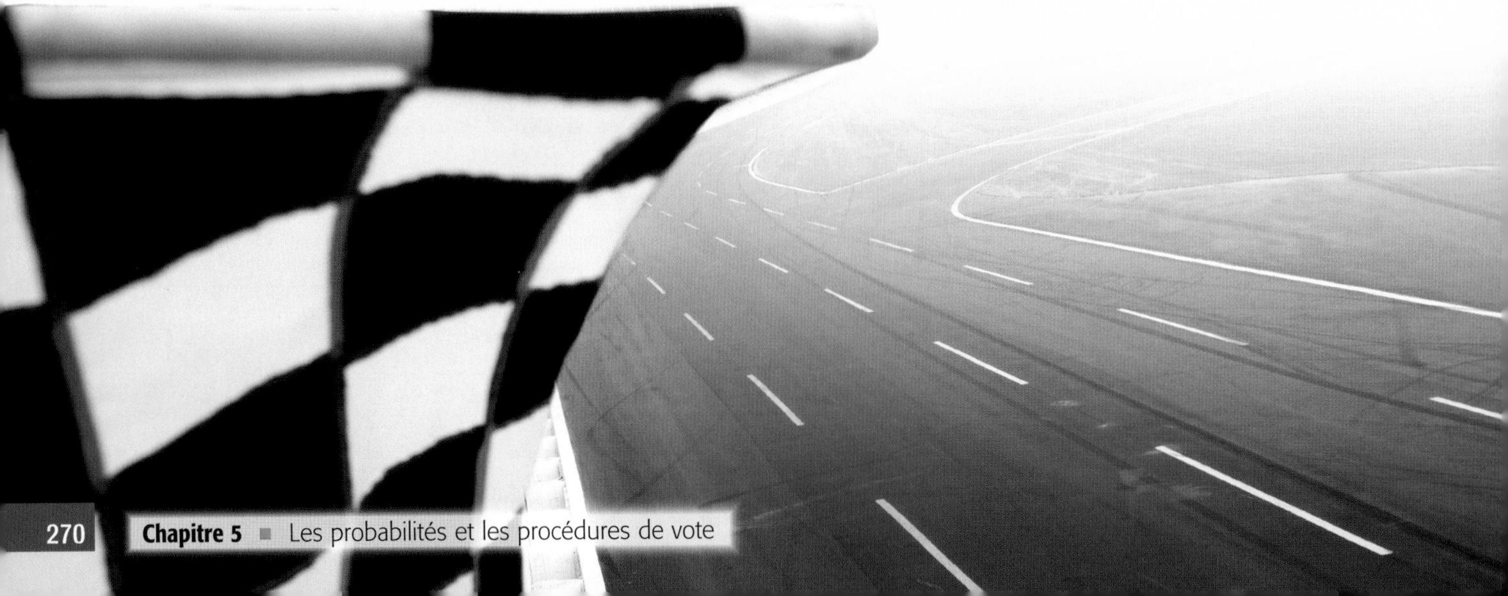

7. Véronique lance 1 000 fois un dé truqué à six faces. Le tableau suivant présente le nombre de fois qu'elle a obtenu chacun des chiffres qui figurent sur ce dé.

Les résultats des lancers de dé

Chiffre	1	2	3	4	5	6
Nombre de fois que Véronique a obtenu ce chiffre	100	150	140	150	160	300

a) Quelle est la probabilité que Véronique obtienne le chiffre 1 au prochain lancer de ce dé?

b) Selon toi, si Véronique lançait de nouveau 1 000 fois ce dé, combien de fois obtiendrait-elle le chiffre 6?

c) Les réponses que tu as données en **a** et en **b** sont-elles basées sur une opinion, sur les résultats d'une expérience aléatoire ou sur un modèle mathématique? Justifie ta réponse.

d) Selon les résultats de cette expérience, quelle est l'espérance mathématique d'un lancer de ce dé?

e) Soit l'événement A = {Obtenir une somme de 12} lorsqu'on lance ce dé deux fois. Calcule P(A).

8. Un code est formé de deux chiffres suivis de deux lettres. Combien de codes différents peut-on former s'il est possible de répéter un même chiffre et une même lettre deux fois?

9. De combien de façons différentes peut-on disposer six bibelots sur une étagère?

10. Les 14 membres d'un comité doivent élire, à l'intérieur de leur groupe, une personne à la présidence, une personne à la vice-présidence et une autre à la trésorerie. Combien y a-t-il de façons possibles de combler ces trois postes?

11. Quelles sont les «chances pour» des événements suivants?

a) Tirer une bille verte d'une urne contenant cinq billes vertes et quatre billes noires.

b) Obtenir deux fois de suite la même face en lançant une pièce de monnaie.

c) Choisir une consonne en tirant au hasard une lettre du mot «consonne».

12. Exprime les «chances pour» suivantes en probabilités.

a) À 5 contre 2, les analystes sportifs prédisent une victoire du Rouge et Or de l'Université Laval.

b) Un analyste sportif évalue les «chances pour» une victoire des Alouettes de Montréal à 4 : 3.

13. Dans un certain jeu de hasard, il y a seulement deux résultats possibles: 4 et 9. Si les «chances pour» l'obtention de 4 sont de 5 : 3, quelle est l'espérance mathématique de ce jeu?

14. Si l'espérance mathématique de la roulette suivante est de 2, quelle est la valeur de x?

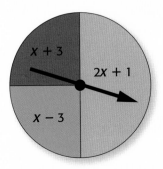

15. Dans un jeu télévisé, les participants font tourner la flèche d'une roulette composée de 12 secteurs représentant chacun un lot. Le tableau suivant présente chaque lot et la probabilité de l'obtenir.

La roulette

Lot	50 $	100 $	500 $	1 000 $	5 000 $
Probabilité	$\dfrac{1}{3}$	$\dfrac{1}{4}$	$\dfrac{1}{6}$	$\dfrac{1}{6}$	$\dfrac{1}{12}$

a) Dans combien de secteurs de cette roulette chacun des lots est-il inscrit?

b) Quelle est l'espérance mathématique de cette roulette?

c) Quel montant d'argent un participant peut-il espérer gagner s'il fait tourner la flèche de cette roulette cinq fois?

d) Pour que le jeu soit équitable, quelle mise conviendrait-il de demander aux participants?

16. Un jeu de hasard comporte une mise et son espérance mathématique est positive. Une personne qui joue à ce jeu est-elle assurée de gagner? Justifie ta réponse.

Moi, je vote !  CD 2

La Chambre des communes du Parlement canadien est l'assemblée formée par les députés élus du Canada. Elle est autorisée par la Constitution à présenter des projets de loi, qui sont soumis au vote des députés. Elle se compose de 308 députés représentant tous une circonscription particulière. Chaque province ou territoire comporte un certain nombre de circonscriptions, qui varie essentiellement selon le nombre d'habitants.

Le tableau suivant présente la répartition des sièges de la Chambre des communes après les élections fédérales de 2008, selon les provinces ou les territoires.

Les députés siégeant à la Chambre des communes

	Parti conservateur du Canada	Parti libéral du Canada	Bloc québécois	Nouveau Parti démocratique	Indépendants et autres
Terre-Neuve-et-Labrador	0	6	0	1	0
Île-du-Prince-Édouard	1	3	0	0	0
Nouvelle-Écosse	3	5	0	2	1
Nouveau-Brunswick	6	3	0	1	0
Québec	10	14	49	1	1
Ontario	51	38	0	17	0
Manitoba	9	1	0	4	0
Saskatchewan	13	1	0	0	0
Alberta	27	0	0	1	0
Colombie-Britannique	22	5	0	9	0
Yukon	0	1	0	0	0
Territoires du Nord-Ouest	0	0	0	1	0
Nunavut	1	0	0	0	0

Source : Statistique Canada, 2008.

Le chef de chacun des quatre partis officiels doit choisir au hasard une députée ou un député pour participer à un souper de bienfaisance où les quatre partis seront représentés. Quel parti présente la probabilité la plus élevée de choisir une députée ou un député provenant de l'Ontario ? Explique ton raisonnement.

Vivre-ensemble et citoyenneté

Aux élections fédérales de 2008, seulement 58,8 % des électeurs inscrits sur les listes électorales ont voté. Pour leur part, les Québécois ont exercé leur droit de vote dans une proportion de 61,7 %. Que penses-tu de ces taux de participation ? Selon toi, quelles sont les conséquences d'un faible taux de participation aux élections ? Pour quelles raisons les personnes ayant le droit de vote peuvent-elles décider de ne pas aller voter ?

Pas de fumée sans feu !

Le **tableau à double entrée** suivant met en relation le nombre de personnes âgées de 12 à 19 ans ayant déclaré faire l'usage du tabac au Canada, en 2008, et le sexe de ces personnes. Les données ont été arrondies au millier près.

Les jeunes et l'usage du tabac au Canada

	Garçons (× 1 000)	Filles (× 1 000)	Total (× 1 000)
Fumeurs (× 1 000)	217	167	384
Non-fumeurs (× 1 000)	1 559	1 522	3 081
Total (× 1 000)	1 776	1 689	3 465

Adapté de : Statistique Canada, 2008.

Tableau à double entrée

Tableau permettant d'organiser les données d'une distribution à deux caractères, dans lequel le premier caractère est placé en entrée ligne et le deuxième, en entrée colonne.

A Si on choisit au hasard une personne de cette distribution, quelle est la probabilité de choisir :

   1) un garçon ?

   2) une personne qui fait l'usage du tabac ?

   3) une fille non fumeuse ?

B Parmi les personnes ayant déclaré ne pas faire l'usage du tabac :

   1) combien sont des filles ?

   2) quelle est la probabilité qu'une personne choisie au hasard soit une fille ?

C Quelle est la probabilité de choisir :

   1) un garçon, sachant que cette personne fait l'usage du tabac ?

   2) une personne qui fait l'usage du tabac, s'il s'agit d'un garçon ?

D Soit les événements suivants.

> A = {Choisir un garçon}
> B = {Choisir une personne qui fait l'usage du tabac}

Probabilité conditionnelle

Probabilité qu'un événement se réalise alors que l'on connaît le résultat d'un autre événement. La probabilité conditionnelle que l'événement B se réalise, sachant que l'événement A s'est réalisé, est notée P(B|A).

Représente les deux **probabilités conditionnelles** calculées en **C** à l'aide de la notation appropriée.

E Comment peux-tu calculer P(B|A) à l'aide d'un tableau à double entrée ?

Le diagramme de Venn ci-dessous décrit les liens entre les événements A et B. Les nombres représentent la quantité de personnes dans chaque partie de l'ensemble.

Les jeunes et l'usage du tabac au Canada

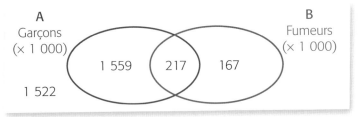

F À l'aide du diagramme, détermine P(A ∩ B). Que représente cette probabilité dans le contexte?

G À l'aide du diagramme, détermine P(A). Que représente cette probabilité dans le contexte?

H Calcule le rapport $\frac{P(A \cap B)}{P(A)}$. Que représente-t-il dans le contexte? As-tu déjà effectué ce calcul précédemment?

I Comment peux-tu calculer P(B|A) à l'aide d'un diagramme de Venn?

J Quelles conclusions peux-tu tirer de la comparaison des réponses aux calculs des deux probabilités conditionnelles suivantes: P(B|A) et P(A|B)?

K Compare le tableau à double entrée et le diagramme de Venn pour le calcul d'une probabilité conditionnelle. Quelles conclusions peux-tu en tirer?

Ai-je bien compris?

1. Le tableau ci-contre présente les résultats d'un test diagnostique effectué sur un échantillon de 640 personnes.

   a) Reproduis et complète ce tableau à double entrée.

   b) Quelle est la probabilité qu'une personne soit diagnostiquée négative alors qu'elle est diabétique?

   c) Quelle est la probabilité qu'une personne soit non diabétique, sachant qu'elle a été diagnostiquée positive?

Les résultats au test diagnostique

	Positif	Négatif	Total
Diabétique		20	
Non-diabétique	15		
Total		480	

2. Un fabricant de patins à glace teste 80 paires de patins. Le diagramme de Venn ci-contre présente les résultats des tests. Les nombres représentent la quantité de paires de patins dans chaque partie de l'ensemble.

   En supposant qu'on choisit une paire de patins au hasard parmi les 80 paires testées, quelle est la probabilité de choisir une paire de patins dont:

   a) une lame est défectueuse, sachant qu'une bottine est endommagée?

   b) une bottine est endommagée alors qu'une lame est défectueuse?

   c) aucune bottine n'est endommagée, sachant qu'aucune lame n'est défectueuse?

Les patins défectueux

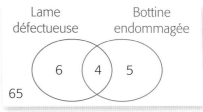

Le jeu de cartes

- **Diagramme en arbre**
- **Événements dépendants et indépendants**

Josiane étudie les probabilités à l'aide d'un jeu de 52 cartes. Elle tire une carte et note sa couleur (rouge ou noire). Sans remettre la carte dans le paquet, elle tire une deuxième carte et note sa couleur.

A Reproduis le diagramme en arbre suivant et indique les probabilités sur chacune des branches. Complète ensuite le calcul des probabilités de réalisation de chaque résultat de l'expérience aléatoire.

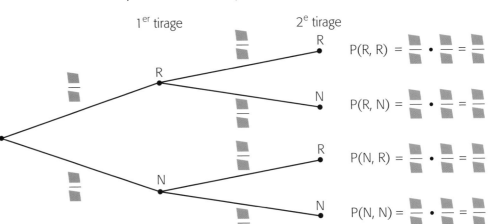

1er tirage   2e tirage

$P(R, R) = \dfrac{}{} \cdot \dfrac{}{} = \dfrac{}{}$

$P(R, N) = \dfrac{}{} \cdot \dfrac{}{} = \dfrac{}{}$

$P(N, R) = \dfrac{}{} \cdot \dfrac{}{} = \dfrac{}{}$

$P(N, N) = \dfrac{}{} \cdot \dfrac{}{} = \dfrac{}{}$

B Quelle est la probabilité de tirer une carte rouge au deuxième tirage, sachant qu'au premier tirage on a tiré une carte :

1) rouge?

2) noire?

C Est-ce que le résultat obtenu au premier tirage influe sur la probabilité du résultat qu'on peut obtenir au deuxième tirage? Pourquoi?

Deux événements A et B sont **dépendants** lorsque la réalisation de l'un influe sur la probabilité de réalisation de l'autre, c'est-à-dire si et seulement si $P(B|A) \neq P(B)$. Ils sont **indépendants** lorsque la réalisation de l'un n'influe pas sur la probabilité de réalisation de l'autre, c'est-à-dire si et seulement si $P(B|A) = P(B)$.

Soit les événements suivants.

> A = {Tirer une carte rouge au premier tirage}
>
> B = {Tirer une carte rouge au deuxième tirage}

D Dans le cadre d'un tirage sans remise, est-ce que :

1) les événements A et B sont dépendants ou indépendants ?
2) $P(B|A) = P(B)$?

E Si Josiane remet la première carte tirée dans le paquet avant de tirer la seconde carte, (tirage avec remise), est-ce que :

1) les événements A et B sont dépendants ou indépendants ?
2) $P(B|A) = P(B)$?

Ai-je bien compris ?

1. Un couple désire avoir deux enfants. On suppose que le sexe de l'enfant est aléatoire à chaque grossesse.

a) Soit les événements A = {Avoir une fille comme premier enfant} et B = {Avoir une fille comme deuxième enfant}. Est-ce que les événements A et B sont dépendants ou indépendants ?

b) Quelle est la probabilité que ce couple ait deux enfants du même sexe ?

c) Quelle est la probabilité que le deuxième enfant de ce couple soit une fille, si le premier enfant est un garçon ?

2. Le tiroir d'une commode contient huit bas bleus et quatre bas gris. Soit l'expérience aléatoire qui consiste à tirer, sans remise, deux bas du tiroir et à en noter la couleur.

a) Quelle est la probabilité de tirer un bas bleu au deuxième tirage, sachant qu'on a tiré :

1) un bas gris au premier tirage ?
2) un bas bleu au premier tirage ?

b) Soit les événements A = {Tirer un bas bleu au premier tirage} et B = {Tirer un bas gris au deuxième tirage}.

1) Est-ce que les événements A et B sont dépendants ou indépendants ?
2) Calcule $P(B|A)$.

Le dé à huit faces

- **Événements dépendants et indépendants**
- **Événements mutuellement exclusifs et non mutuellement exclusifs**

Originaire de l'Inde, Mohan fait découvrir un jeu de dés à son ami Maxime. Pour y jouer, il faut un dé à huit faces, numérotées de 1 à 8, qui a la forme d'un octaèdre régulier. À ce jeu, on marque ou on perd des points selon le résultat qu'on obtient. La première personne qui atteint 100 points remporte la partie.

Au cours du jeu, les deux garçons s'intéressent aux événements suivants.

> A = {Obtenir un nombre pair}
> B = {Obtenir un multiple de 3}
> C = {Obtenir un multiple de 4}

A Construis le diagramme de Venn de ces trois événements.

B Détermine :
1) P(A)   **3)** P(A ∩ B)   **5)** P(A) • P(B)
2) P(B)   **4)** P(B|A)   **6)** P(A) • P(B|A)

C Compare les résultats des probabilités suivantes. Qu'observes-tu ?
1) P(A ∩ B) et P(A) • P(B|A)
2) P(A ∩ B) et P(A) • P(B)

D Est-ce que les événements A et B sont indépendants ? Justifie ta réponse.

E Détermine :
1) P(C)   **2)** P(A ∩ C)   **3)** P(A) • P(C)   **4)** P(C | A)

F Compare les résultats des probabilités suivantes. Qu'observes-tu ?
1) P(A ∩ C) et P(A) • P(C|A)
2) P(A ∩ C) et P(A) • P(C)

G Est-ce que les événements A et C sont indépendants ? Justifie ta réponse.

Pour tous les événements A et B, dépendants ou indépendants,
P(A ∩ B) = P(A) • P(B|A).
Si les événements sont indépendants, alors
P(A ∩ B) = P(A) • P(B).
Si les événements sont dépendants, alors
P(A ∩ B) ≠ P(A) • P(B).

H Est-ce que les événements B et C sont dépendants ou indépendants? Justifie ta réponse.

I Est-ce que les **événements** suivants sont **mutuellement exclusifs** ou **non mutuellement exclusifs**?

1) A et B   **2)** A et C   **3)** B et C

> **Vivre-ensemble et citoyenneté**
>
> Un des ancêtres du jeu d'échecs est le «Chaturanga». Ce jeu, datant du Ve ou du VIe siècle et originaire de l'Inde, requérait des dés à 8 faces et un tablier de 8 cases sur 8 cases (l'échiquier actuel). Chacune des faces du dé correspondait à un type de pièce du jeu. Au début d'un tour, la face obtenue avec le dé indiquait la pièce à jouer. Le mot «Chaturanga» désignait les quatre composantes d'une armée indienne: éléphants, cavaliers, chars et fantassins. Dans de nombreux pays asiatiques, les dés sont depuis toujours un jeu très populaire.
>
> Nomme un autre jeu ou une coutume propre à un pays. Comment les jeux et les coutumes de certains pays nous enrichissent-ils en tant que citoyens?

> **Événements mutuellement exclusifs**
>
> Deux événements, A et B, sont **mutuellement exclusifs** s'ils ne peuvent pas se produire en même temps [$A \cap B = \varnothing$ alors $P(A \cap B) = 0$]. Ils sont **non mutuellement exclusifs** s'ils peuvent se produire en même temps [$A \cap B \neq \varnothing$ alors $P(A \cap B) \neq 0$].

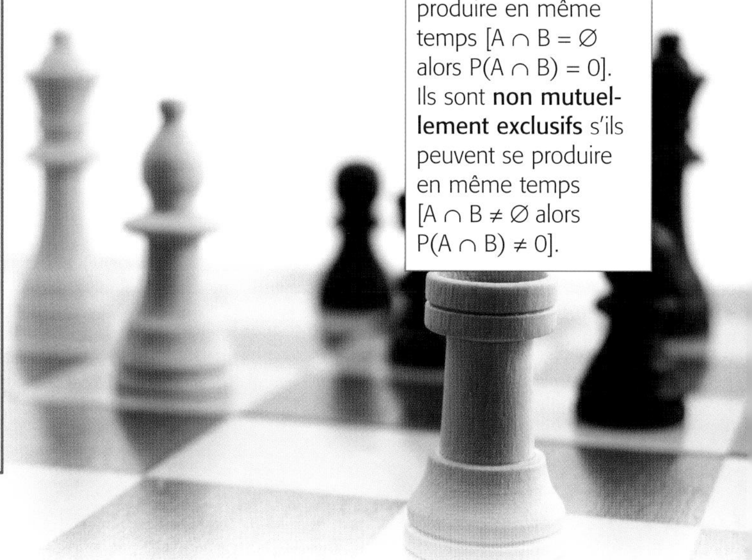

Ai-je bien compris?

1. Emmanuel tire une carte d'un jeu de 52 cartes. Il considère les événements suivants.

> A = {Tirer une carte de cœur}
> B = {Tirer une figure (valet, dame ou roi)}
> C = {Tirer une carte noire}

a) Est-ce que les événements suivants sont mutuellement exclusifs ou non mutuellement exclusifs? Justifie ta réponse dans chaque cas.

1) A et B   **2)** A et C   **3)** B et C

b) Est-ce que les événements suivants sont dépendants ou indépendants? Justifie ta réponse dans chaque cas.

1) A et B   **2)** A et C   **3)** B et C

2. Détermine $P(A \cap B)$ dans chaque cas ci-dessous si:

a) $P(A) = 0,3$ et $P(B \mid A) = 0,45$.

b) $P(A) = 0,6$ et $P(B) = 0,25$, A et B sont des événements indépendants.

c) $P(A) = 0,15$ et $P(B) = 0,65$, A et B sont des événements mutuellement exclusifs.

La probabilité conditionnelle

On appelle «probabilité conditionnelle» la probabilité qu'un événement se réalise, alors que l'on connaît le résultat d'un autre événement. Plusieurs outils mathématiques permettent de représenter une expérience aléatoire afin de déterminer la probabilité conditionnelle d'un événement.

Déterminer une probabilité conditionnelle dans une expérience aléatoire

Pour déterminer la probabilité qu'un événement B se réalise, sachant que l'événement A s'est réalisé dans une expérience aléatoire, il est possible d'utiliser un tableau à double entrée ou un diagramme de Venn.

La probabilité conditionnelle est donnée par $P(B|A) = \frac{P(A \cap B)}{P(A)}$, où $P(A \cap B)$ est la probabilité de l'intersection des deux événements et où $P(A) > 0$.

Exemple :

On a demandé à 32 élèves d'une classe leur préférence entre deux activités qui se pratiquent sur une pente : le ski alpin et la planche à neige.

Soit l'expérience aléatoire qui consiste à choisir au hasard une personne dans cette classe. On considère les événements A = {Choisir une fille} et B = {Choisir une personne qui préfère la planche à neige}.

> Si l'on choisit une personne au hasard et qu'il s'agit d'une fille, quelle est la probabilité qu'elle préfère la planche à neige?

On peut déterminer cette probabilité à l'aide du tableau à double entrée ou à l'aide du diagramme de Venn. Ces méthodes ne diffèrent que par leur présentation.

Déterminer une probabilité conditionnelle à l'aide du tableau à double entrée

Le tableau à double entrée suivant présente les préférences des 32 élèves de la classe.

Les sports de glisse

	Ski alpin	Planche à neige	Total
Garçons	5	9	14
Filles	10	8	18
Total	15	17	32

Sachant que la personne choisie est une fille, on tient uniquement compte de la rangée des filles dans le tableau à double entrée. La probabilité recherchée est donc $\frac{8}{18} = \frac{4}{9} \approx 44\%$, car le nombre de filles qui préfèrent la planche à neige est **8** et le nombre total de filles est **18**.

> La probabilité conditionnelle est notée $P(B|A)$. Elle peut aussi être notée $P_A(B)$. Ces notations se lisent «P de B sachant A».

Déterminer une probabilité conditionnelle à l'aide du diagramme de Venn

Voici la même situation modélisée à l'aide d'un diagramme de Venn.

Les sports de glisse

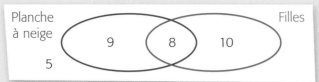

Dans ce diagramme, les nombres représentent la quantité de personnes dans chaque partie d'ensemble.

Sachant que la personne choisie est une fille, on tient uniquement compte de l'ensemble fille du diagramme de Venn. La probabilité recherchée est donc $\frac{8}{18} = \frac{4}{9} \approx 44\%$, car le nombre de filles qui préfèrent la planche à neige est 8 (l'intersection des deux ensembles) et le nombre total de filles est 18.

Déterminer une probabiltié conditionnelle à l'aide de la formule

À l'aide de la formule, on peut aussi calculer cette probabilité conditionnelle de la façon suivante.

$$P(B|A) = \frac{P(A \cap B)}{P(A)} = \frac{\frac{8}{32}}{\frac{18}{32}} = \frac{8}{18} = \frac{4}{9} \approx 44\%$$

Déterminer une probabilité conditionnelle dans une expérience aléatoire à plusieurs étapes

Dans une expérience aléatoire à plusieurs étapes, la probabilité qu'un événement se réalise compte tenu du résultat obtenu à l'étape précédente est une probabilité conditionnelle. Pour déterminer une probabilité conditionnelle dans le contexte d'une expérience aléatoire à plusieurs étapes, il peut être utile de construire un diagramme en arbre afin de représenter cette expérience.

Exemple :

Soit l'expérience aléatoire qui consiste à tirer, sans remise, deux billes d'une urne qui contient trois billes rouges et deux billes bleues, et à noter leur couleur.

Quelle est la probabilité de tirer une bille bleue au deuxième tirage, sachant qu'on a tiré une bille bleue au premier tirage ?

Le diagramme en arbre ci-dessous permet d'analyser cette expérience aléatoire.

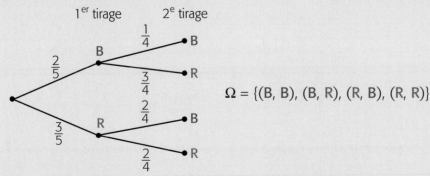

Dans cette expérience aléatoire, la probabilité de tirer une bille bleue au deuxième tirage après qu'on a tiré une bille bleue au premier tirage est de $\frac{1}{4}$.

Les événements dépendants et indépendants

Deux événements A et B sont dépendants lorsque la réalisation de l'un influe sur la probabilité de réalisation de l'autre, c'est-à-dire si et seulement si $P(B|A) \neq P(B)$. Ils sont indépendants lorsque la réalisation de l'un n'influe pas sur la probabilité de réalisation de l'autre, c'est-à-dire si et seulement si $P(B|A) = P(B)$.

Exemple :

Soit l'expérience aléatoire qui consiste à tirer, sans remise, deux billes de l'urne, une à une. On considère les événements suivants.

> A = {Tirer une bille bleue au premier tirage}
>
> B = {Tirer une bille bleue au deuxième tirage}

Dans cette expérience, les événements A et B sont dépendants, car le tirage est sans remise, donc $P(B|A) \neq P(B)$. Dans le cas d'un tirage avec remise, les événements A et B seraient indépendants, donc $P(B|A) = P(B)$.

Lorsqu'une expérience aléatoire ne contient qu'une étape, il n'est pas toujours évident de conclure à la dépendance ou à l'indépendance de deux événements. Dans ce cas, l'utilisation de la formule de la probabilité conditionnelle est très utile.

Lorsqu'on isole $P(A \cap B)$ dans l'équation $P(B|A) = \dfrac{P(A \cap B)}{P(A)}$, on obtient

$P(A \cap B) = P(A) \cdot P(B|A)$.

Cette équation est valable pour des événements dépendants ou indépendants.

Si deux événements A et B sont indépendants, alors $P(B|A) = P(B)$ et $P(A|B) = P(A)$.

On obtient alors $P(A \cap B) = P(A) \cdot P(B)$.

Si les événements sont dépendants, alors $P(A \cap B) \neq P(A) \cdot P(B)$.

> Deux événements A et B sont indépendants si et seulement si $P(A \cap B) = P(A) \cdot P(B)$.

Exemple :

Soit l'expérience aléatoire qui consiste à lancer un dé à six faces, numérotées de 1 à 6. On considère les événements suivants.

> A = {Obtenir un nombre pair}
>
> B = {Obtenir un nombre impair}
>
> C = {Obtenir un multiple de 3}

L'univers des résultats possibles pour chacun des événements est A = {2, 4, 6}, B = {1, 3, 5} et C = {3, 6}. Le diagramme de Venn suivant représente les liens entre les trois événements. Les nombres représentent des résultats distincts.

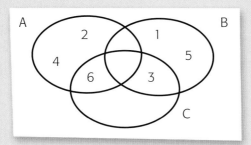

1) Les événements A et B sont dépendants, car P(A ∩ B) ≠ P(A) • P(B).

$$P(A \cap B) = 0 \quad \text{et} \quad P(A) \cdot P(B) = \frac{3}{6} \cdot \frac{3}{6} = \frac{9}{36} = \frac{1}{4}$$

2) Les événements A et C sont indépendants, car P(A ∩ C) = P(A) • P(C).

$$P(A \cap C) = \frac{1}{6} \quad \text{et} \quad P(A) \cdot P(C) = \frac{3}{6} \cdot \frac{2}{6} = \frac{6}{36} = \frac{1}{6}$$

Dans ce cas, $P(C|A) = P(C) = \frac{1}{3}$ et $P(A|C) = P(A) = \frac{1}{2}$.

3) Les événements B et C sont indépendants, car P(B ∩ C) = P(B) • P(C).

$$P(B \cap C) = \frac{1}{6} \quad \text{et} \quad P(B) \cdot P(C) = \frac{3}{6} \cdot \frac{2}{6} = \frac{6}{36} = \frac{1}{6}$$

Dans ce cas, $P(C|B) = P(C) = \frac{1}{3}$ et $P(B|C) = P(B) = \frac{1}{2}$.

Les événements mutuellement exclusifs et non mutuellement exclusifs

Deux événements A et B sont mutuellement exclusifs s'ils ne peuvent pas se produire en même temps [A ∩ B = Ø alors P(A ∩ B) = 0]. Ils sont non mutuellement exclusifs s'ils peuvent se produire en même temps [A ∩ B ≠ Ø alors P(A ∩ B) ≠ 0].

> Deux événements A et B incompatibles sont nécessairement mutuellement exclusifs.

Exemple :

Soit l'expérience aléatoire précédente qui consiste à lancer un dé à six faces, numérotées de 1 à 6.

1) Les événements A et B ne peuvent pas se produire en même temps. L'intersection des deux événements est l'ensemble vide et P(A ∩ B) = 0. Ils sont donc mutuellement exclusifs.

2) Les événements A et C peuvent se produire en même temps. L'intersection des deux événements contient le nombre {6}. La probabilité de l'intersection des événements est donc différente de zéro : P(A ∩ C) ≠ 0. Ils sont donc non mutuellement exclusifs.

3) Les événements B et C peuvent se produire en même temps. L'intersection des deux événements contient le nombre {3} alors P(B ∩ C) ≠ 0. Ils sont donc non mutuellement exclusifs.

Mise en pratique

1. Dans un groupe d'entraide, il y a 12 garçons et 18 filles. Parmi les 9 personnes qui possèdent une voiture, 4 sont des filles.

   a) Construis un tableau à double entrée représentant la situation.

   b) Quelle est la probabilité de choisir au hasard une personne dans ce groupe d'entraide :

      1) qui ne possède pas de voiture ?

      2) qui est une fille, sachant qu'elle possède une voiture ?

2. Pour chacune des expériences aléatoires suivantes, indique si les événements sont mutuellement exclusifs ou non mutuellement exclusifs.

Expérience aléatoire	Événements
a) Tirer une carte dans un jeu de 52 cartes.	A = {Tirer une figure} B = {Tirer un trèfle}
b) Tirer une carte dans un jeu de 52 cartes.	A = {Tirer un cœur} B = {Tirer une carte noire}
c) Lancer une pièce de monnaie deux fois et observer le côté obtenu.	A = {Obtenir deux fois le même côté} B = {Obtenir deux côtés différents}
d) Choisir au hasard deux élèves d'une classe mixte et noter le sexe de chacun.	A = {Choisir deux garçons} B = {Choisir un garçon au premier tirage}

3. Élizabeth lance un dé à six faces numérotées de 1 à 6. Dans le diagramme de Venn suivant, elle représente les événements A = {Obtenir un nombre pair} et B = {Obtenir un nombre supérieur ou égal à 3}. Dans ce diagramme, les nombres représentent des résultats distincts.

Le lancer d'un dé

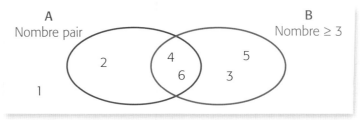

   a) Détermine :

      1) P(A)   3) P(A ∪ B)   5) P(A|B)

      2) P(B)   4) P(A ∩ B)   6) P(B|A)

   b) Est-ce que les événements A et B sont dépendants ou indépendants ? Justifie ta réponse.

   c) Est-ce que les événements A et B sont mutuellement exclusifs ou non ? Justifie ta réponse.

4. Amélie a quatre bas rayés et cinq bas bleus dans son tiroir. Elle tire deux bas, un à un, au hasard.

a) Construis un diagramme en arbre qui modélise cette expérience aléatoire.

b) Quelle est la probabilité qu'Amélie tire deux bas bleus?

c) Quelle est la probabilité qu'Amélie tire deux bas qui ne vont pas ensemble?

d) Les événements A = {Tirer un bas rayé au premier tirage} et B = {Tirer un bas rayé au deuxième tirage} sont-ils dépendants ou indépendants? Justifie ta réponse.

5. Soit une expérience aléatoire comportant deux événements A et B. On sait que P(A) = 0,4, P(B) = 0,7 et P(A ∩ B) = 0,15.

a) Détermine:

   1) P(A|B)   **2)** P(B|A)

b) Est-ce que les événements A et B sont:

   1) dépendants ou indépendants?

   2) mutuellement exclusifs ou non mutuellement exclusifs?

6. Si P(A) = 0,2 et P(B) = 0,8, détermine P(A ∪ B), sachant que les événements A et B sont indépendants.

7. Détermine P(A ∩ B) dans chaque cas. Si ce n'est pas possible, indique pourquoi.

a) P(A) = 0,5 et P(B) = 0,35, A et B sont des événements:

   1) indépendants;   **2)** dépendants.

b) P(A) = 0,9 et P(B|A) = 0,4, A et B sont des événements:

   1) indépendants;   **2)** dépendants.

c) P(A) = 0,15 et P(B) = 0,65, A et B sont des événements:

   1) mutuellement exclusifs;   **2)** non mutuellement exclusifs.

8. Lorsque Josée réussit un lancer franc au basket-ball, la probabilité qu'elle réussisse le lancer suivant est de 70 %. Lorsqu'un lancer est raté, son pourcentage de réussite au lancer suivant diminue de 25 %.

a) Quelle est la probabilité que Josée réussisse son deuxième lancer franc, sachant qu'elle a raté son premier?

b) Les événements A = {Réussir un lancer franc au premier lancer} et B = {Réussir un lancer franc au deuxième lancer} sont-ils dépendants ou indépendants? Justifie ta réponse.

c) Si le résultat du premier lancer n'influe pas sur la probabilité de réalisation du deuxième lancer, les événements A et B sont-ils dépendants ou indépendants? Justifie ta réponse.

9. Afin d'obtenir un emploi d'agente ou d'agent de police, il faut réussir plusieurs tests d'aptitudes autant physiques que mentales. Le diagramme de Venn suivant présente le nombre de candidats selon leur réussite aux trois tests d'aptitudes.

La réussite aux tests d'aptitudes

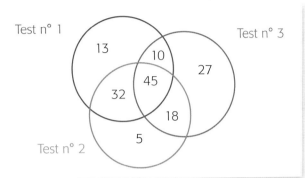

On choisit au hasard une personne parmi celles qui ont passé les tests d'aptitudes. Quelle est la probabilité de choisir une personne qui a réussi :

a) les trois tests ?

b) les tests numéros 1 et 2 seulement ?

c) un seul test ?

d) le test numéro 1, sachant qu'elle a réussi le test numéro 2 ?

e) le test numéro 3, sachant qu'elle n'a pas réussi le test numéro 2 ?

10. On tire deux billes d'une urne contenant cinq billes rouges, deux billes vertes et trois billes jaunes.

a) Au premier tirage, quelle est la probabilité de tirer une bille :

   1) rouge ?   **2)** verte ?   **3)** jaune ?

b) Dans un tirage avec remise, quelle est la probabilité de tirer une bille verte au deuxième tirage, sachant qu'au premier tirage on a tiré une bille :

   1) verte ?   **2)** jaune ?   **3)** rouge ?

c) Dans un tirage sans remise, quelle est la probabilité de tirer une bille rouge au deuxième tirage, sachant qu'au premier tirage on a tiré une bille :

   1) rouge ?   **2)** jaune ?   **3)** verte ?

d) Quelle est la probabilité de tirer deux billes de la même couleur si le tirage est :

   1) avec remise ?   **2)** sans remise ?

e) Dans un tirage sans remise, si l'on tire trois billes de l'urne, quelle est la probabilité de tirer :

   1) une bille de chaque couleur ?   **2)** trois billes de la même couleur ?

11. Selon un sondage effectué dans une ville, 60 % des répondants s'intéressent à la politique. On sait aussi que 45 % des répondants sont des femmes. Les événements A = {S'intéresser à la politique} et B = {Être une femme} sont indépendants.

a) Est-ce que les événements A et B sont mutuellement exclusifs ou non mutuellement exclusifs ?

b) Si on choisit au hasard une personne parmi les répondants, quelle est la probabilité que cette personne :

   1) s'intéresse à la politique, sachant que c'est une femme ?

   2) s'intéresse à la politique, sachant que c'est un homme ?

   3) soit un homme, alors qu'elle ne s'intéresse pas à la politique ?

12. On a fait un sondage auprès de 230 personnes. Le tableau suivant indique leur préférence quant à deux types de véhicules.

La préférence de véhicule

	Voiture sport	Berline	Total
Hommes	85	35	120
Femmes	45	65	110
Total	130	100	230

a) Si on choisit une personne au hasard parmi celles interrogées, quelle est la probabilité que cette personne :

    1) soit un homme ?   **3)** préfère les voitures sport ?

    2) soit une femme ?   **4)** soit un homme préférant les berlines ?

b) Si on choisit un homme au hasard, quelle est la probabilité qu'il préfère les voitures sport ?

c) Si on choisit une femme au hasard, quelle est la probabilité qu'elle préfère les berlines ?

d) Quelle est la probabilité de choisir un homme au hasard, sachant que cette personne préfère les berlines ?

e) Quelle est la probabilité de choisir une femme au hasard, sachant que cette personne préfère les voitures sport ?

f) Est-ce que les événements {Être un homme} et {Préférer les berlines} sont indépendants ou dépendants ? Justifie ta réponse.

13. De tous les partisans de l'équipe des Canadiens de Montréal, 65 % sont des hommes. Parmi ceux-ci, 25 % ont moins de 18 ans. Quelle est la probabilité de choisir parmi les partisans une personne de moins de 18 ans, sachant que c'est un homme ?

14. On a interrogé des élèves dans un gymnase. Le diagramme de Venn suivant montre le nombre d'élèves pratiquant deux sports.

Les sports pratiqués

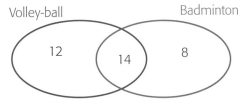

On choisit au hasard un élève parmi ceux interrogés. Quelle est la probabilité que cet élève pratique :

a) le volley-ball ?

b) uniquement le badminton ?

c) les deux sports ?

d) le volley-ball, sachant qu'il pratique le badminton ?

e) le badminton, sachant qu'il pratique le volley-ball ?

f) le badminton, sachant qu'il ne pratique pas le volley-ball ?

15. Un sondage mené auprès de 500 personnes travaillant dans le domaine de la santé montre que 175 d'entre elles doivent porter un uniforme et que, de ce nombre, 125 sont des femmes. L'échantillon comporte 70 % de femmes. Parmi les personnes interrogées :

a) quelle est la probabilité de choisir une femme qui n'est pas obligée de porter un uniforme ?

b) quelle est la probabilité de choisir une femme, sachant que cette personne doit porter un uniforme ?

c) quelle est la probabilité de choisir une personne qui doit porter un uniforme, sachant que c'est un homme ?

16. Au Canada, il y a deux langues officielles : le français et l'anglais. Le tableau suivant présente la population canadienne selon la connaissance des langues officielles, par province et territoire.

Les langues officielles du Canada

	Anglais seulement	Français seulement	Anglais et français	Ni anglais ni français
Terre-Neuve-et-Labrador	475 985	90	23 675	850
Île-du-Prince-Édouard	116 990	60	17 100	55
Nouvelle-Écosse	805 690	1 000	95 010	1 385
Nouveau-Brunswick	405 045	73 750	240 085	765
Québec	336 785	4 010 880	3 017 860	70 375
Ontario	10 335 705	49 210	1 377 325	266 660
Manitoba	1 017 560	1 930	103 520	10 500
Saskatchewan	902 655	485	47 450	3 260
Alberta	2 990 805	2 200	222 885	40 470
Colombie-Britannique	3 653 365	2 070	295 645	123 305
Yukon	26 515	105	3 440	130
Territoires du Nord-Ouest	37 010	50	3 665	325
Nunavut	25 830	20	1 170	2 305

Source : Statistique Canada, 2006.

a) Selon ces données, la population de quelle province ou de quel territoire est la plus bilingue au Canada ?

b) Si on choisit une personne au hasard en Ontario, quelle est la probabilité qu'elle soit unilingue anglophone ?

c) Quelle est la probabilité de choisir une personne au hasard qui soit Québécoise, sachant qu'elle parle uniquement le français ?

d) Quelle est la probabilité de choisir une personne qui ne parle ni le français ni l'anglais, alors qu'elle réside en Alberta ?

Les procédures de vote

Des élections présidentielles  CD 3

Pour élire leur chef d'État, la France et le Ghana, un pays d'Afrique, utilisent un scrutin majoritaire uninominal à deux tours. Selon cette procédure, les électeurs votent une première fois pour une ou un des candidats qui se présentent. Celle ou celui qui recueille plus de la moitié des votes remporte l'élection. Si personne ne recueille plus de la moitié des votes, une seconde élection avec un nombre réduit de candidats a lieu. La candidate ou le candidat qui recueille le plus de votes à ce second tour remporte l'élection.

Les tableaux suivants présentent les résultats obtenus par les quatre candidats les plus populaires aux élections présidentielles de 2007 en France et de 2008 au Ghana pour les deux tours de scrutin.

Les résultats de l'élection présidentielle de 2007 en France

Candidat(e)	Premier tour		Second tour	
	Votes recueillis	Votes recueillis (%)	Votes recueillis	Votes recueillis (%)
Nicolas Sarkozy	11 448 663	31,18	18 983 138	53,06
Ségolène Royal	9 500 112	25,87	16 790 440	46,94
François Bayrou	6 820 119	18,57	–	–
Jean-Marie Le Pen	3 834 530	10,44	–	–

Les résultats de l'élection présidentielle de 2008 au Ghana

Candidat(e)	Premier tour		Second tour	
	Votes recueillis	Votes recueillis (%)	Votes recueillis	Votes recueillis (%)
Nana Akufo-Addo	4 159 439	49,13	4 480 446	49,77
John Atta-Mills	4 056 634	47,92	4 521 032	50,23
Paa Kwesi Nduom	113 494	1,34	–	–
Edward Mahama	73 494	0,87	–	–

Ton mandat consiste à analyser ces résultats. Qui remporte chacune des élections? Compare ces résultats avec ceux qui auraient été obtenus si la procédure de vote utilisée au moment de ces élections n'avait comporté qu'un seul tour. Explique les différences entre le premier et le second tour de ces élections.

Vivre-ensemble et citoyenneté

Au Canada, sous l'influence de la tradition britannique, la procédure de vote utilisée au moment des élections ne comporte qu'un tour. Cette procédure correspond au scrutin majoritaire uninominal à un tour. Les électeurs votent pour une seule candidate ou un seul candidat dans une circonscription; celle ou celui qui recueille le plus de votes dans une circonscription remporte l'élection. Le parti qui fait élire une majorité de candidats forme le gouvernement.

Selon toi, quels sont les avantages et les inconvénients de cette procédure de vote?

Le conseil des élèves

- Scrutin à la majorité et scrutin à la pluralité
- Vote par assentiment
- Scrutin proportionnel

Les élèves d'une école secondaire ont voulu se doter d'un conseil des élèves formé de 12 représentants afin de prendre part aux décisions concernant la vie scolaire. Ils ont organisé une élection à laquelle trois partis se sont présentés. Le jour de l'élection, chaque élève a voté pour l'un de ces partis. Le tableau suivant présente les résultats du vote.

Le conseil des élèves

Parti	Votes recueillis
Les sporticos démocrates	358
Les culturellos égalitaires	244
Les écolos progressistes	120

Scrutin à la majorité

Procédure de vote selon laquelle la candidate ou le candidat d'une élection qui recueille plus de la moitié des votes, soit la majorité absolue des votes, remporte l'élection.

A Si la procédure de vote utilisée est le **scrutin à la majorité**, est-ce qu'un parti remporte l'élection ? Si oui, lequel ? Si non, pourquoi ?

B Quel parti remporte l'élection selon le **scrutin à la pluralité** ? Justifie ta réponse.

C Le parti qui remporte l'élection selon le scrutin à la pluralité est-il représentatif de tous les choix des élèves de l'école ? Explique ton raisonnement.

Scrutin à la pluralité

Procédure de vote selon laquelle la candidate ou le candidat d'une élection qui recueille le plus de votes, soit la majorité relative des votes, remporte l'élection.

À la troisième année du deuxième cycle du secondaire, un second vote a eu lieu. Cette fois, la procédure de vote utilisée était le **vote par assentiment**. Le jour de l'élection, chaque élève a pu voter pour plus d'un parti. Le tableau suivant présente les résultats du vote.

Le conseil des élèves (second vote)

Parti	Votes recueillis
Les sporticos démocrates	95
Les culturellos égalitaires	101
Les écolos progressistes	72

Vote par assentiment

Procédure de vote qui consiste à voter pour autant de candidats de son choix. La candidate ou le candidat qui recueille le plus de votes remporte l'élection.

D Le parti qui remporte l'élection après ce second vote est-il le même qu'en **B** ? Si non, comment est-ce possible, selon toi ?

E Afin d'avoir un conseil qui forme un échantillon représentatif de tous les choix des élèves, la directrice de l'école propose d'élire les représentants selon le **scrutin proportionnel**. Reproduis et remplis le tableau suivant en déterminant le nombre de représentants de chacun des partis qui siègeront au conseil des élèves selon la proportion de votes qu'ils ont recueillis.

> **Scrutin proportionnel (répartition proportionnelle)**
> Procédure de vote qui assure une représentation à peu près équivalente au nombre de votes que recueille chaque parti au moment d'une élection.

Les représentants de chacun des partis qui siègeront au conseil des élèves

Parti	Votes recueillis	Nombre de représentants
Les sporticos démocrates	358	
Les culturellos égalitaires	244	
Les écolos progressistes	120	
Total	722	12

F Selon toi, quelle procédure de vote (scrutins à la majorité, à la pluralité ou proportionnel) est la plus appropriée pour élire les représentants du conseil des élèves ? Justifie ta réponse.

Ai-je bien compris ?

1. Le tableau ci-contre présente les résultats du vote de 75 élèves quant à leur activité estivale préférée. Chaque élève ne pouvait voter que pour une seule activité.

   a) Si la procédure de vote utilisée est le scrutin à la majorité, est-ce qu'une activité remporte le vote ? Si oui, laquelle ? Si non, pourquoi ?

   b) Quelle activité estivale est la préférée des élèves selon le scrutin à la pluralité ? Justifie ta réponse.

   c) Selon toi, est-ce que le vote par assentiment est plus approprié que le scrutin à la pluralité pour déterminer quelles sont les trois activités estivales préférées des élèves ? Justifie ta réponse.

Les activités estivales préférées

Activité	Votes recueillis
Baignade et bronzage	12
Bicyclette	23
Patin à roues alignées	15
Sports nautiques	7
Sports terrestres	18

2. Dans une école secondaire, une enseignante désire former un groupe de discussion de 20 élèves afin d'étudier leurs habitudes alimentaires. Ce groupe devra être représentatif de l'ensemble des élèves de l'école quant à l'origine ethnique. Le tableau ci-contre présente les pourcentages des élèves de l'école selon leur origine.

   Combien d'élèves de chaque origine faut-il élire pour former le groupe de discussion ?

L'origine ethnique des élèves

Origine	Pourcentage
Québécoise	50
Asiatique	21
Latino-américaine	14
Européenne	10
Arabe	5

Le trophée

Chaque année, une école secondaire remet un trophée aux deux élèves, fille et garçon, s'étant le plus illustrés sur la scène sportive. Du côté masculin, le choix est sans équivoque, puisque Kevin est le seul garçon qui s'illustre à l'échelle provinciale dans son sport. Cependant, la compétition est vive du côté féminin, alors que Sheila, Caroline, Gania et Véronique réussissent très bien dans leur sport respectif. Afin de déterminer quelle athlète féminine remporte le trophée, cinq juges ont classé les quatre candidates selon leurs préférences. Le tableau suivant présente les résultats du vote.

L'attribution du trophée de l'athlète féminine de l'année

Choix	Juge 1	Juge 2	Juge 3	Juge 4	Juge 5
Premier choix	Sheila	Gania	Gania	Véronique	Véronique
Deuxième choix	Caroline	Sheila	Caroline	Caroline	Caroline
Troisième choix	Gania	Caroline	Véronique	Gania	Gania
Quatrième choix	Véronique	Véronique	Sheila	Sheila	Sheila

A Est-il possible de déterminer quelle athlète féminine remporte le trophée à l'aide des votes de premier choix? Justifie ta réponse.

B S'il y a lieu, suggère une façon de départager les *ex æquo*.

Afin de déterminer quelle athlète féminine remporte le trophée, le juge 1 propose d'utiliser la **méthode de Borda**. Cette procédure de vote consiste à attribuer quatre points pour un vote de premier choix, trois points pour un vote de deuxième choix, deux points pour un vote de troisième choix et un point pour un vote de quatrième choix. L'athlète qui recueille le plus de points remporte le trophée.

Méthode de Borda

Procédure de vote qui consiste à attribuer des points à tous les candidats d'une élection selon les préférences des votants. La candidate ou le candidat qui recueille le plus de points remporte l'élection.

C Quelle athlète féminine remporte le trophée selon la méthode de Borda? Justifie ta réponse.

Étant donné que les résultats du vote sont serrés, la juge 2 propose d'utiliser plutôt le **critère de Condorcet** pour déterminer quelle athlète féminine remporte le trophée.

Critère de Condorcet

Procédure de vote qui consiste à confronter «un à un» les candidats d'une élection. La candidate ou le candidat qui sort vainqueur de toutes ses confrontations remporte l'élection.

D À l'aide des préférences des cinq juges, détermine qui remporte chacune des confrontations suivantes : Sheila-Gania, Sheila-Véronique, Sheila-Caroline, Gania-Véronique, Gania-Caroline et Véronique-Caroline. Quelle athlète féminine remporte le trophée selon le critère de Condorcet? Explique ton raisonnement à l'aide d'un graphe orienté.

E Selon toi, quelle procédure de vote (méthode de Borda ou critère de Condorcet) est la plus appropriée pour déterminer quelle athlète féminine remporte le trophée? Justifie ta réponse.

F Quels sont les avantages et les inconvénients de l'utilisation de la méthode de Borda et du critère de Condorcet comme procédures de vote?

G Selon toi, pourquoi n'y a-t-il aucun pays qui utilise la méthode de Borda ou le critère de Condorcet comme procédure de vote pour une élection?

Fait divers

En 2009, l'agence La Presse Canadienne a décerné à Sidney Crosby le titre de l'athlète de l'année au Canada. C'était la deuxième fois que Crosby méritait cet honneur, l'ayant aussi mérité en 2007. Ce scrutin est réalisé auprès des différents directeurs des sports des journaux et commentateurs de la radio et de la télévision à travers le Canada. Sidney Crosby a recueilli 248 points, dont 72 votes de premier choix. Pour sa part, Georges St-Pierre a récolté 78 points et 11 votes de premier choix pour terminer deuxième. Steve Nash a terminé troisième avec 38 points et 2 votes de premier choix.

Ai-je bien compris?

1. Le tableau suivant présente les résultats du vote de trois juges pour une compétition de plongeon.

La compétition de plongeon

Choix	Juge 1	Juge 2	Juge 3
Premier choix	Candidate 1	Candidate 2	Candidate 3
Deuxième choix	Candidate 3	Candidate 1	Candidate 1
Troisième choix	Candidate 2	Candidate 3	Candidate 2

a) Quelle candidate remporte la compétition selon la méthode de Borda? Justifie ta réponse.

b) Quelle candidate remporte la compétition selon le critère de Condorcet? Justifie ta réponse.

2. Après avoir assisté à un spectacle d'humour, 150 spectateurs ont indiqué leurs préférences quant à trois numéros du spectacle: Le camping, La banlieue et La ville. Le tableau suivant présente les résultats du vote des spectateurs. Ces derniers ont été regroupés selon leurs trois premiers choix.

Le spectacle d'humour

Choix	71 votants	40 votants	39 votants
Premier choix	Le camping	La ville	La banlieue
Deuxième choix	La banlieue	La banlieue	La ville
Troisième choix	La ville	Le camping	Le camping

a) Quel est le numéro préféré des spectateurs selon la méthode de Borda? Justifie ta réponse.

b) Quel est le numéro préféré des spectateurs selon le critère de Condorcet? Justifie ta réponse.

c) Quelle autre procédure de vote permet de déterminer quel est le numéro préféré des spectateurs si le critère de Condorcet ne le permet pas? Explique ton raisonnement.

Le championnat régional

Le responsable d'une association régionale de patinage de vitesse courte piste organise un championnat régional. Il doit déterminer dans quel aréna se tiendra ce championnat, parmi ceux où s'entraînent les patineurs des quatre clubs de la région. Le graphe ci-contre représente l'emplacement des quatre arénas de la région et la distance qui les sépare, en kilomètres.

Le responsable a demandé à tous les patineurs de classer les arénas selon leurs préférences. Le tableau suivant présente les quatre listes de préférences selon les résultats du vote de chaque club. Le pourcentage indiqué est le pourcentage des patineurs de l'association régionale.

Les arénas de la région

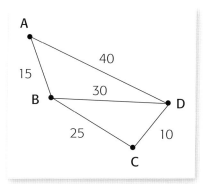

Vote préférentiel (vote par élimination)

Procédure de vote selon laquelle la candidate ou le candidat d'une élection qui recueille plus de la moitié des votes de premier choix (majorité absolue) remporte l'élection. Si aucune candidate et aucun candidat ne recueille plus de la moitié des votes de premier choix au premier tour, il faut éliminer celle ou celui qui en recueille le moins à chaque tour jusqu'à la déclaration d'une ou d'un vainqueur.

L'aréna hôte du championnat régional

Choix	Club A (40 %)	Club B (15 %)	Club C (31 %)	Club D (14 %)
Premier choix	Aréna A	Aréna B	Aréna C	Aréna D
Deuxième choix	Aréna B	Aréna A	Aréna D	Aréna C
Troisième choix	Aréna C	Aréna C	Aréna B	Aréna B
Quatrième choix	Aréna D	Aréna D	Aréna A	Aréna A

Le responsable de l'association régionale utilise le **vote préférentiel** pour déterminer dans quel aréna se tiendra le championnat régional. Selon cette procédure de vote, l'aréna qui recueille plus de la moitié des votes de premier choix remporte le vote.

A Est-ce qu'un des arénas recueille plus de la moitié des votes de premier choix ? Justifie ta réponse.

Si aucun aréna ne recueille plus de la moitié des votes de premier choix, il faut éliminer celui qui en recueille le moins et attribuer ses votes de premier choix à l'aréna qui arrive en deuxième position dans cette même liste de préférences. L'aréna qui recueille plus de la moitié des votes de premier choix après avoir compté de nouveau ces votes accueillera le championnat régional.

B Quel aréna faut-il éliminer pour ce vote ?

C Quel aréna arrive en deuxième position dans la liste de préférences de l'aréna éliminé ?

D Reproduis et remplis le tableau suivant. Ensuite, recompte le pourcentage de votes de premier choix. Y a-t-il un aréna qui remporte le vote?

L'aréna hôte du championnat régional (après la redistribution des votes)

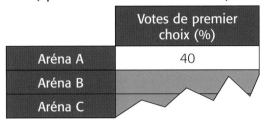

	Votes de premier choix (%)
Aréna A	40
Aréna B	
Aréna C	

Si aucun aréna ne recueille plus de la moitié des votes de premier choix, il faut répéter le processus jusqu'à ce qu'un aréna remporte le vote.

E Répète le processus afin de déterminer dans quel aréna se tiendra le championnat régional.

F Détermine, si c'est possible, dans quel aréna se tiendra le championnat selon les procédures de vote suivantes. Justifie tes réponses.

   1) Scrutin à la majorité   **3)** Méthode de Borda
   2) Scrutin à la pluralité   **4)** Critère de Condorcet

G Selon toi, quelle procédure de vote est la plus appropriée pour déterminer dans quel aréna se tiendra le championnat régional? Justifie ta réponse.

H Le responsable de l'association régionale souhaite minimiser le temps que mettront les patineurs de la région à se rendre à l'aréna où se tiendra le championnat régional. Quel critère pourrait-il établir pour déterminer où aura lieu ce championnat?

> Dans certains cas, la ou le vainqueur d'un vote peut varier selon la procédure de vote utilisée. C'est pourquoi il est important de choisir cette procédure en fonction de critères établis à l'avance.

Ai-je bien compris?

Une élection a eu lieu dans un club social afin d'élire une personne responsable du financement. Les votants ont classé les candidats selon leurs préférences. Voici les résultats du vote.

La personne responsable du financement

Choix	38 votants	29 votants	13 votants
Premier choix	Candidat 1	Candidate 2	Candidat 3
Deuxième choix	Candidate 2	Candidate 3	Candidate 2
Troisième choix	Candidat 3	Candidat 1	Candidat 1

a) Qui remporte l'élection selon le vote préférentiel? Justifie ta réponse.

b) La personne qui remporte l'élection selon le vote préférentiel remporte-t-elle l'élection selon le vote à la pluralité? Justifie ta réponse.

c) Selon toi, quelle procédure de vote (vote préférentiel ou scrutin à la pluralité) est la plus appropriée pour élire une personne responsable du financement? Justifie ta réponse.

Faire le  point

Les procédures de vote sont des outils qui permettent de prendre des décisions dans un contexte de choix social. Elles sont utilisées pour élire une ou un vainqueur parmi des candidats au moment d'une élection. Voici quelques procédures de vote.

Le scrutin à la majorité

Le scrutin à la majorité est une procédure de vote selon laquelle la candidate ou le candidat d'une élection qui recueille plus de la moitié des votes, soit la majorité absolue des votes, remporte l'élection.

Le scrutin à la pluralité

Le scrutin à la pluralité est une procédure de vote selon laquelle la candidate ou le candidat d'une élection qui recueille le plus de votes, soit la majorité relative des votes, remporte l'élection.

Exemple :

Les élèves de la troisième année du deuxième cycle d'une école secondaire ont voté pour leur activité préférée parmi quatre activités hivernales. Le tableau suivant présente les résultats du vote.

Les activités hivernales

Activité	Votes recueillis
Planche à neige	109
Ski alpin	147
Ski de fond	23
Raquette	66

Selon le **scrutin à la majorité**, aucune activité ne remporte le vote. Pour remporter le vote, une activité aurait dû recueillir 173 votes ou plus (sur 345).

Selon le **scrutin à la pluralité**, le ski alpin remporte le vote, car cette activité a recueilli le plus grand nombre de votes.

Le vote par assentiment

Le vote par assentiment consiste à voter pour autant de candidats de son choix. La candidate ou le candidat qui recueille le plus de votes remporte l'élection.

Remarque :

L'expression «scrutin plurinominal» désigne une élection où les électeurs votent pour plusieurs candidats à la fois par opposition au scrutin uninominal, où les électeurs votent pour une seule candidate ou un seul candidat à la fois.

Le scrutin proportionnel (répartition proportionnelle)

Le scrutin proportionnel est une procédure de vote qui assure une représentation à peu près équivalente au nombre de votes que recueille chaque parti au moment d'une élection. Pour nommer les candidats de chacun des partis, plusieurs méthodes existent.

Exemple :

Le tableau suivant présente les résultats du vote des étudiants d'un cégep pour l'élection de représentants à différents comités.

L'élection des représentants

Parti	Votes recueillis (%)
Le Parti plume	44 %
Le Parti vert	34 %
Le Parti jeune	22 %

Afin de former un comité représentatif du vote des étudiants, il faut déterminer le nombre de représentants de chaque parti qui siégeront sur ce comité. Ce nombre est calculé en fonction du pourcentage de votes recueillis par chaque parti.

Ainsi, selon le scrutin proportionnel :

– le Parti plume aura quatre représentants, car $\frac{44}{100} \cdot 9 = 3{,}96 \approx 4$;

– le Parti vert aura trois représentants, car $\frac{34}{100} \cdot 9 = 3{,}06 \approx 3$;

– le Parti jeune aura deux représentants, car $\frac{22}{100} \cdot 9 = 1{,}98 \approx 2$.

La méthode de Borda, le critère de Condorcet et le vote préférentiel

La méthode de Borda, le critère de Condorcet et le vote préférentiel (vote par élimination) sont des procédures de vote où les votants classent les candidats d'une élection selon leurs préférences.

La méthode de Borda

La méthode de Borda consiste à attribuer des points à tous les candidats d'une élection selon les préférences des votants. Par exemple, dans une lutte à quatre candidats, on peut attribuer quatre points pour un vote de premier choix, trois points pour un vote de deuxième choix, deux points pour un vote de troisième choix et un point pour un vote de quatrième choix. La candidate ou le candidat qui recueille le plus de points remporte l'élection.

Le critère de Condorcet

Le critère de Condorcet consiste à confronter « un à un » les candidats d'une élection. La candidate ou le candidat qui sort vainqueur de toutes ses confrontations remporte l'élection. Le critère de Condorcet ne permet pas toujours de déclarer une ou un vainqueur.

Point de repère

Borda et Condorcet

Le mathématicien et politologue français Jean-Charles de Borda (1733-1799) a proposé une méthode d'élection des membres de l'Académie des sciences en 1770. Le mathématicien Nicolas de Condorcet (1743-1794) a contesté cette procédure de vote et a plutôt présenté celle qu'il avait conçue. Borda et Condorcet ont joué un rôle prédominant relativement à la théorie du vote. Bien que ces méthodes portent le nom de ces deux hommes, elles ont été découvertes en grande partie par le philosophe Ramon Llull au XIIIe siècle.

Le vote préférentiel (vote par élimination)

Le vote préférentiel est une procédure de vote selon laquelle la candidate ou le candidat d'une élection qui recueille plus de la moitié des votes de premier choix (majorité absolue) remporte l'élection. Si aucune candidate et aucun candidat ne recueille plus de la moitié des votes de premier choix au premier tour, il faut éliminer celle ou celui qui en recueille le moins et attribuer ses votes de premier choix à la candidate ou au candidat qui arrive en deuxième position dans la liste de préférences de la personne éliminée. Après avoir recompté les votes de premier choix, il faut, s'il y a lieu, répéter le processus jusqu'à la déclaration d'une ou d'un vainqueur.

Exemple :

Le tableau suivant présente les préférences des élèves de la troisième année du deuxième cycle d'une école secondaire pour l'attribution du titre de l'enseignante la plus drôle ou de l'enseignant le plus drôle de l'école.

Les préférences des élèves

Choix	120 élèves	95 élèves	65 élèves
Premier choix	Monsieur Baril	Madame Martelle	Monsieur Paquet
Deuxième choix	Monsieur Paquet	Monsieur Paquet	Madame Martelle
Troisième choix	Madame Martelle	Monsieur Baril	Monsieur Baril

Si on utilise le **vote préférentiel**, on observe d'abord que personne ne recueille plus de la moitié des votes de premier choix. Il faut donc éliminer monsieur Paquet, car c'est lui qui recueille le moins de votes de premier choix, soit 65 votes. Les votes de premier choix de monsieur Paquet sont alors attribués à madame Martelle, car c'est elle qui arrive en deuxième position dans cette liste de préférences. Après la redistribution, monsieur Baril détient toujours 120 votes de premier choix tandis que madame Martelle en compte maintenant 160, car 95 + 65 = 160.

> Selon le vote préférentiel, c'est madame Martelle qui est l'enseignante la plus drôle de l'école.

Si on utilise la **méthode de Borda**, étant donné que la lutte se fait entre trois candidats, on attribue à chacun trois points pour un vote de premier choix, deux points pour un vote de deuxième choix et un point pour un vote de troisième choix. Le tableau suivant présente le nombre de points recueillis par les candidats.

Le nombre de points des candidats

Candidat(e)	Points recueillis
Monsieur Baril	520 points, car 120 • 3 + 95 • 1 + 65 • 1 = 520
Madame Martelle	535 points, car 120 • 1 + 95 • 3 + 65 • 2 = 535
Monsieur Paquet	625 points, car 120 • 2 + 95 • 2 + 65 • 3 = 625

> Selon la méthode de Borda, c'est monsieur Paquet qui est l'enseignant le plus drôle de l'école.

Si on utilise le **critère de Condorcet**, il faut confronter «un à un» les candidats d'une élection. Voici les résultats des confrontations.

– 160 élèves (95 + 65) préfèrent madame Martelle à monsieur Baril alors que 120 élèves préfèrent monsieur Baril à madame Martelle.

> – Madame Martelle sort donc vainqueur de cette confrontation.

– 160 élèves (95 + 65) préfèrent monsieur Paquet à monsieur Baril alors que 120 élèves préfèrent monsieur Baril à monsieur Paquet.

> – Monsieur Paquet sort donc vainqueur de cette confrontation.

– 185 élèves (120 + 65) préfèrent monsieur Paquet à madame Martelle alors que 95 élèves préfèrent madame Martelle à monsieur Paquet.

> – Monsieur Paquet sort donc vainqueur de cette confrontation.

Le graphe ci-contre représente l'ensemble des confrontations selon le critère de Condorcet. Les arêtes orientés (→) signifient «…l'emporte sur…».

> Selon le critère de Condorcet, c'est monsieur Paquet qui est l'enseignant le plus drôle de l'école.

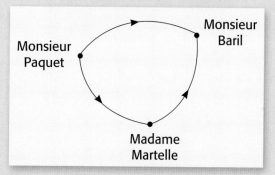

L'enseignante la plus drôle ou l'enseignant le plus drôle

Monsieur Paquet

Monsieur Baril

Madame Martelle

Le choix de la procédure de vote

Selon la procédure de vote utilisée, la ou le vainqueur d'une élection peut varier. Dans l'exemple précédent, où il s'agit d'attribuer un titre à une enseignante ou à un enseignant, les vainqueurs sont:

> – monsieur Paquet, selon la méthode de Borda ou le critère de Condorcet;
> – madame Martelle, selon le vote préférentiel;
> – monsieur Baril, selon le scrutin à la pluralité.

Du fait que la procédure de vote a une incidence sur la ou le vainqueur d'une élection, il est important de la choisir en fonction de critères établis à l'avance.

Mise en pratique

1. Les présentateurs de la radio étudiante d'une école secondaire ont voulu connaître les goûts des élèves en matière de musique. Dans le cadre d'un sondage, tous les élèves ont voté pour leurs styles de musique préférés et ont pu voter pour plus d'un style s'ils le désiraient. Le tableau ci-contre présente les résultats du vote.

   a) Quelle procédure de vote a été utilisée pour connaître les goûts musicaux des élèves de l'école?

   b) Les présentateurs ont décidé d'utiliser une représentation proportionnelle pour déterminer quel sera le style musical des neuf plages horaires de la radio étudiante. Combien de plages horaires de chaque style y aura-t-il à la radio étudiante?

Le sondage de la radio étudiante

Style de musique	Votes recueillis (%)
Pop	23 %
Danse	34 %
Rock	10 %
Classique	1 %
Métal	11 %
Techno	21 %

> Les arêtes orientés (→) signifient «... l'emporte sur... ».

2. Les graphes suivants représentent les résultats des confrontations entre des candidats au moment de trois élections selon le critère de Condorcet. Dans chaque cas, y a-t-il une ou un vainqueur? Si oui, de qui s'agit-il?

a) **La première élection**

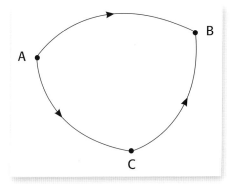

b) **La deuxième élection**

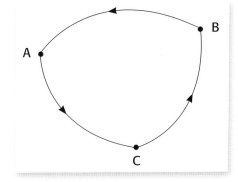

c) **La troisième élection**

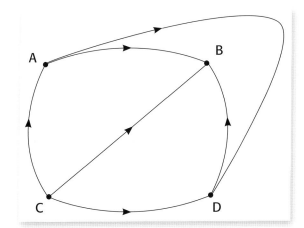

3. La finale de Secondaire en spectacle oppose quatre groupes de musique. Trois juges ont classé les groupes selon leurs préférences. Le tableau suivant présente les résultats du vote.

Les groupes de musique de la finale de Secondaire en spectacle

Groupe	Juge 1	Juge 2	Juge 3
Ça roule	Premier choix	Quatrième choix	Quatrième choix
Puissance cinq	Troisième choix	Premier choix	Troisième choix
Les éclatés	Deuxième choix	Deuxième choix	Deuxième choix
Les rêveurs	Quatrième choix	Troisième choix	Premier choix

a) Calcule le nombre de points que recueille chaque groupe selon la méthode de Borda. Justifie ta réponse.

b) Quel groupe remporte la finale de Secondaire en spectacle selon la méthode de Borda? Justifie ta réponse.

c) Trace un graphe orienté représentant les confrontations «un à un».

d) Quel groupe remporte la finale de Secondaire en spectacle selon le critère de Condorcet?

e) Les juges éliminent le groupe Les éclatés, car il ne recueille aucun vote de premier choix. Quel groupe remporte alors la finale de Secondaire en spectacle selon:

1) la méthode de Borda? Justifie ta réponse.

2) le critère de Condorcet? Justifie ta réponse.

4. Dans une foire, différentes personnes ont voté pour la cuisinière ayant préparé la meilleure des quatre tartes qu'elles ont goûtées. La vainqueur s'est vu attribuer le prix du Pâtissier d'or. Le tableau suivant présente les résultats du vote.

Le prix du Pâtissier d'or

Candidate	Votes recueillis
Madame Darveau	34
Madame Tran	67
Madame Gingras	103
Madame Mastrelli	51

a) Quelle cuisinière remporte le prix du Pâtissier d'or selon le scrutin à la pluralité? Justifie ta réponse.

b) Quelle cuisinière remporte le prix du Pâtissier d'or selon le scrutin à la majorité? Justifie ta réponse.

5. Les responsables d'un club de danse ont organisé une élection afin d'élire le couple de danseurs de l'année. Chaque membre du club a classé les couples de danseurs selon ses préférences. Le tableau suivant présente les résultats du vote.

Le couple de danseurs de l'année

Choix	28 membres	23 membres	17 membres	12 membres
Premier choix	Stéphane et Sara	Ricardo et Sandy	Antonio et Julia	Jean et Francine
Deuxième choix	Antonio et Julia	Stéphane et Sara	Stéphane et Sara	Ricardo et Sandy
Troisième choix	Ricardo et Sandy	Jean et Francine	Ricardo et Sandy	Antonio et Julia
Quatrième choix	Jean et Francine	Antonio et Julia	Jean et Francine	Stéphane et Sara

a) Est-ce qu'un couple recueille plus de la moitié des votes de premier choix ? Si oui, lequel ?

b) Élimine le couple qui recueille le moins de votes de premier choix et attribue ses votes de premier choix au couple qui arrive en deuxième position dans cette liste de préférences. Combien de votes de premier choix les couples restants recueillent-ils alors ?

c) Selon les résultats obtenus en **b**, est-ce qu'un couple recueille plus de la moitié des votes de premier choix ? Si oui, lequel ? Si non, répète le processus du vote préférentiel jusqu'à ce qu'un couple de danseurs remporte l'élection.

d) Quel couple remporte l'élection selon le vote préférentiel ?

e) Est-ce que le couple de danseurs qui remporte l'élection est le même selon qu'on utilise la méthode de Borda ou le vote préférentiel comme procédure de vote ? Explique ton raisonnement.

6. Les 182 amateurs de chocolat réunis pour une dégustation ont voté pour les chocolats qu'ils considèrent de qualité supérieure. Chaque amateur a voté pour autant de chocolats qu'il le désirait. Le tableau ci-contre présente les résultats du vote.

La dégustation de chocolats

Chocolat	Votes recueillis
Numéro 1	123
Numéro 2	104
Numéro 3	89
Numéro 4	132
Numéro 5	73

a) Quelle procédure de vote a été utilisée pour déterminer quels chocolats sont reconnus par les amateurs comme étant de qualité supérieure ?

b) Quel chocolat a recueilli le plus de votes ?

c) Sachant qu'un chocolat doit être préféré par plus de 55 % des 182 amateurs pour être reconnu de qualité supérieure, quels chocolats sont reconnus comme tels ?

7. Afin de combler la présidence d'un conseil d'administration, les 11 membres du conseil ont classé quatre candidats selon leurs préférences. Le tableau suivant présente les résultats du vote.

L'élection à la présidence

Choix	4 membres	4 membres	3 membres
Premier choix	Candidat B	Candidat C	Candidate A
Deuxième choix	Candidate A	Candidat B	Candidat D
Troisième choix	Candidat D	Candidat A	Candidat C
Quatrième choix	Candidat C	Candidate D	Candidat B

a) Le scrutin à la majorité permet-il d'élire une présidente ou un président? Justifie ta réponse.

b) Le scrutin à la pluralité permet-il d'élire une présidente ou un président? Justifie ta réponse.

c) Qui est élu à la présidence selon la méthode de Borda? Justifie ta réponse.

d) Utilise le critère de Condorcet pour déterminer qui est élu à la présidence du conseil d'administration. Pour ce faire, trace un graphe orienté en indiquant qui l'emporte sur qui pour chacune des confrontations. Le critère de Condorcet permet-il d'élire une présidente ou un président?

e) Qui est élu à la présidence selon le vote préférentiel? Justifie ta réponse.

8. Les membres d'une association ont voté pour une nouvelle trésorière ou un nouveau trésorier. Ils ont classé les quatre candidats à la trésorerie selon leurs préférences. Le tableau suivant présente les résultats du vote.

L'élection à la trésorerie

Choix	75 membres	87 membres	64 membres	39 membres	43 membres
Premier choix	M. Scott	M. Scott	M. Foglia	M. Foglia	Mme Tavi
Deuxième choix	Mme Tavi	Mme David	Mme Tavi	Mme David	Mme David
Troisième choix	Mme David	Mme Tavi	M. Scott	Mme Tavi	M. Scott
Quatrième choix	M. Foglia	M. Foglia	Mme David	M. Scott	M. Foglia

a) Détermine, si c'est possible, qui est la nouvelle trésorière ou le nouveau trésorier de l'association selon les procédures de vote suivantes. Justifie tes réponses.

   1) Scrutin à la majorité

   2) Scrutin à la pluralité

   3) Vote préférentiel

   4) Méthode de Borda

   5) Critère de Condorcet

b) Selon toi, quelle procédure de vote est la plus appropriée pour élire cette trésorière ou ce trésorier? Justifie ta réponse.

Vivre-ensemble et citoyenneté

Lorsqu'il faut procéder à un vote important dans une assemblée générale d'une association ou d'un autre regroupement légal, il doit d'abord y avoir quorum, c'est-à-dire qu'il doit y avoir un nombre minimal de personnes présentes pour que les décisions soient valables. Cependant, une personne peut donner une procuration à une autre personne afin qu'elle la représente au moment du vote.

Selon toi, pourquoi faut-il qu'il y ait quorum dans une assemblée pour tenir un vote?

9. Le comité responsable de la conception de l'album des finissants d'une école a voulu décerner des titres à des élèves, comme celui de «l'élève techno» ou «l'élève écolo». Afin de déterminer qui remporte ces titres, ils ont demandé aux élèves de leur école de classer les élèves en nomination selon leurs préférences sur un bulletin de vote. Les tableaux suivants présentent les résultats du vote dans ces deux catégories.

L'élève techno

Élève en nomination	32 votes	45 votes	67 votes	26 votes
Jean Lacaille	Troisième choix	Premier choix	Deuxième choix	Premier choix
Amed Ratouk	Deuxième choix	Troisième choix	Premier choix	Deuxième choix
Sylvie Phillips	Premier choix	Deuxième choix	Troisième choix	Troisième choix

L'élève écolo

Élève en nomination	23 votes	78 votes	32 votes	37 votes
Emanuel Ungaro	Premier choix	Premier choix	Troisième choix	Deuxième choix
Julie Beauregard	Troisième choix	Deuxième choix	Premier choix	Troisième choix
Anouk Phaneuf	Deuxième choix	Troisième choix	Deuxième choix	Premier choix

a) Détermine, si c'est possible, qui remporte le titre dans chacune des catégories selon les procédures de vote suivantes. Justifie tes réponses.

   1) Méthode de Borda

   2) Critère de Condorcet

   3) Vote préférentiel

b) Selon toi, quelle procédure de vote est la plus appropriée pour déterminer qui remporte ces titres? Justifie ta réponse.

10. Le comité organisateur du bal des finissants d'une école secondaire a demandé aux élèves de la troisième année du deuxième cycle de voter pour le repas qu'ils aimeraient consommer à la soirée du bal. Le comité a proposé trois repas aux finissants. Le jour du vote, chaque élève a classé les repas selon ses préférences. Le tableau suivant présente les résultats du vote.

Le repas de la soirée du bal des finissants

Repas	40 élèves	25 élèves	22 élèves	19 élèves	17 élèves	7 élèves
Aiguillette de volaille	Premier choix	Troisième choix	Deuxième choix	Troisième choix	Deuxième choix	Premier choix
Médaillons de boeuf	Deuxième choix	Premier choix	Premier choix	Deuxième choix	Troisième choix	Troisième choix
Carré de porc	Troisième choix	Deuxième choix	Troisième choix	Premier choix	Premier choix	Deuxième choix

a) Détermine, si c'est possible, quel repas sera servi au bal des finissants selon les procédures de vote suivantes. Justifie tes réponses.

1) Scrutin à la majorité

2) Scrutin à la pluralité

3) Vote préférentiel

4) Méthode de Borda

5) Critère de Condorcet

b) Selon toi, quelle procédure de vote est la plus appropriée pour déterminer quel repas sera servi au bal des finissants? Justifie ta réponse.

Consolidation

1. Le diagramme de Venn ci-dessous décrit les résultats possibles de trois événements lors d'une expérience aléatoire.

   a) Détermine :

      1) $P(A \cap B \cap C)$

      2) $P(B|A)$

      3) $P(A|C)$

   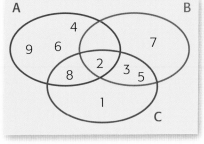

   b) Est-ce que les événements suivants sont mutuellement exclusifs ou non mutuellement exclusifs ?

      1) A et B   **2)** A et C   **3)** B et C

   c) Est-ce que les événements suivants sont indépendants ou dépendants ?

      1) A et B   **2)** A et C   **3)** B et C

2. La municipalité de Sainte-Ursule a fait un sondage pour connaître l'avis de ses citoyens à propos de deux projets : la construction d'un centre sportif et la construction d'un centre culturel. Le diagramme de Venn ci-contre présente le résultat du sondage. Les nombres représentent la quantité de personnes dans chaque partie de l'ensemble.

   On choisit au hasard une personne parmi les citoyens interrogés.

   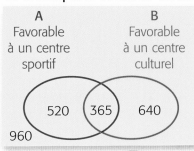

   La municipalité de Sainte-Ursule

   a) Calcule :

      1) $P(A)$ **3)** $P(A \cap B)$ **5)** $P(A|B)$

      2) $P(B)$ **4)** $P(A \cup B)$ **6)** $P(B|A)$

   b) Explique ce que représente chacune des probabilités calculées en **a** selon le contexte.

   c) Est-ce que les événements A et B sont :

      1) indépendants ou dépendants ?

      2) mutuellement exclusifs ou non mutuellement exclusifs ?

3. Soit deux événements indépendants A et B. Si $P(A) = 0,3$ et $P(B|A) = 0,5$, complète le diagramme de Venn suivant en indiquant la probabilité de réalisation de chacune des parties.

   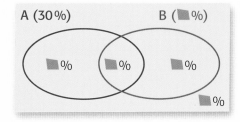

4. Étrange orange, j'en mange!

Parmi tous les admirateurs du groupe de musique Étrange orange, 85 % sont des jeunes de moins de 18 ans, et 45 % de ceux-ci sont des filles. On sait aussi que 5 % des admirateurs de ce groupe sont des garçons de 18 ans et plus. Parmi les admirateurs du groupe, quelle est la probabilité de choisir une personne de moins de 18 ans, sachant que c'est une fille?

5. Élection municipale

Quatre partis se présentent à une élection municipale. Il y a en tout huit sièges à pourvoir, donc huit conseillers municipaux à élire. Le tableau suivant donne les résultats du vote général.

L'élection municipale

Parti	A	B	C	D
Nombre de votes	44 446	34 256	12 227	2 643
Pourcentage des votes (%)	47,5	36,6	13,1	2,8

a) Quel parti l'emporte si la municipalité utilise:

   1) le scrutin à la majorité?

   2) le scrutin à la pluralité?

b) La municipalité comporte huit circonscriptions et c'est le scrutin à la pluralité qui a été utilisé. Voici la répartition actuelle des sièges.

La répartition des sièges

Parti	A	B	C	D
Sièges obtenus	7	1	0	0

   1) Comment peux-tu expliquer cette répartition?

   2) Si la municipalité avait choisi le mode de scrutin proportionnel, quelle aurait été la répartition des conseillers municipaux de chaque parti?

> Synonyme de procédure de vote, le mode de scrutin est utilisé pour élire une ou un vainqueur parmi des candidats au moment d'une élection.

6. État matrimonial

Le tableau suivant présente la répartition de la population canadienne selon le sexe et l'état matrimonial en 2007.

La population canadienne

	Hommes	Femmes
Célibataire	7 396 835	6 404 162
Marié	7 910 554	8 006 306
Veuf	312 357	1 261 098
Divorcé	712 531	972 183

Source: Statistique Canada, 2007.

Est-ce que la probabilité de choisir une personne mariée, sachant que cette personne est une femme, est plus grande que la probabilité de choisir une femme, sachant que cette personne est mariée? Explique ton raisonnement.

7. Le nouveau chef des opérations

À une élection pour le poste de chef de la direction des opérations, les membres du conseil d'administration doivent classer selon leur préférence les trois candidats qui ont postulé. Voici le résultat du vote.

Le résultat du vote à l'élection du chef de la direction des opérations

Choix	7 membres	5 membres	4 membres
Premier choix	Candidate A	Candidat B	Candidat C
Deuxième choix	Candidat C	Candidat C	Candidat D
Troisième choix	Candidat B	Candidat D	Candidat A
Quatrième choix	Candidat D	Candidat A	Candidat B

a) Qui l'emporte si la procédure de vote utilisée est :

   1) le vote préférentiel ?

   2) la méthode de Borda ?

   3) le critère de Condorcet ?

b) Le conseil d'administration décide d'utiliser un mode de scrutin majoritaire à deux tours. Seuls les deux candidats ayant obtenu le plus de votes de premier choix au premier tour participeront au deuxième tour. Quels candidats participeront au deuxième tour ?

8. Le voyage culturel

Un groupe d'élèves organise un voyage culturel. Dans le cadre d'une réunion du comité, trois propositions de destination sont présentées. Par la suite, tous les élèves participants doivent voter afin de faire connaître leurs préférences. Les résultats du vote apparaissent dans le tableau ci-dessous.

La destination préférée des élèves

Choix des destinations	12 élèves	5 élèves	6 élèves	4 élèves
Mexique	Premier choix	Troisième choix	Deuxième choix	Troisième choix
Italie	Troisième choix	Premier choix	Premier choix	Deuxième choix
France	Deuxième choix	Deuxième choix	Troisième choix	Premier choix

a) Pour chacune des procédures de vote ci-dessous, détermine si possible la destination qui l'emporte. Dans chaque cas, laisse les traces de ta démarche.

   1) Le scrutin à la majorité

   2) Le scrutin à la pluralité

   3) Le vote préférentiel

   4) La méthode de Borda

   5) Le critère de Condorcet

b) Selon toi, quelle procédure de vote faudrait-il utiliser afin de déterminer la destination préférée des élèves ? Explique ton raisonnement.

9. Relations d'aide

On a demandé aux élèves d'un groupe de nommer les relations d'aide qu'ils ont vécues au cours du mois dernier. Les élèves devaient nommer le type d'aide et leur lien avec l'autre personne. Ils devaient également préciser s'il s'agissait d'une aide donnée ou d'une aide reçue. Au total, on a compilé 260 relations d'aide. Les tableaux suivants présentent ces 260 relations d'aide selon le type d'aide d'abord, puis selon le lien avec la personne qui a donné ou reçu l'aide.

Les relations d'aide selon le type d'aide

	Aide donnée	Aide reçue
Soutien affectif	42	31
Aide pédagogique	32	28
Moyen de transport	0	45
Travaux et entretien ménagers	24	12
Garde d'enfants	34	0
Autres	8	4

Les relations d'aide selon le lien avec la personne

	Aide donnée	Aide reçue
Ami	78	68
Membre de la famille	42	38
Voisin	13	8
Autre personne	7	6

On choisit au hasard une relation d'aide parmi toutes celles données ou reçues.

a) Quelle est la probabilité :

1) que cette relation d'aide soit liée au soutien affectif ?

2) que cette relation d'aide ait été vécue avec une amie ou un ami ?

3) qu'il s'agisse d'une aide reçue d'un membre de la famille ?

b) Sachant que l'aide a été donnée par un des élèves du groupe, quelle est la probabilité :

1) qu'elle ait été donnée à une voisine ou à un voisin ?

2) qu'elle soit de type pédagogique ?

c) Quelle est la probabilité qu'une ou un élève ait reçu de l'aide, sachant qu'il s'agissait de garde d'enfants ?

d) Quelle est la probabilité que le type d'aide soit lié aux travaux et à l'entretien ménagers, sachant que l'élève a donné de l'aide ?

Vivre-ensemble et citoyenneté

En aidant les autres, on développe ses aptitudes sociales comme l'empathie et la compréhension. Le soutien affectif apporté à une amie ou un ami est une forme d'aide très courante chez les jeunes. Donne quelques exemples d'aide que tu as déjà reçue ou donnée dans le passé. Nomme d'autres façons d'apporter de l'aide à autrui.

10. L'âge des Québécois

Le tableau suivant présente la répartition de la population québécoise en 2008, en milliers de personnes, selon le groupe d'âge, par région administrative. Les données ont été arrondies au millier près.

La répartition de la population québécoise selon l'âge

	0 à 19 ans	20 à 39 ans	40 à 59 ans	60 ans et plus	Total
Abitibi-Témiscamingue	35	35	47	28	145
Bas-Saint-Laurent	41	45	66	50	202
Capitale-Nationale	134	181	212	153	680
Centre-du-Québec	53	56	70	51	230
Chaudière-Appalaches	91	99	126	86	402
Côte-Nord	23	24	32	18	97
Estrie	69	76	92	68	305
Gaspésie–Îles-de-la-Madeleine	19	19	33	25	96
Lanaudière	112	110	146	85	453
Laurentides	131	129	173	102	535
Laval	93	98	118	76	385
Mauricie	52	59	85	67	263
Montérégie	341	353	444	277	1 415
Montréal	382	585	528	382	1 877
Nord-du-Québec	15	12	10	4	41
Outaouais	84	93	114	61	352
Saguenay–Lac-Saint-Jean	60	64	90	61	275
Total	1 735	2 038	2 386	1 594	7 753

Sources : Statistique Canada et Institut de la statistique du Québec, 2008.

a) On choisit une personne au hasard au Québec en 2008. Quelle est la probabilité :

  1) qu'elle réside à Laval ?

  2) qu'elle ait entre 20 et 39 ans ?

  3) qu'elle ait entre 0 et 19 ans, alors qu'elle réside dans la région Gaspésie–Îles-de-la-Madeleine ?

  4) qu'elle réside en Outaouais, sachant qu'elle a 60 ans ou plus ?

b) Peut-on calculer la probabilité de choisir une personne qui réside dans Lanaudière, sachant qu'elle a entre 20 et 30 ans ? Si oui, quelle est cette probabilité ? Si non, pourquoi ?

11. La cible   **CD 1**

Dans une fête foraine, un jeu consiste à lancer deux fléchettes sur la cible représentée ci-dessous, où les dimensions sont en centimètres. On marque respectivement 25 points, 10 points et 5 points lorsqu'on atteint les régions rouge, jaune et verte de la cible. Les fléchettes qui n'atteignent aucune région sont lancées à nouveau jusqu'à ce que deux d'entre elles atteignent la cible. Le tableau suivant présente le gain associé au total de points marqués lors des deux lancers.

Les gains au jeu de fléchettes

Total des points	Gain ($)
50	500
35	100
30	50
20	5
15 et moins	0

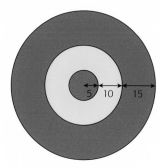

L'espérance mathématique d'un jeu de hasard est ce qu'on peut espérer gagner ou perdre en moyenne lorsqu'on joue à ce jeu un très grand nombre de fois. Pour en savoir plus, consulte les pages 398 et 399 de ce manuel.

Propose un coût de participation à ce jeu de telle sorte que les organisateurs ne perdent pas d'argent s'il y a un très grand nombre de participants. Justifie toutes les étapes de ta démarche.

12. Le don de soi   **CD 2**

Le tableau suivant présente la répartition des personnes qui ont répondu à un sondage sur le bénévolat selon le sexe et le groupe d'âge.

Les personnes sondées

	Hommes	Femmes
15 à 24 ans	10 %	8 %
25 à 34 ans	7 %	9 %
35 à 44 ans	12 %	13 %
45 à 54 ans	10 %	9 %
55 à 64 ans	6 %	7 %
65 ans et plus	5 %	4 %

Source : Statistique Canada, 2000.

Élodie affirme que si l'on choisit une personne au hasard parmi celles qui ont répondu au sondage, la probabilité de choisir un homme, sachant que cette personne a entre 45 et 54 ans, est plus grande que la probabilité de choisir une personne qui a entre 15 et 24 ans, sachant que c'est une femme. A-t-elle raison ou tort ? Justifie ton raisonnement à l'aide d'arguments mathématiques.

Vivre-ensemble et citoyenneté

Tout comme les bénévoles, les gens qui amassent des fonds pour des causes humanitaires font don de leur temps afin d'aider les autres. Terrance Stanley Fox (1958-1981), surnommé « Terry Fox », était un athlète canadien. À 19 ans, il a subi l'amputation d'une jambe à cause d'un cancer. En 1980, malgré sa jambe artificielle, il a décidé de traverser le Canada à la course afin d'amasser des fonds pour la recherche sur le cancer. Il a touché et inspiré des milliers de personnes pendant cette course qu'il a cependant dû interrompre en raison de problèmes de santé. Connais-tu des personnalités publiques qui donnent de leur temps pour une cause humanitaire ?

Selon toi, qu'est-ce qui motive une personnalité publique à s'engager dans ce type de cause ?

13. L'Assemblée nationale

Voici la répartition des sièges à l'Assemblée nationale du Québec pour la période de 1981 à 2008.

La répartition des sièges à l'Assemblée nationale du Québec

Élections générales	ADQ*	PÉ	PLQ	PQ	QS	Nombre de circonscriptions électorales
1981			42	80		122
1985			99	23		122
1989		4	92	29		125
1994	1		47	77		125
1998	1		48	76		125
2003	4		76	45		125
2007	41		48	36		125
2008	7		66	51	1	125

Source : Directeur général des élections du Québec (DGEQ), 2009.

*Légende : ADQ : Action démocratique du Québec ; PÉ : Parti égalité ; PLQ : Parti libéral du Québec ; PQ : Parti québécois ; QS : Québec solidaire

a) Parmi tous les députés siégeant alors à l'Assemblée nationale, quelle était la probabilité de choisir au hasard une députée ou un député du PQ :

1) en 1989 ?   **2)** en 1998 ?

b) Quelle est la probabilité de choisir au hasard une députée ou un député du PLQ sachant qu'elle ou il s'est fait élire :

1) en 1981 ?   **2)** en 2008 ?

c) Parmi les députés de l'ADQ ayant siégé à l'Assemblée nationale, quelle est la probabilité de choisir une personne élue :

1) en 2003 ?   **2)** en 2007 ?

Fait divers

Pour les élections provinciales du Québec, le territoire est divisé en plusieurs parties. Chaque partie est une circonscription et l'ensemble des circonscriptions compose la carte électorale. Le découpage de la carte électorale doit tenir compte de plusieurs facteurs, dont le principe d'équité, c'est-à-dire que chaque députée ou député doit représenter un nombre à peu près égal d'électeurs. C'est pourquoi la Commission de la représentation électorale (CRE) procède au redécoupage des circonscriptions à toutes les deux élections.

14. Une jeunesse active   CD 2

Dans un sondage effectué en 2008 au Canada auprès de la population âgée de 12 à 19 ans, 73 % des hommes et 58 % des femmes affirmaient faire de l'activité physique pendant leurs temps libres. S'il y avait 1 775 100 hommes et 1 688 900 femmes âgés de 12 à 19 ans au Canada en 2008, quelle est la probabilité de choisir une femme au hasard parmi cette population, sachant que cette personne ne pratique pas d'activité physique pendant ses temps libres?

15. Les élections législatives aux Pays-Bas   CD 3

Les Pays-Bas utilisent un mode de scrutin proportionnel dit « intégral », car il n'y a qu'une seule circonscription dans tout le pays. Le tableau suivant présente les résultats du vote aux élections législatives de 2006.

Les élections des Pays-Bas en 2006

Formations politiques	Nombre de votes (× 1 000)	Pourcentage de votes (%)	Nombre de sièges
L'Appel démocrate chrétien	2 608	26,5	41
Parti travailliste	2 085	21,2	33
Parti socialiste néerlandais	1 630	16,6	25
Parti populaire pour la liberté et la démocratie	1 443	14,6	22
Parti pour la liberté	579	5,9	9
Vert gauche	453	4,6	7
Union chrétienne	390	4,0	6
Démocrates '66	193	2,0	3
Parti politiquement réformé	153	1,6	2
Parti pour les animaux	179	1,8	2
Autres	120	1,2	0

Source : Adapté de Wikipédia, 2010.

Est-ce que le nombre de sièges de chacune des formations politiques est obtenu par une répartition proportionnelle de son pourcentage de votes? Explique ton raisonnement.

Vivre-ensemble et citoyenneté

Lorsqu'un parti détient la majorité des sièges au Parlement, c'est-à-dire un de plus que la moitié, il forme un gouvernement majoritaire. Dans ce cas, il peut gouverner pendant toute la durée de son mandat. Toutefois, lorsqu'un parti ne détient pas la majorité des sièges au Parlement, il forme un gouvernement minoritaire. Afin de faire adopter des projets de loi, il doit alors s'allier à un autre parti pour s'assurer la majorité des votes en chambre.

Selon toi, quel type de procédure de vote favorise la formation d'un gouvernement majoritaire au moment d'élections? Quel type de procédure de vote favorise la formation d'un gouvernement minoritaire? Dans les deux cas, explique pourquoi.

16. L'impact du mode de scrutin

Le résultat d'un vote peut différer selon le mode de scrutin utilisé. Ce dernier exerce forcément une influence sur la représentativité des différents groupes composant la société, notamment les femmes, les communautés culturelles, les nations autochtones, les régions, etc. Le tableau suivant présente le pourcentage de femmes élues dans des Parlements nationaux, au début de l'année 2010.

Les femmes au Parlement

Pays	Mode de scrutin	Sièges au Parlement	Femmes élues	Pourcentage de femmes au Parlement (%)
Suède	Répartition proportionnelle	349	162	46,4
Finlande	Répartition proportionnelle	200	80	40,0
Norvège	Répartition proportionnelle	169	67	39,6
Danemark	Répartition proportionnelle	179	68	38,0
Australie	Vote préférentiel	150	57	38,0
Espagne	Répartition proportionnelle	350	128	36,6
Nouvelle-Zélande	Mixte	122	41	33,6
Allemagne	Mixte	622	204	32,8
Autriche	Répartition proportionnelle	183	51	27,9
Portugal	Répartition proportionnelle	230	63	27,4
Suisse	Répartition proportionnelle	200	46	23,0
Canada	Majoritaire à un tour	308	68	22,1
Italie	Mixte	630	134	21,3
Royaume-Uni	Majoritaire à un tour	646	126	19,5
France	Majoritaire à deux tours	577	109	18,9
États-Unis	Majoritaire à un tour	435	73	16,8
Irlande	Répartition proportionnelle	165	23	13,9
Japon	Mixte	480	54	11,3

Source : Classement mondial, 2010.

a) En prenant comme exemple le cas des femmes au Parlement, détermine le mode de scrutin qui favorise une meilleure représentation des différents groupes minoritaires qui composent la société dans les Parlements nationaux. Explique ton raisonnement.

b) Sachant qu'une personne a été élue en Norvège, quelle est la probabilité qu'elle soit :

   1) un homme ?   2) une femme ?

c) Sachant qu'une personne a été élue dans un pays utilisant un mode majoritaire à un tour, quelle est la probabilité qu'elle soit :

   1) un homme ?   2) une femme ?

d) Sachant qu'une représentante a été élue dans un pays où le nombre de femmes au Parlement est supérieur ou égal à 30 %, quelle est la probabilité que ce pays utilise un mode de scrutin de répartition proportionnelle ?

17. Le paradoxe de Condorcet

C'est à Nicolas de Condorcet qu'on doit l'invention du critère de Condorcet. Il a cependant publié un essai dans lequel il explique que cette procédure de vote ne permet pas toujours de déterminer un vainqueur. C'est ce qu'on appelle le «paradoxe de Condorcet».

Ce dernier tient au fait qu'au moment d'une élection, il est possible qu'un groupe préfère A à B, qu'un autre groupe préfère B à C et qu'un troisième groupe préfère C à A.

Une façon de lever le paradoxe est d'utiliser une autre procédure de vote, comme la méthode de Borda ou le vote préférentiel.

Dans une assemblée générale, les 125 votants doivent indiquer leur préférence parmi trois propositions (A, B et C). Voici les résultats du vote.

> – 48 votants préfèrent, dans l'ordre, A à C et C à B.
> – 40 votants préfèrent, dans l'ordre, B à C et C à A.
> – 33 votants préfèrent, dans l'ordre, C à B et B à A.
> – 4 votants préfèrent, dans l'ordre, C à A et A à B.

Y a-t-il un vainqueur de Condorcet? Si oui, quelle proposition a été retenue?
Si non, utilise :

1) la méthode de Borda afin de déterminer un vainqueur ;

2) le vote préférentiel afin de déterminer un vainqueur.

18. Borda est-il constant ? **CD 2**

Afin de décerner le titre de l'athlète masculin de l'année, le personnel sportif d'une école doit voter pour quatre finalistes selon sa préférence. Voici le résultat du vote.

L'athlète de l'année

Candidat	Votes de première place	Votes de deuxième place	Votes de troisième place	Votes de quatrième place
1	6	5	4	2
2	5	7	4	1
3	3	3	6	5
4	3	2	3	9

Lorsqu'on utilise la méthode de Borda, le système de pointage utilisé pour calculer les points des candidats peut varier. Aurélie affirme que peu importe le système de pointage utilisé, le résultat sera toujours le même.

Valide la conjecture d'Aurélie à l'aide de quelques systèmes de pointage.

19. La soirée de remise des trophées de la LNH CD 2

Chaque année, la Ligue nationale de hockey (LNH) décerne le trophée Hart au joueur jugé le plus utile à son équipe et le trophée James Norris au meilleur défenseur de la ligue.

Les récipiendaires sont choisis par l'Association professionnelle de la presse écrite du hockey. Les votants doivent ordonner leurs cinq candidats préférés dans un système de vote qui accorde:

– 10 points à un vote de première place;
– 7 points à un vote de deuxième place;
– 5 points à un vote de troisième place;
– 3 points à un vote de quatrième place;
– 1 point à un vote de cinquième place.

Voici les résultats du vote pour les huit candidats ayant récolté le plus de points pour la saison 2008-2009 dans chacune des catégories.

Le trophée Hart 2008-2009

Joueur	Votes de première place	Votes de deuxième place	Votes de troisième place	Votes de quatrième place	Votes de cinquième place
Evgeni Malkin, PIT	12	71	27	9	8
Sidney Crosby, PIT	0	3	5	13	18
Alex Ovechkin, WSH	115	14	2	2	0
Pavel Datsyuk, DET	4	14	38	19	19
Steve Mason, CBJ	0	13	21	18	16
Tim Thomas, BOS	0	3	9	7	13
Zdeno Chara, BOS	2	3	2	8	4
Zach Parise, N.J.	0	5	20	31	29

Source: Ligue nationale de hockey (LNH), 2009.

Le trophée James Norris 2008-2009

Joueur	Votes de première place	Votes de deuxième place	Votes de troisième place	Votes de quatrième place	Votes de cinquième place
Mike Green, WSH	50	53	19	4	4
Zdeno Chara, BOS	68	36	18	4	0
Nicklas Lidstrom, DET	14	34	58	19	8
Shea Weber, NSH	0	4	11	25	28
Duncan Keith, CHI	0	2	4	14	19
Andrei Markov, MTL	0	1	9	10	13
Dan Boyle, S.J.	0	2	4	38	25
Mark Streit, NYI	0	0	1	5	9

Source: Ligue nationale de hockey (LNH), 2009.

Classe les candidats de chaque catégorie selon ce système de vote puis détermine les trois finalistes et le grand vainqueur. Laisse les traces de ta démarche.

20. L'élection présidentielle française de 2002 **CD 3**

Les élections présidentielles françaises se déroulent selon un mode de scrutin majoritaire à deux tours. À l'élection de 2002, il y avait 16 candidats et les 2 candidats les plus populaires sont passés au deuxième tour. Le tableau suivant présente le résultat de ce vote.

L'élection présidentielle française de 2002

Candidat	Votes recueillis au premier tour	Votes recueillis au deuxième tour
Jacques Chirac	5 665 855	25 537 956
Jean-Marie Le Pen	4 804 713	5 525 032
Lionel Jospin	4 610 113	
13 autres candidats	13 417 790	

Source : Conseil constitutionnel français, 2009.

Jacques Chirac, président français de 1995 à 2007, photographié en 2002.

Au premier tour, Jean-Marie Le Pen l'a emporté sur Lionel Jospin avec une mince avance de 194 600 votes. Alors que la lutte entre Jacques Chirac et Jean-Marie Le Pen, au deuxième tour, s'est avérée une formalité pour Chirac, celle qui aurait pu opposer Jospin à Chirac aurait été beaucoup plus serrée, selon les experts.

En effet, dans une commune de 10 000 habitants en banlieue de Paris, un groupe de chercheurs français a testé le vote par assentiment dans quelques bureaux de scrutin. Le tableau suivant compare les résultats obtenus pour les trois principaux candidats selon la méthode conventionnelle (majoritaire à deux tours, résultats du premier tour) et le vote par assentiment.

Le résultat de l'élection selon le vote par assentiment

Candidat	Votes recueillis selon le scrutin majoritaire au premier tour	Votes recueillis selon le vote par assentiment
Jacques Chirac	641	944
Jean-Marie Le Pen	328	378
Lionel Jospin	620	1 048

Sur la base des résultats de cette expérience uniquement, qui aurait été élu à la présidence française en 2002 ? Comment peux-tu expliquer les différences entre les résultats du premier tour et ceux du vote par assentiment ?

21. L'aide internationale **CD 3**

Pierre est travailleur social. Il est engagé par un organisme d'aide humanitaire œuvrant dans des projets d'aide internationale. Il est souvent appelé à se déplacer dans plusieurs pays afin de sensibiliser la population sur des questions d'hygiène et de nutrition.

La carte suivante présente l'aide internationale apportée et reçue en 2003 dans le monde.

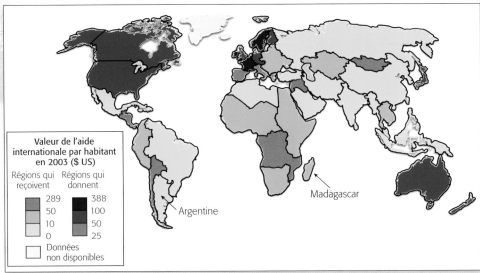

Adapté de : Banque mondiale, 2006.

L'organisme pour lequel Pierre travaille lui annonce qu'il fera partie d'une équipe de travail pour un projet à l'étranger. En supposant qu'il a autant de chances de se retrouver dans chacune des 25 régions de cette carte qui reçoivent de l'aide, détermine la probabilité conditionnelle la plus forte parmi les suivantes. Justifie ta démarche.

① La probabilité que Pierre travaille en Argentine, sachant qu'il travaille sur un projet dont la valeur de l'aide internationale reçue par habitant en 2003 était entre 0 et 10 $ US.

② La probabilité que Pierre travaille à Madagascar, sachant qu'il travaille sur un projet dont la valeur de l'aide internationale reçue par habitant en 2003 était supérieure à 10 $ US.

Vivre-ensemble et citoyenneté

En 2009, le gouvernement du Canada a adopté un plan qui oriente le travail de l'Agence canadienne de développement international (ACDI) autour de trois thèmes : accroître la sécurité alimentaire, favoriser une croissance économique durable et assurer un avenir aux enfants et aux jeunes. L'ACDI contribue à répondre aux besoins alimentaires des pays en développement en appuyant, entre autres, le Programme alimentaire mondial (PAM).

Donne un exemple d'aide humanitaire que tu pourrais apporter à des personnes autour de toi afin d'améliorer leur vie.

Le monde du travail

Le travail social

Les travailleurs sociaux interviennent auprès d'individus, de familles, de groupes ou de communautés afin de les aider à régler des problèmes d'ordre social. Ils analysent le problème et mettent en place des plans d'intervention en choisissant l'approche, le niveau d'intervention et les pratiques les plus appropriés à la problématique. Ces travailleurs peuvent être appelés à collaborer avec d'autres intervenants.

Les travailleurs sociaux peuvent œuvrer dans de nombreux domaines, notamment dans les milieux scolaire et hospitalier, dans les maisons de transition et les établissements carcéraux, au sein d'organismes communautaires et gouvernementaux. La clientèle des travailleurs sociaux varie selon le milieu d'intervention : il peut s'agir d'enfants, d'adolescents, de personnes âgées, de personnes vivant avec des dépendances à la drogue ou à l'alcool, de criminels, etc. Le type de clientèle influe sur les actions entreprises et le genre de suivi assuré par les travailleurs sociaux.

Une formation collégiale permet d'œuvrer en travail social à titre de technicienne ou de technicien en travail social. Il est aussi possible d'obtenir un diplôme universitaire. Pour porter le titre de travailleuse sociale ou de travailleur social au Québec, il faut être membre de l'Ordre professionnel des travailleurs sociaux du Québec. Pour exercer cette profession, il est important d'aimer travailler avec les gens. Il faut aussi pouvoir faire preuve de beaucoup d'ouverture face aux autres et de tolérance envers leurs valeurs et leurs croyances.

Nichoirs 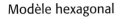 CD 1

Avec l'arrivée du printemps, les oiseaux s'occupent de construire leur nid, qui servira de lieu de ponte, de couvaison et d'élevage de leurs oisillons. Tu fais partie d'un club d'ornithologues amateurs qui compile une foule de statistiques sur les espèces d'oiseaux présentes dans ta région. Afin de pouvoir observer les oiseaux depuis ton balcon, tu décides de bâtir des nichoirs pour que des oiseaux viennent s'y installer.

D'après les statistiques compilées par les membres du club au fil des années, tu arrêtes ton choix sur trois modèles de nichoir équivalents de 2 000 cm^3 qui conviendraient aux trois espèces d'oiseaux de ta région : la sittelle à poitrine blanche, le merle bleu de l'Est et la mésange à tête noire. Voici une représentation de chaque modèle de nichoir : un prisme droit à base carrée, un prisme droit régulier à base hexagonale et un cylindre droit.

La sittelle
à poitrine blanche

Modèle carré	Modèle hexagonal	Modèle cylindrique

Ces modèles de nichoir sont faciles à réaliser, mais tu dois tenir compte de certaines contraintes au moment de leur construction. En fait, peu importe le modèle choisi, la hauteur du nichoir doit être d'au moins 16 cm et la largeur doit avoir un minimum de 10 cm.

De plus, toujours selon les statistiques compilées par le club d'ornithologues, il existerait des tendances dans les préférences des espèces pour les différents modèles de nichoir.

Ces statistiques se résument de la façon suivante.

- La mésange à tête noire préfère le modèle hexagonal. Deux mésanges sur trois s'installent dans ce type de nichoir. Une mésange sur quatre s'installe dans le modèle carré. Les autres choisissent le modèle cylindrique.

- Le merle bleu de l'Est préfère le modèle cylindrique. Deux merles sur trois le choisissent. Un merle sur quatre choisit le modèle carré et le reste des merles choisissent le modèle hexagonal.

- La sittelle à poitrine blanche préfère le modèle carré. Une sittelle sur deux s'y installe. Une sittelle sur six choisit le modèle cylindrique. Le reste des sittelles choisissent le modèle hexagonal.

Le merle bleu
de l'Est

Enfin, le taux de survie des oisillons, indépendamment de l'espèce, varie d'un modèle de nichoir à l'autre. Les observations du club d'ornithologues montrent que le modèle carré permet un taux de survie des oisillons de 90 %, que le modèle hexagonal permet un taux de survie de 70 % et que le modèle cylindrique permet un taux de survie de 60 %.

Ta tâche consiste à :

- déterminer, à l'aide des statistiques du club d'ornithologues, le modèle de chacun des nichoirs que tu construiras afin d'avoir les meilleures chances d'attirer un couple de chacune des espèces et de permettre aux oisillons d'atteindre l'âge adulte ;

- réaliser les plans à l'échelle des nichoirs à construire, un pour chaque espèce, en respectant toutes les contraintes. Dans tes calculs, tu ne dois pas tenir compte du trou de l'entrée ni de l'épaisseur du bois des nichoirs.

La mésange
à tête noire

Installation géométrique  CD 2

Guillermo est un artiste fasciné par l'équilibre, la symétrie, mais aussi par le symbolisme des figures géométriques et des solides. Il travaille sur une œuvre en laiton qu'il a intitulée *Égalité temporelle*. Il s'agit d'une balance parfaitement en équilibre sur laquelle on peut voir, d'un côté, un modèle réduit de la pyramide de Chéphren, située à Gizeh, en Égypte, et, de l'autre, un modèle réduit du Aon Center de Chicago, le cinquième plus haut gratte-ciel des États-Unis. Par cette œuvre, Guillermo veut symboliser la démesure des constructions humaines à deux époques bien différentes.

Voici une illustration de son installation.

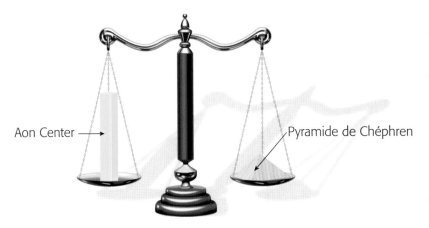

Aon Center ———→   Pyramide de Chéphren

Guillermo a travaillé avec des plans informatisés des solides de son œuvre afin de déterminer leurs dimensions exactes. C'est à partir de ces plans qu'il a fabriqué les moules qui ont servi à couler le laiton. Voici les deux solides que Guillermo a ainsi obtenus.

Prisme droit à base carrée

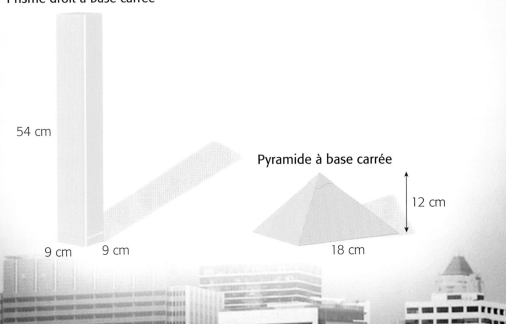

54 cm

9 cm   9 cm

Pyramide à base carrée

12 cm

18 cm

Cependant, il y a un problème, car, même si les deux pièces sont fabriquées avec le même matériau, le plateau de la balance n'est pas en équilibre : le gratte-ciel est plus lourd que la pyramide.

Guillermo pense qu'il a fait une erreur dans le calcul des dimensions de la pyramide. Puisqu'il utilise des logiciels de géométrie pour élaborer ses plans, il croit qu'il serait en mesure de modifier assez facilement les dimensions de la pyramide par une transformation géométrique.

Voici le plan de la pyramide de Chéphren. Dans ce plan, les dimensions sont en centimètres.

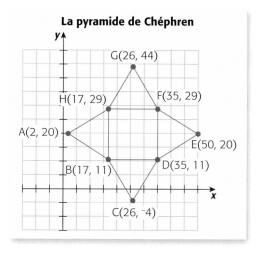

La pyramide de Chéphren

G(26, 44)
H(17, 29)   F(35, 29)
A(2, 20)   E(50, 20)
B(17, 11)   D(35, 11)
C(26, ⁻4)

La nouvelle pyramide doit être semblable à la première et avoir la même masse que le prisme représentant le gratte-ciel.

Est-il possible pour Guillermo de modifier les dimensions de la pyramide pour que les deux solides soient équivalents ? Si oui, établis la règle de la transformation géométrique à appliquer pour effectuer l'ajustement du plan de la pyramide. Si non, explique pourquoi.

Le plus grand film de superhéros du xxiᵉ siècle

Les superhéros, ces personnages fictifs de bandes dessinées qui possèdent des pouvoirs extraordinaires, fascinent depuis plusieurs décennies des millions de lecteurs. Leur très grande popularité a inspiré plusieurs réalisateurs et producteurs de cinéma. C'est ainsi que plusieurs histoires de superhéros ont été portées au grand écran.

Curieux de ce phénomène, un magazine culturel a demandé à des critiques de cinéma de choisir leurs trois films préférés parmi ceux énumérés ci-dessous. Les critiques de cinéma provenaient de trois grandes régions du monde, c'est-à-dire d'Amérique du Nord, d'Europe et d'Asie-Océanie.

(A) *Spider-Man* (2002)

(B) *Batman : le commencement*, V. F. de *Batman Begins* (2005)

(C) *X2*, V. F. de *X2 : X-Men United* (2003)

(D) *Le chevalier noir*, V. F. de *The Dark Knight* (2008)

(E) *Spider-Man 2* (2004)

En Asie-Océanie, les 148 critiques ont classé les films de la liste selon leurs préférences. Les résultats, compilés selon le critère de Condorcet, sont représentés par le graphe suivant. Le sens de la flèche d'un arc indique qu'un film a obtenu plus de votes que l'autre. Par exemple, B a obtenu plus de votes que A.

La compilation des résultats en Asie-Océanie selon le critère de Condorcet

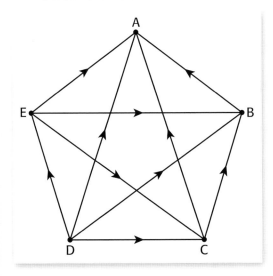

En Amérique du Nord, les 174 critiques ont attribué un rang à chaque film selon leurs préférences. La méthode de Borda servira à déterminer le classement des films selon les choix des critiques.

La compilation des choix des critiques en Amérique du Nord

Film	Premier choix	Deuxième choix	Troisième choix	Quatrième choix	Cinquième choix
A	2	4	10	49	109
B	4	10	20	80	60
C	50	35	60	24	5
D	78	45	36	15	0
E	40	80	48	6	0

En Europe, les 155 critiques ont tous choisi leurs trois films préférés sans les classer selon leurs préférences (vote par assentiment). Voici le nombre de votes recueillis par film selon cette procédure de vote.

La compilation des votes que chaque film a recueillis en Europe

Film	Votes recueillis
A	20
B	100
C	120
D	140
E	85

La direction du magazine te demande d'écrire une chronique sur les résultats de ce sondage. Ta chronique doit comprendre :

– une analyse des résultats dans les trois grandes régions du monde ;

– un classement des trois meilleurs films de superhéros du xxie siècle dans les trois grandes régions du monde confondues. Pour ce faire, utilise la procédure de vote qui t'apparaît la plus appropriée et explique ta démarche.

Problèmes

L'optimisation à l'aide de la programmation linéaire

1. Le chalet de Tanya

Tanya veut acheter un terrain au bord de l'eau pour y construire un chalet. Voici quelques renseignements qu'elle a pu obtenir au sujet des terrains et des chalets dans le secteur qui l'intéresse.

- *L'aire de chaque terrain à vendre ne dépasse pas 200 m².*
- *Tous les modèles de chalet ont une aire habitable d'au moins 40 m² au rez-de-chaussée.*
- *Une fois le chalet construit, il restera au moins 100 m² de terrain inoccupé, et ce, indépendamment du terrain et du modèle de chalet choisis.*
- *Le prix d'un terrain dépend de son aire et coûte 250 $ le mètre carré.*
- *Le prix d'un chalet dépend de son aire habitable et coûte 1 000 $ le mètre carré.*

Tanya veut payer entre 80 000 $ et 100 000 $ pour un terrain et un chalet. Selon les contraintes de la situation, quelle peut être la plus grande aire habitable de son chalet?

2. Cultiver ses tomates

Yohan aménage un potager de forme rectangulaire le long d'un mur de sa maison. Puisqu'il y a très peu d'espace libre sur son terrain, il veut que les dimensions de son potager respectent les contraintes suivantes.

- La largeur du potager sera d'au moins 2 m et d'au plus 3 m.
- La longueur du potager dépassera sa largeur de 3 à 5 m.
- La somme de la largeur et de la longueur du potager sera supérieure ou égale à 8 m.
- Le muret qui séparera le potager du reste du terrain mesurera au plus 12,5 m.

Voici une représentation du potager à aménager. Un côté long du potager touchera le mur de la maison.

Mur de la maison

Potager

Quelle est la longueur maximale que pourrait avoir le potager de Yohan?

3. Pourboires partagés

Maggy est serveuse. Dans le restaurant où elle travaille, un montant équivalent à 2 % du total des additions est remis aux cuisiniers. Cette somme est prélevée des pourboires que les clients laissent aux serveurs. Ainsi, pour chaque repas, le montant du pourboire qu'il reste à Maggy est donné par la règle $P = x - 0,02y$, où x représente le pourboire reçu, en dollars, et y, le montant de l'addition, en dollars.

En général, Maggy reçoit entre 25 $ et 40 $ de pourboire lorsque le montant total de l'addition se situe entre 150 $ et 180 $. Dans quel intervalle se situe alors le montant qu'il lui reste?

4. Publicité visible

Une entreprise qui fabrique et vend des piscines veut dépenser au maximum 10 000 $ pour une campagne publicitaire. Elle prévoit deux types de publicités: des publicités dans les journaux locaux et d'autres sur des panneaux publicitaires. De plus:

– l'entreprise prévoit qu'il y aura au moins 30 publicités en tout;
– une publicité dans un journal coûte 200 $ et une publicité sur un panneau coûte 500 $;
– l'entreprise veut faire paraître au moins 20 publicités dans les journaux et au moins 6 sur des panneaux.

Selon des estimations, 3 000 personnes voient une publicité dans un journal et 8 000 personnes voient une publicité sur un panneau.

Quelle stratégie l'entreprise devrait-elle adopter pour maximiser la visibilité de sa campagne publicitaire?

5. Investissement au centre de plein air

Les propriétaires d'un centre de plein air veulent renouveler leur stock de tentes. Ils projettent d'acheter des tentes à quatre places, à 470 $ chacune, et des tentes à huit places, à 750 $ chacune. Le nombre de tentes de chaque type qu'ils achèteront devra respecter les contraintes traduites par le système d'inéquations suivant.

$$\begin{cases} x - y \geq 3 \\ \quad\ 4 \leq y \leq 12 \\ x + y \leq 24 \\ x + 2y \geq 30 \end{cases}$$
x: le nombre de tentes à quatre places
y: le nombre de tentes à huit places

Quel est le coût minimal de cet achat?

6. Un déjeuner santé **CD 2**

Lilou observe le tableau de valeur nutritive apparaissant sur sa boîte de céréales.

Valeur nutritive		
	Pour 30 g de céréales	Pour 250 mL de lait 2 %
Calories	120	125
Lipides	1,8 g	5 g
Sodium	72 mg	150 mg
Glucides	18 g	12,5 g

Elle voudrait que son petit déjeuner de céréales et de lait lui permette d'absorber au moins 5,4 g de lipides, 288 mg de sodium et 34 g de glucides, soit 12 % de la quantité quotidienne recommandée de ces éléments nutritifs pour une fille de son âge. Lilou voudrait aussi minimiser le nombre de calories absorbées.

Quelles quantités de céréales et de lait Lilou devrait-elle manger pour respecter ces contraintes?

7. Une expédition planifiée

Gabriel et ses amis planifient leur prochaine expédition de canot-camping. Ils préparent minutieusement leur équipement et leur nourriture. Les quantités de nourriture sont prévues en fonction du poids des aliments, de leur coût et du nombre de personnes faisant partie de l'excursion.

Gabriel et ses amis prévoient deux types de repas : les repas standards, pesant 400 g chacun, et les repas lyophilisés, pesant 150 g chacun. De plus, les contraintes suivantes devront être respectées.

- Chaque membre de l'expédition consommera au moins six repas standards durant l'expédition.
- Chaque membre de l'expédition ne pourra pas transporter plus de 7,5 kg de nourriture.
- Chaque membre de l'expédition consommera au moins 30 repas.

Si un repas standard coûte 5,25 $ et un repas lyophilisé, 8,50 $, combien de repas de chaque type chacun des membres de l'expédition devrait-il emporter afin de minimiser le coût de la nourriture? Justifie ta réponse en donnant le coût total de la nourriture pour une personne.

Fait divers

La lyophilisation est un procédé de séchage des aliments qui permet de conserver leurs qualités nutritives. Les repas lyophilisés coûtent plus cher que les repas standards, mais sont moins lourds, donc plus facile à transporter.

8. Vivre en copropriété CD 2

Dans une copropriété, chaque propriétaire contribue aux frais de gestion de l'immeuble. Habituellement, ces frais sont les suivants.

> – Une cotisation au cahier des charges communes. Cette cotisation est établie en fonction de l'aire du condominium. Elle est exprimée en dollars par mètre carré. Ainsi, plus le condominium est grand, plus la cotisation est élevée.
> – Une cotisation au fonds de stationnement. Cette cotisation est identique pour tous les propriétaires, quelle que soit l'aire de leur condominium.

Pour établir les frais de gestion de la prochaine année, les membres du comité d'administration d'un immeuble de 60 condominiums établissent certaines contraintes. Celles-ci sont traduites par le système d'inéquations suivant.

$$\begin{cases} 5\ 000x + 60y \geq 15\ 000 \\ 200x + y \geq 460 \\ x \geq 1,5 \\ y \leq 150 \end{cases}$$

x : la cotisation au cahier des charges communes, en dollars par mètre carré

y : la cotisation au fonds de stationnement, en dollars

Pour simplifier le calcul des frais, le propriétaire d'un condominium dont l'aire est de 70 m² propose que les cotisations au cahier des charges communes et au fonds de stationnement soient jumelées. Selon lui, la cotisation totale aux frais de gestion serait alors de 3 $ le mètre carré. La propriétaire d'un condominium de 120 m² s'y oppose fermement.

Pourquoi la propriétaire s'oppose-t-elle à la proposition ? Justifie ta réponse en donnant la valeur des frais de gestion pour chacun de ces deux propriétaires selon :
– les contraintes des gestionnaires ;
– la proposition du propriétaire du condominium de 70 m².

La géométrie des figures planes

9. Des terrains équivalents pour de vrais jumeaux CD 2

Claire est propriétaire d'un terrain ayant la forme d'un triangle isocèle. Les côtés isométriques mesurent chacun 75 m et l'autre côté mesure 120 m. Stéphane, son frère jumeau, a acheté un terrain adjacent à celui de Claire. Les deux terrains ont le côté de 120 m en commun. L'un des deux autres côtés du terrain de Stéphane a une longueur de 60 m. Claire affirme que les deux terrains sont équivalents.

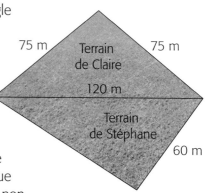

Les deux terrains peuvent-ils être équivalents ? Si oui, justifie ta réponse en donnant la mesure du troisième côté ainsi que la mesure de chacun des angles du terrain de Stéphane. Si non, explique pourquoi.

10. Le chien de monsieur Sigouin

Monsieur Sigouin a un chien qui garde son entrepôt. Le bâtiment est carré. Le chien est attaché à un mur du bâtiment avec une laisse de 10 m de longueur. Le point d'attache de la laisse est à une distance de 6 m d'un coin de l'entrepôt. La région hachurée représente la surface accessible au chien.

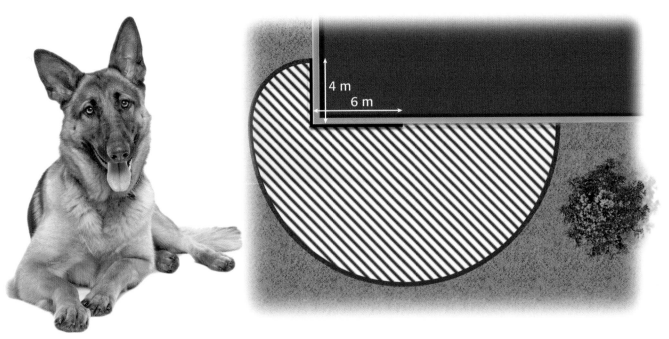

a) Si le point d'attache de la laisse se trouvait exactement au coin du bâtiment, quelle devrait être la longueur de la laisse pour que le chien ait accès à une zone équivalente?

b) Si monsieur Sigouin attachait son chien à 15 m du coin, le long du mur, quelle devrait être la longueur de la laisse pour que le chien ait accès à une zone équivalente?

11. La chambre de Geneviève   CD 2

La famille Kandinski vient d'acheter une nouvelle maison. Le sous-sol est une pièce rectangulaire de 9 m sur 10 m. Geneviève, l'aînée des enfants Kandinski, veut y aménager sa chambre. Ses parents sont d'accord et lui permettent d'utiliser 20 % de la surface du sous-sol à cette fin. Cependant, pour minimiser les coûts, ses parents lui demandent de faire en sorte que la longueur totale de la cloison qui sera construite pour délimiter sa chambre soit la plus courte possible.

Geneviève trace différents plans de sa future chambre. Dans chacun de ces plans, la cloison est formée d'un ou de deux murs droits. La plus petite longueur totale de cloison qu'elle a pu obtenir est de 8,75 m.

Est-il possible de réduire encore plus la longueur totale de la cloison en s'assurant qu'elle est formée d'un ou de deux murs droits seulement? Justifie ta réponse.

12. Un aller-retour

Un concepteur de jeux vidéo veut animer un objet pour une scène de son prochain jeu. L'objet, un trapèze rectangle, est représenté dans le plan cartésien ci-contre. L'animation est décrite par la suite de transformations géométriques présentées dans le tableau ci-dessous.

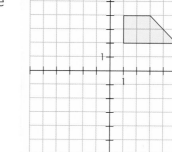

La suite de transformations géométriques

Règle	Effet
$(x, y) \mapsto (\bar{x}, y)$	L'objet est renversé.
$(x, y) \mapsto (x + 4, y - 6)$	L'objet glisse.
$(x, y) \mapsto (2x, 2y)$	L'objet donne l'impression de s'approcher.

a) Dans un plan cartésien, trace les images obtenues après l'application de chacune des règles de cette suite de transformations géométriques.

b) Établis les règles des transformations géométriques qui permettent au trapèze final de retrouver sa position initiale, en passant par les deux images intermédiaires.

13. Logo harmonieux

Une graphiste a créé un nouveau logo. Il est formé de deux losanges, un bleu et un jaune, et d'un carré orange. Les trois figures sont superposées, centrées et équivalentes. Les diagonales horizontales des losanges mesurent respectivement 1,5 cm et 4,5 cm et celle du carré mesure 3 cm.

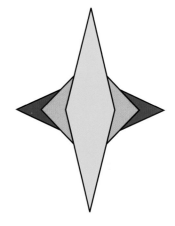

Reproduis le logo ci-contre dans un plan cartésien et détermine la règle de chacune des transformations géométriques qui a permis à la graphiste d'obtenir les deux losanges à partir du carré.

14. Frise de triangles

Une partie d'une frise formée de triangles est représentée dans le plan cartésien ci-dessous. Dans cette frise, chaque triangle peut être associé à un autre triangle après l'application d'une suite de transformations géométriques comprenant des réflexions, des rotations centrées à l'origine ou des translations.

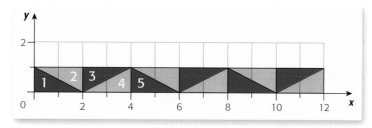

Établis les règles de la suite de transformations géométriques qui permet d'associer le premier triangle au deuxième dans les paires de triangles suivantes.

a) triangle 1 et triangle 2

b) triangle 1 et triangle 3

c) triangle 5 et triangle 4

d) triangle 5 et triangle 2

Les solides équivalents

15. Du verre au cube  **CD 1**

Il y a une certaine quantité de liquide dans un verre cylindrique de 6 cm de diamètre. Le liquide est transvidé dans un cube de verre vide (①) dont les arêtes mesurent 10 cm. Selon la position du cube, le liquide forme différents prismes équivalents. Les deux illustrations ci-dessous illustrent deux de ces prismes. Sur l'illustration ②, la base du prisme est un triangle isocèle.

①   ②

Si, dans le verre cylindrique, le liquide atteint une hauteur de 10 cm, quelle hauteur atteint-il dans les deux positions du cube montrées par les illustrations ① et ②? Dans l'illustration ②, la hauteur du liquide correspond à la hauteur d'une base du prisme.

16. Emballage à biscuits   **CD 1**

Pour que tous ses biscuits soient faits avec la même quantité de pâte, un pâtissier utilise une cuillère à crème glacée ayant la forme d'une demi-sphère de 6 cm de diamètre. Pour chaque biscuit, il remplit la cuillère à ras-bord. Le pâtissier modèle ensuite cette quantité de pâte pour lui donner une forme qui s'approche de celle d'un cylindre droit de 2 cm de hauteur. Durant la cuisson, les biscuits gonflent et doublent de volume. Voici les transformations que subit la pâte à biscuit.

6 cm   2 cm   2 fois plus gros

Le pâtissier voudrait emballer les biscuits produits dans des boîtes qui pourraient contenir chacune 36 biscuits. Aide le pâtissier à déterminer les dimensions d'une boîte ayant la forme d'un prisme droit qui permettent d'utiliser la plus petite quantité de carton possible. Laisse des traces de ta démarche.

17. Découpage

À l'aide d'un tour à bois, Mahira a construit un cône droit dont la base a un diamètre de 8 cm et dont l'apothème mesure 32 cm. Elle a ensuite découpé cette pièce parallèlement à la base, à partir d'un point qui se trouve à 24 cm de l'apex sur la face latérale. Ainsi, elle a obtenu un cône semblable au cône initial et un tronc de cône. Voici une représentation des pièces obtenues par Mahira.

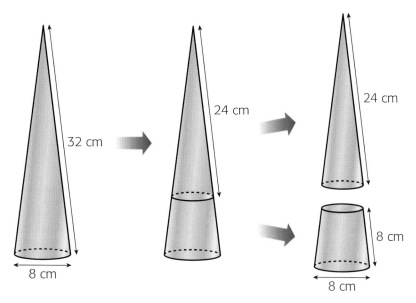

a) Montre que les deux solides obtenus ont exactement la même aire.

b) Lequel de ces deux solides a le plus grand volume ? Justifie ta réponse.

c) À quelle hauteur Mahira aurait-elle dû découper le cône initial, parallèlement à sa base, pour obtenir deux solides équivalents ? Arrondis ta réponse au millimètre près.

18. Une idée lumineuse   **CD 2**

Miguel est designer d'intérieur. Il conçoit, entre autres, des lampes. Pour la base d'une lampe, il a récupéré un cylindre en métal plein. Il perce ensuite 40 trous identiques de part en part de la base pour la rendre moins lourde. Voici la représentation de la base avec un trou percé.

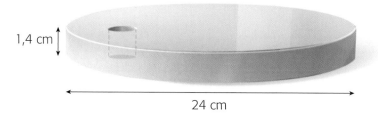

Selon Miguel, chaque trou percé a pour effet de préserver l'aire de la base tout en diminuant son volume. Sachant que la base a un diamètre de 24 cm et une épaisseur de 1,4 cm, quel est le diamètre de chacun des trous ?

19. Modèles de tente

Une compagnie spécialisée dans l'équipement de camping veut commercialiser un nouveau modèle de tente : le modèle Pyramida. Ce modèle permettra de réduire la surface de tissu par rapport au modèle précédent, le modèle Prisma, tout en offrant autant d'espace à l'intérieur. Toutes les faces d'une tente sont faites du même tissu et les planchers des deux modèles sont équivalents. Voici les deux modèles de tente.

Modèle Prisma

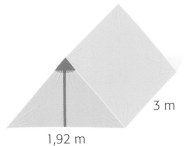

3 m

1,92 m

Tente ayant la forme d'un prisme droit dont les bases sont des triangles isocèles

Modèle Pyramida

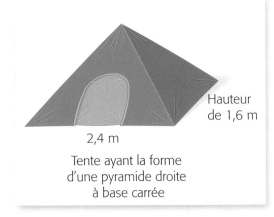

Hauteur de 1,6 m

2,4 m

Tente ayant la forme d'une pyramide droite à base carrée

a) Quelle quantité de tissu la compagnie peut-elle économiser en passant du modèle Prisma au modèle Pyramida ?

b) Indique les dimensions d'un autre modèle de tente équivalent aux deux premiers qui permettrait de réduire davantage la surface de tissu requise. La tente devra avoir un plancher équivalent à celui des deux autres modèles en plus d'offrir un espace intérieur aussi grand.

La compagnie travaille à la mise au point d'un modèle de tente qui se rapproche d'une demi-boule, le modèle Sphérica. Ce modèle offrirait autant d'espace à l'intérieur que les deux autres modèles de tente.

c) Indique les dimensions du modèle Sphérica.

d) Est-ce que le modèle Sphérica permet de réaliser une économie de tissu par rapport aux modèles Prisma et Pyramida ? Justifie ta réponse.

20. Une conception durable CD 2

Une entreprise souhaite remplacer le contenant du jus qu'elle produit. Pour l'instant, le jus est vendu dans un contenant cylindrique de 13 cm de hauteur et de 5 cm de diamètre.

Angèle est chargée de concevoir un nouveau contenant. Ce nouveau contenant sera cylindrique et aura la même capacité que l'ancien. Pour des raisons environnementales, cependant, Angèle veut réduire la quantité d'aluminium nécessaire pour sa fabrication. Elle détermine que la circonférence du nouveau contenant ne devrait pas dépasser 20 cm.

Est-il possible de concevoir un contenant respectant ces contraintes? Si oui, indique des dimensions possibles pour ce contenant. Si non, explique pourquoi.

Les graphes

21. Les graphes à quatre sommets

Voici 11 graphes à quatre sommets.

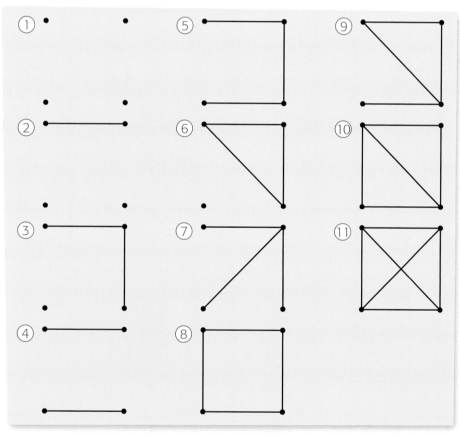

a) Pour chacun de ces graphes, détermine:

   1) la somme des degrés des quatre sommets;

   2) la longueur de la plus longue chaîne simple.

b) Lesquels de ces graphes sont connexes?

c) Lesquels de ces graphes sont des arbres?

> Une chaîne simple est une chaîne qui ne passe pas deux fois par une même arête.

22. Polyèdre régulier

Durant un cours sur la géométrie des solides, Pascale doit fabriquer des polyèdres réguliers avec des pailles. Elle construit l'octaèdre régulier ci-contre avec 12 pailles.

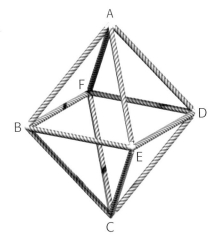

a) Est-il possible de trouver une chaîne qui passerait une seule fois par chacune des arêtes de l'octaèdre ? Si oui, nomme cette chaîne. Si non, détermine le nombre minimal de tiges reliant deux sommets que Pascale devrait ajouter à ce solide pour qu'on y trouve une telle chaîne.

b) Si Pascale avait plutôt fabriqué un cube, aurait-il été possible d'y trouver une chaîne passant une seule fois par chacune de ses arêtes ? Justifie ta réponse.

23. Des équipes mixtes

Dans une classe de mathématique, dix élèves (cinq garçons et cinq filles) sont regroupés autour de deux îlots de quatre et de six pupitres comme le montre le plan ci-dessous.

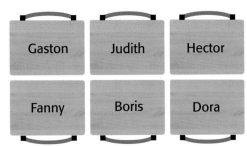

Pour la durée d'une activité, l'enseignante demande à ces dix élèves de former des équipes de deux. Pour ce faire, elle établit les règles suivantes.

- Chaque équipe sera formée d'un garçon et d'une fille.
- Chaque élève devra s'associer à une personne dont le pupitre n'est pas adjacent au sien, sauf pour Hector et Judith qui pourront travailler ensemble, s'ils le veulent.
- Edward et Judith ne pourront pas travailler ensemble.
- Annie et Hector ne pourront pas travailler ensemble.

a) Représente cette situation à l'aide d'un graphe.

b) Si Hector et Irène travaillent ensemble, quels sont les regroupements possibles pour les autres élèves ? Mets en évidence les cinq équipes ainsi formées dans le graphe tracé en **a**.

c) Suggère une autre façon de jumeler les élèves pour que les cinq équipes soient différentes de celles formées en **b**.

24. Un jeu pour deux

Un jeu de stratégie se joue à l'aide d'un graphe orienté. Deux personnes s'affrontent en suivant les règles suivantes.

- La personne 1 place un pion sur un des sommets rouges.
- À tour de rôle, en commençant par la personne 2, chaque personne déplace ce même pion en suivant un arc du graphe, et ce, sans se soucier de la couleur du sommet.
- La personne qui ne peut plus déplacer le pion perd la partie.

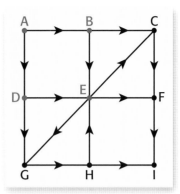

a) Détermine une stratégie gagnante pour la personne 1 : indique sur quel sommet il faut placer le pion de départ et la façon de jouer la partie par la suite.

b) Quel est le nombre maximal de déplacements possibles au cours d'une partie s'il n'est pas permis de passer deux fois par le même arc ? Nomme la personne favorisée par ce chemin. Justifie ta réponse.

25. Autour de la table

Pour le repas du bal des finissants, Gabriel et sept de ses amis ont prévu s'asseoir à la même table. Gabriel a pour tâche de déterminer la place de chaque personne autour de la table. Voici des notes qu'il a prises pour guider ses choix.

- Marie aimerait s'asseoir à côté de Fred, de Sandra ou de Robert, mais idéalement entre Sandra et Robert.
- Claudia s'entend bien avec Sandra et Alex.
- Alex s'entend bien avec Josée et Sandra.
- Fred et Claudia aimeraient s'asseoir l'un à côté de l'autre.
- Et moi (Gabriel), je peux m'asseoir à côté de n'importe quel de mes sept amis.

À l'aide d'un graphe, aide Gabriel à déterminer la place de chaque personne autour de la table de façon à satisfaire tout le monde.

26. De l'assurance?  **CD 3**

Jacques et sa femme, Nicole, désirent souscrire une assurance vie. Ils rencontrent un courtier qui leur demande de remplir un questionnaire et de rencontrer un médecin afin d'obtenir quelques renseignements sur leur santé. Voici les renseignements relatifs à chaque personne.

Jacques	Nicole
– C'est un homme de 67 ans.	– C'est une femme de 63 ans.
– Selon le médecin, il aurait un excès de poids d'environ 11 kg.	– Selon le médecin, elle aurait un excès de poids d'environ 9 kg.
– Il a cessé de fumer il y a près d'un an.	– Elle a cessé de fumer il y a plus de 10 ans.
– Il y a des antécédents de maladies respiratoires graves dans sa famille très proche et il fait lui-même de l'asthme.	– Il y a des antécédents de maladies cardio-vasculaires dans sa famille très proche.
– Il pratique au moins six heures d'activité physique par semaine.	– Elle pratique moins d'une heure d'activité physique par semaine.

Le courtier a bâti un outil qui lui permet de déterminer si une personne est admissible ou non à l'assurance. Pour être admissible, une personne doit avoir un pointage inférieur ou égal à 5.

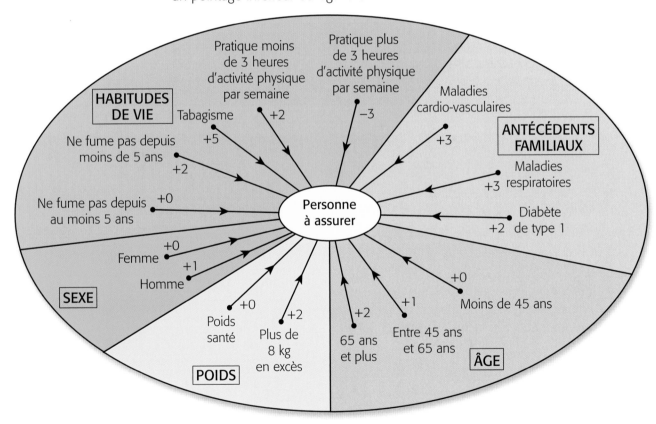

À l'aide de l'outil qu'a développé le courtier, écris tes recommandations quant à l'admissibilité de Jacques et de Nicole à une assurance vie. Si une personne n'est pas admissible, donne-lui quelques pistes de solution pour l'aider à pouvoir souscrire une assurance vie dans un avenir rapproché, lorsque c'est possible.

27. La rencontre des travailleurs autonomes

La chambre de commerce d'une grande ville organise des ateliers de marketing pour les travailleurs autonomes. Dix-sept personnes ont confirmé leur présence aux ateliers et certaines d'entre elles se connaissent déjà.

- Audrey connaît Didier, Grégoire, Hugo, Kimberley et Olivier.
- Benoît connaît Francis, Julie, Manon et Nancy.
- Melina connaît Didier et Nancy.
- Didier connaît Éric.
- Éric connaît Isabelle et Manon.
- Francis connaît Lisa.
- Grégoire connaît Hugo, Isabelle et Olivier.
- Julie connaît Kimberley.
- Kimberley connaît Olivier.
- Lisa connaît Pascal.
- Maxime ne connaît personne.

L'animateur de l'atelier veut que les participants se joignent à un groupe formé de personnes qu'ils ne connaissent pas. Il y aura autant d'ateliers que de groupes formés.

Quel sera le nombre minimal de groupes formés? Justifie ta réponse à l'aide d'un graphe.

28. Aide humanitaire   CD 3

Léo est volontaire pour une organisation humanitaire qui a pour mission d'acheminer des médicaments en Afrique de l'Ouest. Il a pour mandat d'assurer la livraison, par avion, de médicaments dans les neuf pays mis en évidence dans la carte suivante

L'Afrique de l'Ouest

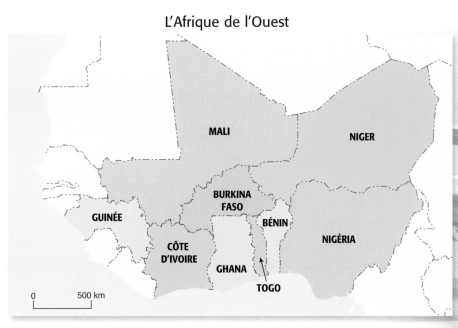

Léo doit préparer un itinéraire pour livrer les médicaments dans chacun des neuf pays. Il remarque qu'il y a 16 frontières communes entre ces pays. L'avion doit arriver au Niger et repartir du Togo.

À l'aide d'un graphe, propose à Léo un itinéraire qui permettra à l'avion de traverser une seule fois chacune de ces 16 frontières.

29. Tartes aux fraises

Chaque année, pour fêter l'arrivée de l'été, Béatrice et sa famille font des tartes aux fraises. Le tableau suivant présente les étapes pour la préparation de six tartes.

La préparation de six tartes aux fraises

Étape	Durée (min)	Étape(s) préalable(s)
A Équeuter les fraises.	20	–
B Laver les fraises.	3	A
C Couper les fraises.	10	B
D Préparer les ingrédients pour la garniture aux fraises.	3	C
E Faire chauffer la garniture aux fraises.	15	D
F Préparer les ingrédients pour la pâte à tarte.	4	–
G Abaisser la pâte.	12	F
H Couvrir les moules de pâte.	4	G
I Placer la garniture dans les moules.	10	E et H
J Recouvrir la garniture de pâte.	25	I et G
K Mettre les tartes au four.	2	J
L Cuire les tartes au four.	50	K

Combien de temps faudra-t-il, au minimum, pour préparer les six tartes ? Justifie ta réponse à l'aide d'un graphe.

30. Retard et rattrapage

Une entreprise doit concevoir une campagne publicitaire pour un organisme parapublic. La réalisation de ce projet comporte plusieurs étapes représentées par le graphe suivant. La valeur de chaque arc représente la durée de réalisation d'une étape, en jours.

Les étapes de la conception d'une campagne publicitaire

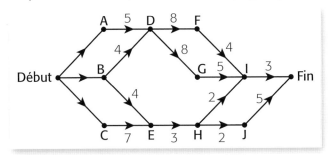

a) Combien de jours seront nécessaires pour réaliser le projet ?

Lors de la réalisation de la première phase du projet, le responsable constate que certaines étapes prennent plus de temps que prévu.

b) Indique l'effet qu'aura chacun des retards suivants sur la durée totale du projet.

1) Trois jours de retard pour réaliser l'étape B.

2) Un jour de retard pour réaliser l'étape A.

3) Deux jours de retard pour réaliser l'étape C.

31. Le Domaine de l'Air pur

L'inauguration d'un projet domiciliaire est prévue pour l'an prochain. Le Domaine de l'Air pur sera situé le long d'une rivière. Dans le graphe ci-dessous, les sommets représentent les différents lieux à l'intérieur du domaine et la valeur de chaque arête représente la distance à parcourir, en mètres, entre deux lieux.

Les différents lieux du domaine

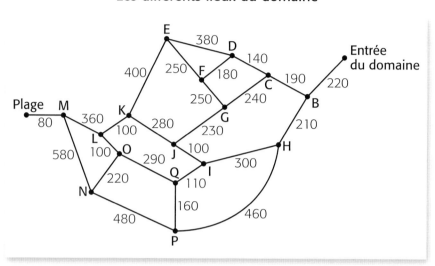

a) Quelle est la distance minimale à parcourir pour se rendre de l'entrée du domaine à la plage?

b) Une entreprise de câblodistribution installera des câbles à partir de l'entrée du domaine pour relier tous les lieux (de B à Q). Quelle est la longueur minimale de câble nécessaire pour relier ces lieux?

Les probabilités et les procédures de vote

32. Sur l'échiquier

Aux échecs, la reine est, selon les experts, la pièce la plus puissante. Pour capturer une pièce adverse, elle peut se déplacer dans toutes les directions et de n'importe quel nombre de cases. L'illustration ci-contre représente les déplacements possibles d'une reine blanche située en f1. La reine peut atteindre toutes les cases marquées d'un X.

Un cavalier noir se trouve sur l'une des 63 cases libres de ce même échiquier.

a) Si ce cavalier noir se trouve sur une case blanche, quelle est la probabilité que la reine puisse le capturer?

b) Si le cavalier noir peut être capturé par la reine, quelle est la probabilité qu'il se trouve sur une case blanche?

c) Quelle est la probabilité que le cavalier noir se trouve sur une case noire sans que la reine puisse le capturer?

33. L'équipe de plongeon

Vingt athlètes canadiens, 8 hommes et 12 femmes, ont participé à une compétition internationale de plongeon. Au cours de cette compétition, deux hommes et trois femmes ont remporté une médaille.

Yaëlle, qui a assisté à cette compétition, a croisé par hasard un membre de l'équipe canadienne après la compétition.

On s'intéresse à l'événement A = {Rencontrer un membre de l'équipe qui a remporté une médaille} et à l'événement B = {Rencontrer un des huit athlètes masculins}.

a) Représente cette situation à l'aide d'un tableau à double entrée ou d'un diagramme de Venn qui met en évidence ces deux événements.

b) Quelle est la probabilité que le membre de l'équipe rencontré soit un homme ayant remporté une médaille?

c) Si le membre de l'équipe rencontré n'a pas remporté de médaille, quelle est la probabilité qu'il s'agisse d'une femme?

34. Test de grossesse

Une compagnie pharmaceutique a fait appel à 300 femmes âgées de 25 à 40 ans pour réaliser une étude sur la fiabilité d'un nouveau test de grossesse. Le tableau suivant présente les résultats de cette étude.

L'étude sur la fiabilité d'un nouveau test de grossesse

	Résultat positif	Résultat négatif	Résultat total
Femme enceinte	80	20	100
Femme non enceinte	12	188	200
Total	92	208	300

Selon ces résultats, si une femme utilise ce test de grossesse et obtient un résultat positif, quelle est la probabilité qu'elle soit vraiment enceinte?

Fait divers

Un test de grossesse est positif s'il indique que la femme testée est enceinte et il est négatif s'il indique que la femme testée n'est pas enceinte. Toutefois, ces résultats ne sont pas fiables à 100 %. En effet, un test peut indiquer qu'une femme est enceinte alors qu'elle ne l'est pas. Le test est alors appelé un faux positif. Si une femme est enceinte, mais que le test indique qu'elle ne l'est pas, il s'agit alors d'un faux négatif. Un test de grossesse de qualité minimise ce type d'erreurs.

35. Vacances chez les Geoffroy-Dorion   `CD 2`

Patrice et Martine veulent que leurs trois enfants indiquent leurs préférences quant à l'endroit où la famille passera ses vacances d'été. Ils proposent trois destinations et chacun des cinq membres de la famille classe ces destinations selon ses préférences. Le tableau suivant présente les résultats du vote.

La destination préférée des cinq membres de la famille Geoffroy-Dorion

Choix	Christophe	Émilie	Simon	Patrice	Martine
Premier choix	Nouveau-Brunswick	Ontario	Nouveau-Brunswick	New Hampshire	New Hampshire
Deuxième choix	New Hampshire	Nouveau-Brunswick	New Hampshire	Ontario	Ontario
Troisième choix	Ontario	New Hampshire	Ontario	Nouveau-Brunswick	Nouveau-Brunswick

Les Geoffroy-Dorion n'ont que deux semaines de vacances et ne pourront aller qu'à un seul de ces trois endroits. Où iront-ils en vacances? Justifie ta réponse.

36. Le paradoxe

La population doit élire 25 représentants selon un scrutin proportionnel. Quatre partis ont présenté des candidats. Au total, 775 400 électeurs se sont rendus aux urnes et ont voté pour l'un ou l'autre des partis. Le tableau ci-contre présente les résultats du vote.

Les résultats du vote

Parti	Votes recueillis
Rouge	469 117
Vert	240 374
Bleu	54 278
Orange	11 631

a) Selon toi, combien de représentants chacun des partis devrait-il obtenir? Justifie ta réponse.

b) Si le but était d'élire 26 représentants au lieu de 25 à partir des mêmes résultats, combien de représentants chacun des partis devrait-il obtenir?

c) Compare les résultats obtenus en **a** et en **b**. Que remarques-tu?

Fait divers

Dans un scrutin proportionnel, des règles précises permettent de déterminer la représentation de chaque parti. Même si ces règles semblent équitables et logiques, il est possible que des situations étonnantes surviennent. Le paradoxe de l'Alabama, observé en 1880 aux États-Unis, en est un exemple. En essayant de déterminer le nombre d'élus qui devaient siéger à la Chambre des représentants, on s'est aperçu, selon les règles de répartition alors en vigueur, qu'une augmentation de 299 représentants à 300 représentants avait pour effet de réduire de 8 à 7 le nombre de représentants accordés à l'État de l'Alabama. Les représentants de l'Alabama se sont bien sûr opposés à ce changement.

37. Prix littéraire

Un jury composé de 11 critiques littéraires doit décerner un prix à une œuvre parmi les trois finalistes suivantes.

– *Arthur chez les géants*

– *Bon voyage!*

– *Coupable d'aimer*

Chaque membre du jury doit classer les trois œuvres selon ses préférences sur un bulletin de vote. Le tableau suivant présente les résultats du vote.

Les préférences des membres du jury

Choix	3 juges	1 juge	2 juges	1 juge	4 juges
Premier choix	*Arthur chez les géants*	*Arthur chez les géants*	*Bon voyage!*	*Bon voyage!*	*Coupable d'aimer*
Deuxième choix	*Coupable d'aimer*	*Bon voyage!*	*Arthur chez les géants*	*Coupable d'aimer*	*Bon voyage!*
Troisième choix	*Bon voyage!*	*Coupable d'aimer*	*Coupable d'aimer*	*Arthur chez les géants*	*Arthur chez les géants*

a) Si le jury utilise la méthode de Borda pour déterminer l'œuvre gagnante, quelle œuvre remporte le premier prix? Justifie ta réponse.

b) Si le jury utilise le vote préférentiel pour déterminer l'œuvre gagnante, est-ce que l'œuvre gagnante est la même que celle déterminée selon la méthode de Borda? Justifie ta réponse.

38. Musique *grunge* CD 3

Les rédacteurs d'un magazine musical bien connu ont voulu désigner le meilleur groupe *grunge* des années 1990. Pour ce faire, ils ont invité des musiciens, des producteurs, des compositeurs et des réalisateurs du monde musical à classer quatre groupes selon leurs préférences. Le tableau suivant présente les résultats du vote.

Les résultats du vote

Groupe	Première position	Deuxième position	Troisième position	Quatrième position
Pearl Jam	84	64	43	9
Mudhoney	28	45	81	46
Nirvana	75	75	49	1
Soundgarden	13	16	27	144

Les deux rédacteurs du magazine ont analysé les résultats du vote sans se consulter et ont désigné des gagnants différents: l'un a désigné Nirvana et l'autre, Pearl Jam. Comment ont-ils pu déterminer des gagnants différents à partir des mêmes résultats? Justifie ta réponse.

Situations de compétence

L'optimisation à l'aide de la programmation linéaire

1. Tremblement de terre  CD 1

À la suite d'un terrible tremblement de terre au Chili, une organisation non gouvernementale (ONG) s'est donné pour mission de reconstruire trois types de bâtiments : des orphelinats, des dispensaires et des écoles.

L'ONG a amassé 100 000 $ en dons. Cette somme d'argent servira à réaliser sa mission. Après avoir analysé l'urgence de la situation, les dirigeants de l'ONG, en collaboration avec les citoyens chiliens, ont décidé de construire des orphelinats et des dispensaires, dans un premier temps, puis de bâtir des écoles avec le reste de l'argent.

Ainsi, ils vont investir au moins 10 000 $ dans la construction d'orphelinats et au moins 20 000 $ dans la construction de dispensaires. Au total, ils jugent nécessaire d'investir au moins 40 000 $ pour la construction de ces deux types de bâtiments. De plus, conscients de l'importance de l'éducation, ils souhaitent garder au moins 15 000 $ pour la reconstruction d'écoles.

Un consultant en aide internationale leur présente, à l'aide du tableau suivant, les répercussions de leur intervention dans ces trois domaines, et ce, par millier de dollars investis.

Le nombre de personnes aidées directement par millier de dollars investis

Bâtiment	Nombre de personnes aidées durant une année
Orphelinat	20
Dispensaire	25
École	30

Comment répartirais-tu les 100 000 $ amassés entre ces trois types de bâtiments afin d'aider de façon directe le plus de personnes possible, tout en respectant les diverses contraintes ? Justifie ta réponse.

2. Camping chez Martha et Roger

Monsieur Roger Boisvert et sa conjointe Martha veulent ouvrir un camping. Ils souhaitent aménager au plus 11 000 m^2 de terrain avec deux types de lots : des lots de 150 m^2 pour les véhicules récréatifs et des lots de 50 m^2 pour les tentes.

Dans leur plan d'affaires, ils indiquent les informations suivantes.

- Ils prévoient un budget maximal de 280 000 $ pour aménager les lots.
- Ils évaluent à 2 500 $ l'aménagement d'un lot pour un véhicule récréatif et à 1 200 $ l'aménagement d'un lot pour une tente.
- La location d'un lot pour véhicule récréatif, pour une nuit, sera de 78 $, tandis que pour une tente, le coût sera de 26 $.
- La demande quotidienne de location de lots devrait être d'au moins 50, mais le nombre de lots ne devrait pas dépasser 120.

Selon leur analyse, plusieurs répartitions de lots offrent un revenu maximal. Parmi toutes ces possibilités, ils choisissent celle qui permet de louer le plus grand nombre de lots.

À la suite de la fermeture de leur principal concurrent, ils décident d'augmenter de 10 $ le prix de location d'un lot pour un véhicule récréatif et de 5 $ le prix de location d'un lot pour une tente. Ce changement fait dire à Roger : « Si nous avions planifié autrement la répartition des lots au départ, cette augmentation de prix aurait été encore plus profitable ! » Ce à quoi Martha répond : « Hum… Pas nécessairement. »

Qui a raison, selon toi ? Explique ton raisonnement.

3. Une maladie dégénérative

La sclérose en plaques est une maladie qui s'attaque au système nerveux. Les personnes qui en souffrent subissent des pertes importantes de sensibilité et de motricité. La prévalence de cette maladie dépend de divers facteurs. Par exemple, on recense de 1,4 à 2,2 fois plus de femmes touchées que d'hommes. Par ailleurs, plus on s'éloigne de l'équateur, plus la proportion de gens souffrant de cette maladie est grande.

Deux organismes offrent des services de soutien aux personnes atteintes de sclérose en plaques dans un pays de l'hémisphère Nord. Depuis leur création, les deux organismes se partagent le territoire : l'un d'eux œuvre au nord, tandis que l'autre offre un support aux personnes atteintes vivant dans la région sud. Dans la région sud, la population est évaluée à 6,4 millions d'habitants.

Aujourd'hui, les deux organismes veulent s'unir afin de mieux répondre aux besoins de la population du pays et de diminuer les coûts administratifs.

Les tableaux ci-dessous renferment des données amassées par les deux organismes au cours de diverses études.

> La prévalence d'une maladie est le nombre de personnes atteintes de cette maladie dans une population donnée.

L'estimation du nombre de cas de sclérose en plaques dans la région nord du pays*

Femmes	[2400, 4860] cas
Hommes	[1920, 4050] cas

*Population : 4,5 millions d'habitants

L'estimation du nombre de cas de sclérose en plaques dans la région sud du pays

Nombre de cas par 100 000 habitants	[42, 72] cas

Dans le processus d'unification des deux organismes, tu as pour mandat de rédiger un rapport qui inclura une représentation graphique des données recueillies pour chaque région de façon à en faciliter la comparaison. Dans le rapport, tu dois comparer le nombre de cas de sclérose en plaques dans les deux régions, et ce, pour chacun des sexes.

La géométrie des figures planes

4. **Création sur mesure**  CD 1

Nadia confectionne des centres de table de forme originale qu'elle vend 18 $ l'unité. Chacun est constitué de tissu et bordé d'un ruban sur le pourtour. Le tissu qu'elle utilise se vend 30 $ le mètre carré et le ruban coûte 1,60 $ le mètre. Voici la représentation d'un centre de table de Nadia.

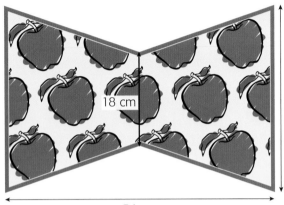

18 cm
36 cm
54 cm

Un restaurateur lui commande 30 centres de table et ajoute qu'il aimerait en commander 30 autres, de forme rectangulaire cette fois, mais au même prix. Il spécifie que le format rectangulaire devrait avoir au maximum 45 cm de longueur.

Nadia souhaite utiliser la même quantité de tissu pour les deux modèles commandés afin d'uniformiser les coûts.

Détermine les dimensions du modèle rectangulaire que Nadia devrait confectionner afin de maximiser son revenu tout en respectant les contraintes du restaurateur. Détermine ensuite de façon détaillée le profit que tirera Nadia de la vente des 60 centres de table.

5. Aire de jeu hivernale

Les administrateus de la ville de Saint-Berlan décident d'aménager une patinoire extérieure pour le patinage libre cet hiver. Pour faciliter l'installation, les bordures seront constituées de morceaux de bois d'une longueur de 2,44 m. Loïc, le responsable de la patinoire, a pour mandat de monter les bordures de la nouvelle patinoire sans couper les morceaux de bois. Il doit aménager le tout de façon à avoir au moins 45 m^2 de glace.

Loïc réclame au moins 12 morceaux de bois pour arriver à réaliser sa tâche selon le schéma qu'il a réalisé ci-dessous.

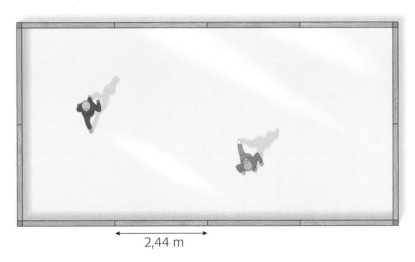

2,44 m

Les administrateurs de la ville lui demandent de réaliser la patinoire en utilisant moins de bois et précisent que la forme de la patinoire peut varier au besoin. Cette demande est-elle réaliste? Justifie ta réponse.

6. Publicité écologique  CD 3

L'Association québécoise contre la coupe à blanc veut faire paraître une publicité dans un journal afin de se faire connaître.

Voici le projet de publicité que l'un des membres de l'association a proposé.

Association québécoise contre la coupe à blanc

1 — 20 ans

2 — 20 ans

3 — 20 ans

4 — 20 secondes

Ce schéma représente l'évolution d'un arbre au fil des ans. Le journal exige de recevoir une version de la plublicité en format numérique. Pour s'aider, le membre de l'association commence par remplir le tableau suivant.

Dessin	Premier arbre		Deuxième arbre	
	Hauteur	Largeur	Hauteur	Largeur
①	10 mm	8 mm	15 mm	12 mm
②	15 mm	12 mm	25 mm	16 mm
③	25 mm	16 mm	30 mm	28 mm
④	30 mm	28 mm	30 mm	28 mm

À partir de ces mesures, aide le membre de l'association à créer la publicité. Reproduis chacun des quatre dessins dans un plan cartésien. Établis ensuite les règles des transformations géométriques qui permettent d'associer le premier arbre au deuxième.

Les solides équivalents

7. Des serres de balcon  CD 1

Patrick est ton collègue horticulteur. Il vient de construire, de manière artisanale, une serre de balcon. Il a taillé les murs et le toit dans une mince membrane de plastique de 120 cm sur 240 cm. Il s'est servi de la totalité du plastique pour construire sa serre, qui a la forme d'un prisme droit à base carrée. Voici une représentation de la membrane de plastique que Patrick a utilisée sur laquelle sont indiqués les traits de coupe pour les différentes faces de la serre.

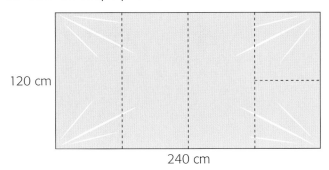

Patrick voudrait commercialiser son invention. Il te demande de l'aider à élaborer les plans de trois autres modèles de serre équivalents à son prototype. Ces modèles auront la forme d'un prisme droit à base rectangulaire, d'un prisme droit à base triangulaire et d'un demi-cylindre droit. Tous les modèles auront une longueur de 120 cm et une largeur d'au moins 30 cm. Voici les trois modèles. Ces dessins ne sont pas à l'échelle.

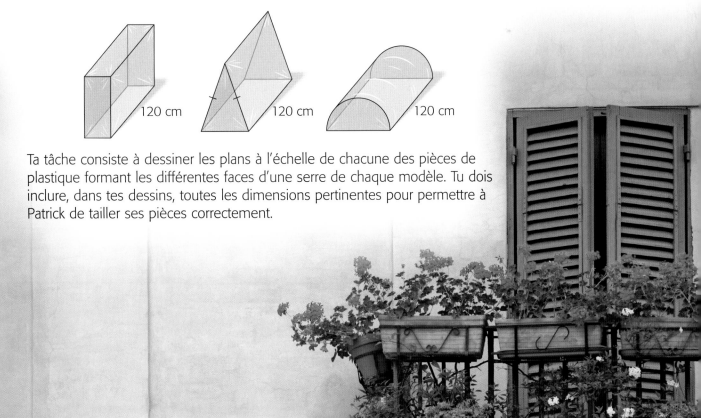

Ta tâche consiste à dessiner les plans à l'échelle de chacune des pièces de plastique formant les différentes faces d'une serre de chaque modèle. Tu dois inclure, dans tes dessins, toutes les dimensions pertinentes pour permettre à Patrick de tailler ses pièces correctement.

8. Possible ou impossible ?

Antoine est architecte paysagiste. Ce matin, il dessine les dalles d'un sentier qui sera aménagé dans un parc municipal. Ces dalles de béton s'imbriqueront les unes dans les autres, comme dans le schéma ci-dessous.

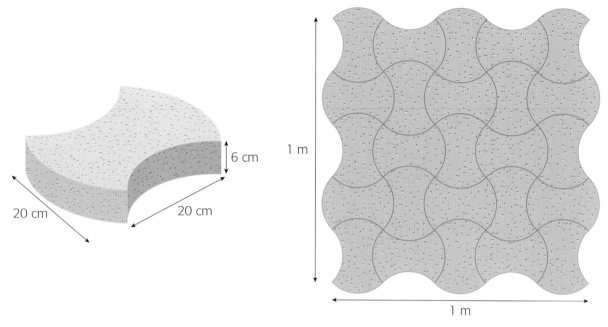

Antoine a calculé qu'il faudra 2 500 dalles pour aménager le sentier. Pour transporter toutes ces dalles du lieu de leur fabrication jusqu'au parc municipal, il faudra les empiler sur des palettes carrées de 1,1 m de côté. Pour des raisons de sécurité, chaque palette ne peut soutenir qu'une masse équivalente à celle d'un mètre cube de béton.

Antoine estime que six palettes seront suffisantes pour transporter toutes ces dalles. A-t-il raison ? Justifie ta réponse.

9. Nouvelles baignoires  CD 3

Une compagnie spécialisée dans la conception et la production de baignoires conçoit présentement sa nouvelle collection de bains moulés. Des designers industriels élaborent les plans de trois coquilles de baignoire en acrylique. Ils ont déjà défini les dimensions d'une coquille ayant la forme d'un prisme à base trapézoïdale. L'illustration ci-dessous représente cette coquille de baignoire moulée.

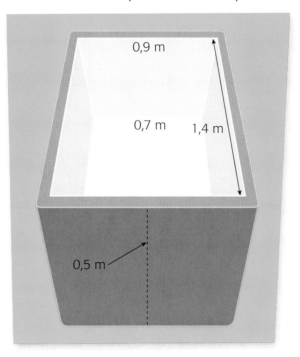

Les deux autres modèles de coquille de la collection auront la forme d'une demi-sphère et d'un cube. Les trois modèles de baignoire auront la même capacité, c'est-à-dire que la même quantité d'eau sera nécessaire pour les remplir à ras bord. Le prix de vente de chaque modèle de coquille sera fixé en fonction, entre autres, de la quantité d'acrylique utilisée pour son moulage.

Tu fais partie de l'équipe de designers. Afin d'aider les techniciens de l'usine, représente les deux autres modèles de coquille de baignoire en perspective cavalière. Prends bien soin de noter toutes les dimensions importantes et de classer les trois modèles en ordre croissant de prix.

Les graphes

10. Deux fois mieux ?

Juliette travaille pour une entreprise de fabrication de meubles. Son mandat consiste à maximiser l'efficacité de chacune des étapes de production. Elle fait le suivi du travail de deux employés qui effectuent le montage d'un meuble. Leur façon de procéder est différente et influe sur le temps nécessaire à la production du meuble.

Juliette a demandé aux deux employés de noter chaque étape du montage ainsi que le temps requis pour chacune. De plus, si les employés ont des exigences particulières pour aider à améliorer leur travail, elle les invite à lui en faire part. Voici l'information qu'elle a reçue de chaque employé.

Employé 1

- Inspecter tous les panneaux du meuble (6 minutes).
- Commander la quincaillerie nécessaire à l'assemblage du modèle (2 minutes).
- Assembler le panneau du bas et celui du côté gauche du meuble (4 minutes).
- Assembler le panneau du bas et celui du côté droit du meuble (5 minutes).
- Fixer le panneau du dessus sur les panneaux latéraux du meuble (3 minutes).
- Fixer le fond du meuble sur les 4 panneaux assemblés (7 minutes).
- Installer les tiroirs (8 minutes).
- Installer les portes vitrées (6 minutes).
- Apposer les éléments de finition pour camoufler les vis (4 minutes).

• J'ai besoin de l'aide de quelqu'un pour soulever le panneau du dessus, car il est très lourd.

• J'aimerais que, sauf pour la fixation du panneau du dessus, chaque étape soit sous la responsabilité d'une seule personne afin de pouvoir corriger rapidement le tir en cas d'erreur.

Employé 2

Heure	Étape
8 h 00 – 8 h 04	Commander la quincaillerie nécessaire à l'assemblage du modèle.
8 h 04 – 8 h 07	Inspecter tous les panneaux du meuble.
8 h 07 – 8 h 12	Assembler le panneau du bas et celui du côté droit du meuble.
8 h 12 – 8 h 17	Assembler le panneau du bas et celui du côté gauche du meuble.
8 h 17 – 8 h 20	Fixer le panneau du dessus sur les panneaux latéraux du meuble (à deux, car le panneau du dessus est très lourd à soulever).
8 h 20 – 8 h 26	Fixer le fond du meuble sur les 4 panneaux assemblés.
8 h 26 – 8 h 34	Installer les portes vitrées.
8 h 34 – 8 h 43	Installer les tiroirs.
8 h 43 – 8 h 45	Apposer les éléments de finition pour camoufler les vis.

S'il faut travailler en équipe, j'aimerais que le temps de travail de chaque personne soit équitable.

Ta tâche consiste à aider Juliette à élaborer une nouvelle façon de procéder qui maximisera l'efficacité de ces deux employés. Respecte autant que possible les demandes des employés et explique clairement les arguments en faveur des changements que tu apportes.

11. Aménagement de fines herbes  CD 2

Michel utilise des pots à fleurs pour cultiver ses fines herbes. Au fil de ses recherches et de ses expériences, il a fait certaines observations.

- La ciboulette donne de bons résultats, peu importe avec quoi elle est plantée.
- La menthe envahit toutes les fines herbes sauf la ciboulette.
- Le thym peut être planté dans le même pot que toutes les fines herbes sauf la sauge, la menthe et le romarin.
- Le romarin pousse bien sauf s'il est planté avec le thym et la menthe.
- Le persil donne de moins bons résultats s'il est planté avec la menthe et le basilic.
- Le basilic pousse bien sauf s'il est planté avec la menthe et la sauge.
- La sauge ne pousse pas bien si elle est plantée avec la menthe et le basilic.

Afin de savoir combien de pots il doit prévoir pour la culture de ses fines herbes, Michel utilise le graphe suivant, où le nom des sommets correspond à la première lettre du nom de chacune des fines herbes.

Le résumé des notes sur les fines herbes

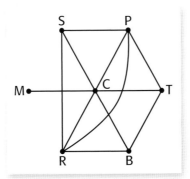

À l'aide du nombre chromatique de son graphe, Michel a déterminé qu'il doit utiliser quatre pots. Son fils affirme qu'il a fait une erreur. Qui a raison? Justifie ta réponse et propose une façon de répartir les fines herbes en respectant les notes de Michel.

12. **En voiture!**  CD 3

Le tourisme ferroviaire est encore peu exploité au Québec, mais il s'agit d'un marché en expansion. Une compagnie ferroviaire projette de relier sept municipalités par un train touristique. La compagnie a réalisé une étude de marché ainsi qu'une prévision des coûts pour relier ces municipalités de différentes façons. Voici les résultats obtenus.

Le coût d'aménagement pour chaque tronçon
(dizaines de milliers de dollars)

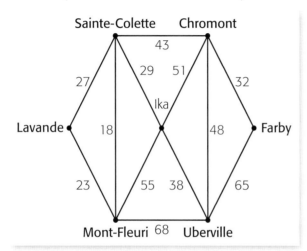

La prévision de revenu annuel pour chaque tronçon
(centaines de milliers de dollars)

Tronçon	Revenu annuel prévu
Sainte-Colette/Chromont	3,09
Sainte-Colette/Lavande	2,25
Sainte-Colette/Mont-Fleuri	0,98
Sainte-Colette/Ika	4,85
Chromont/Ika	2,75
Chromont/Farby	3,12
Chromont/Uberville	2,38
Ika/Mont-Fleuri	3,77
Ika/Uberville	5,83
Lavande/Mont-Fleuri	6,25
Farby/Uberville	3,36
Mont-Fleuri/Uberville	2,57

La première phase du projet consiste à relier les sept villes avec un minimum de tronçons. La compagnie prévoit exploiter ce premier réseau durant deux ans et souhaite maximiser le profit réalisé durant cette période, en tenant compte des coûts d'aménagement.

La deuxième phase consiste à aménager d'autres tronçons afin de pouvoir offrir aux touristes un trajet qui passe une seule fois par les sept villes et qui revient à son point de départ.

Le conseil d'administration de la compagnie te demande de prévoir les aménagements et les données financières pour les deux premières phases de ce projet. Tu dois expliquer tes choix à l'aide de représentations appropriées.

Les probabilités et les procédures de vote

13. Le prix du public  CD 1

Nancy, Sébastien, Laurie et Raphaël ont préparé chacun un numéro dans le cadre d'un spectacle organisé à l'heure du dîner dans leur école. À la fin des prestations, les spectateurs ont rempli un bulletin comme celui illustré ci-dessous.

> ### *Midi-talent !*
> ### Spectacle du 15 mars
>
> Numérote de 1 à 4 les candidats suivants en attribuant le numéro 1 à la personne qui, selon toi, a offert la meilleure prestation.
>
> Raphaël Duvivier ◯
>
> Sébastien Jacob ◯
>
> Nancy Ménard ◯
>
> Laurie Roy ◯

Les organisateurs procèdent au dépouillement des bulletins et reportent les résultats obtenus dans le tableau suivant.

Le classement des numéros «Midi-talent !»

	Raphaël	Sébastien	Nancy	Laurie
Première place	20	72	43	15
Deuxième place	44	16	52	38
Troisième place	40	31	48	31
Quatrième place	46	31	7	66

Les organisateurs n'arrivent pas à se mettre d'accord sur l'élève qui devrait remporter le prix du public. D'ailleurs, Valérie, l'une des organisatrices, trouve que la compilation des résultats ne permet pas d'utiliser le critère de Condorcet. Selon elle, cette procédure de vote serait la plus appropriée pour déterminer la ou le vainqueur.

À l'aide du tableau des résultats, détermine qui est la ou le vainqueur selon deux différentes procédures de vote. Ensuite, propose une autre façon de compiler les résultats qui permettrait d'utiliser une plus grande variété de procédures de vote. Explique ton raisonnement.

14. Faites votre chance !

Dans le cadre des olympiades mathématiques, Jean-François et Ariane participent à un jeu qui requiert une roulette divisée en secteurs isométriques. Chaque secteur est coloré et comporte un motif, comme dans l'illustration ci-dessous.

Le déroulement du jeu est le suivant.

- Avant de commencer, l'équipe choisit un motif, soit carrelé, ligné ou pointé, qui sera son motif gagnant.
- On bande les yeux d'un membre de l'équipe.
- L'élève qui a les yeux bandés fait tourner la roulette. Une fois le pointeur arrêté sur un secteur, l'élève qui peut voir nomme la couleur du secteur.
- L'élève qui a les yeux bandés décide s'il fait tourner la roulette de nouveau ou non.
- Le jeu se poursuit jusqu'à ce que l'élève qui a les yeux bandés décide de ne pas faire tourner la roulette de nouveau et de retirer son bandeau.
- L'équipe remporte la partie si, au moment d'enlever le bandeau, le pointeur de la roulette se trouve sur le motif choisi au départ.

En observant la roulette, Ariane affirme qu'elle et Jean-François devraient choisir le motif carrelé, puisque c'est celui qui occupe la plus grande superficie. Jean-François prétend qu'une autre stratégie pourrait maximiser leurs chances de gagner. Qui a raison ? Justifie ta réponse.

15. De gauche à droite  CD 3

Marion et Anthony sont tous deux gauchers et s'intéressent à cette particularité. Ils ont découvert que le fait d'être gaucher dépend de facteurs hormonaux et génétiques. Ainsi, un enfant dont l'un des parents est gaucher a plus de chances d'être gaucher que si ses deux parents sont droitiers. Curieusement, il y a plus de garçons gauchers que de filles gauchères.

Dans le monde, on estime à environ 15 % la proportion de personnes dont la main gauche est dominante. Par contre, dans certains pays, la proportion de gauchers est aussi faible que 3 %, ce qui peut s'expliquer par le fait qu'on force les enfants à s'habituer à utiliser leur main droite, pour des raisons idéologiques ou hygiéniques.

Si les gauchers doivent s'adapter à plusieurs objets du quotidien conçus par et pour des droitiers, tels que les souris pour ordinateur, les ouvre-boîtes, les ciseaux et les instruments de musique, ils sont par contre avantagés dans certains sports, tels le tennis, la boxe et le baseball.

Marion et Anthony ont fait un sondage dans leur école qui compte 542 élèves Anthony a interrogé un échantillon de 50 garçons. Il a consigné les résultats obtenus dans le tableau suivant.

L'échantillon de garçons

Nombre de gauchers	Nombre de droitiers	Total
9	41	50

À partir de son échantillon, Anthony projette que, sur les 271 garçons de son école, 49 devraient être gauchers et 222 devraient être droitiers.

En supposant que la population de l'école comporte 15 % de personnes dont la main gauche est dominante et que l'échantillon d'Anthony est représentatif de la réalité, détermine combien de gauchères il devrait y avoir dans l'échantillon de 50 filles interrogées par Marion. Ensuite, aide Anthony et Marion à mettre en commun leurs résultats en représentant schématiquement la répartition de tous les élèves de l'école selon leur sexe et leur main dominante.

Fait divers

Jules César, Bill Gates et Léonard de Vinci ont tous la particularité d'être gauchers. Léonard de Vinci écrivait d'ailleurs de droite à gauche, qui est le sens naturel pour les gauchers dans la mesure où cela les empêche de se tacher avec l'encre. Aujourd'hui, il existe des boutiques spécialisées qui vendent des articles courants adaptés pour les gauchers. Fait intéressant : le 13 août est la journée officielle des gauchers !

Outils technologiques

La calculatrice à affichage graphique

La calculatrice à affichage graphique permet, entre autres, de représenter graphiquement des fonctions et d'obtenir de nombreux renseignements sur ces fonctions, comme leurs propriétés. Les touches du menu graphique se trouvent directement sous l'écran de la calculatrice. Voici une description de quelques touches particulièrement sollicitées lorsqu'on utilise la capacité graphique de la calculatrice.

La touche **Y=** permet de saisir des règles de fonctions ou des équations de droites.

La touche **WINDOW** permet de définir la fenêtre d'affichage.

La touche **2nd** permet d'accéder au menu indiqué en haut à gauche d'une touche.

La touche **DEL** permet d'effacer le caractère sélectionné.

La touche **X,T,θ,n** permet de saisir la variable x.

Écran d'affichage

La touche **TRACE** permet de déplacer le curseur sur la courbe et de voir les couples de coordonnées qui appartiennent à une fonction.

La touche **GRAPH** permet d'afficher les représentations graphiques de fonctions, de demi-plans ou de systèmes d'équations.

La touche **ZOOM** permet de modifier les paramètres préétablis de la fenêtre d'affichage.

Ces touches permettent de déplacer le curseur.

La touche **CLEAR** permet d'effacer les données sur l'écran d'affichage.

La touche **ENTER** permet d'exécuter une commande, de faire un retour à la ligne, de sélectionner un élément affiché à l'écran.

Représenter un système d'inéquations

Voici les étapes à suivre pour représenter le système d'inéquations suivant :
$$\begin{cases} 8x + 6y \leq 12 \\ 3y \leq 2x \\ 10y - x \geq {}^-12 \end{cases}$$

1 Isoler y dans chacune des inéquations.

$$\begin{cases} y \leq 2 - \dfrac{4x}{3} \\ y \leq \dfrac{2x}{3} \\ y \geq \dfrac{x - 12}{10} \end{cases}$$

2 Appuyer sur Y= et saisir les équations des droites frontières.

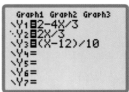

3 Appuyer sur GRAPH pour obtenir la représentation graphique des équations.

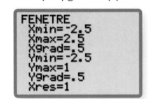

Remarque : Puisque la fenêtre d'affichage de la calculatrice est, par défaut, un plan cartésien gradué de -10 à 10 sur les deux axes, le polygone représentant la solution de ce système n'apparaît pas convenablement.

4 Appuyer sur WINDOW et définir la fenêtre d'affichage. Ensuite, appuyer sur GRAPH pour vérifier si le polygone apparaît convenablement.

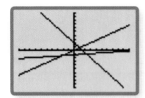

5 Appuyer sur Y= et déplacer le curseur sur « \ », à gauche du Y1. Appuyer trois fois sur ENTER pour hachurer la zone inférieure.

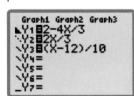

6 Appuyer sur GRAPH pour afficher le résultat de l'inéquation.

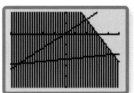

7 Répéter les étapes 5, 6 et 7 pour Y2 et Y3.

Remarque : Dans cet exemple, hachurer la zone inférieure pour Y2 (appuyer 3 fois sur ENTER) et la zone supérieure pour Y3 (appuyez 2 fois sur ENTER).

Déterminer les coordonnées des sommets d'un polygone

Voici les étapes à suivre pour déterminer les coordonnées des sommets du polygone de l'exemple précédent.

1 Appuyer sur [2nd] et sur [TRACE] pour accéder au menu «Calculs». Sélectionner ensuite «5 : intersect» et appuyer sur [ENTER].

2 Sélectionner ensuite les deux droites qui forment l'un des sommets du polygone.

1) Avec la touche [▼], déplacer le curseur vers le haut ou le bas et appuyer sur [ENTER] pour sélectionner la droite délimitant l'un des sommets du polygone.

2) Répéter la même opération pour sélectionner l'autre droite.

3) Appuyer à nouveau sur [ENTER]. Les coordonnées du point de rencontre s'affichent alors à l'écran.

Générer un entier aléatoire en probabilité

La calculatrice à affichage graphique permet de générer des entiers aléatoires délimités par des bornes inférieure et supérieure.

1 Appuyer sur [MATH] puis sur [▶] pour afficher le menu «MATH PRB».

2 Avec le curseur, sélectionner «5 : entAléat(» et appuyer sur [ENTER].

3 Saisir, dans l'ordre, la valeur des bornes inférieure et supérieure ainsi que le nombre d'entiers à générer (exemple : l'expression «entAléat(0,100,10)» donnera 10 nombres entiers aléatoires compris entre 0 et 100). Appuyer sur [ENTER].

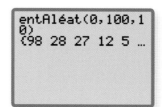

Le traceur de courbes

L'interface

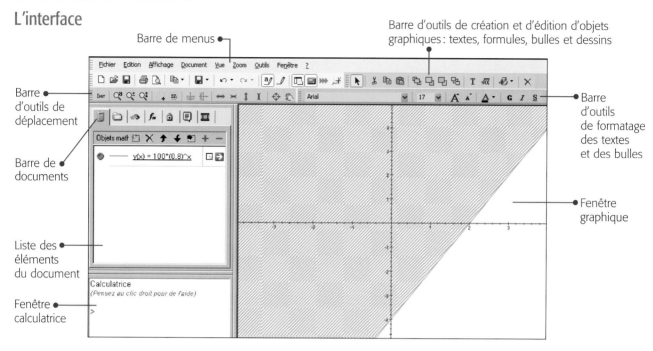

Barre de menus •

Barre d'outils de création et d'édition d'objets graphiques : textes, formules, bulles et dessins

Barre • d'outils de déplacement

Barre de • documents

Liste des • éléments du document

Fenêtre • calculatrice

Barre • d'outils de formatage des textes et des bulles

• Fenêtre graphique

Il est important de noter que, dans le traceur de courbes, la zone hachurée est la « zone non solution ».

La barre de documents et la liste

La barre de documents permet de créer de nouveaux objets mathématiques qui seront ajoutés au graphique. On peut aussi voir et modifier les objets mathématiques créés, tout en ayant accès à de l'information complémentaire sur tous les objets du graphique.

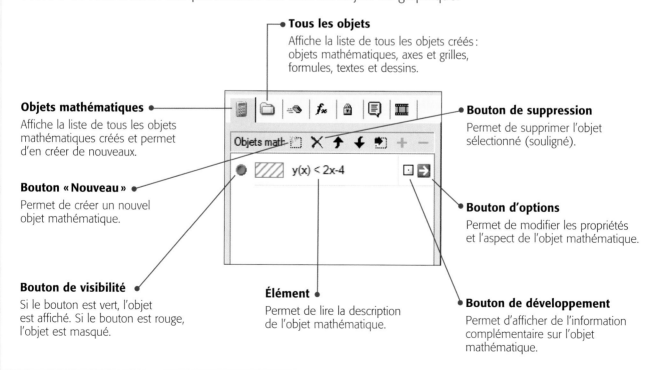

• Tous les objets

Affiche la liste de tous les objets créés : objets mathématiques, axes et grilles, formules, textes et dessins.

Objets mathématiques •

Affiche la liste de tous les objets mathématiques créés et permet d'en créer de nouveaux.

Bouton de suppression

Permet de supprimer l'objet sélectionné (souligné).

Bouton « Nouveau » •

Permet de créer un nouvel objet mathématique.

Bouton d'options

Permet de modifier les propriétés et l'aspect de l'objet mathématique.

Bouton de visibilité •

Si le bouton est vert, l'objet est affiché. Si le bouton est rouge, l'objet est masqué.

Élément •

Permet de lire la description de l'objet mathématique.

Bouton de développement

Permet d'afficher de l'information complémentaire sur l'objet mathématique.

Tracer un polygone de contraintes

Voici les étapes à suivre pour représenter graphiquement le système d'inéquations :

$$\begin{cases} x \geq 4 \\ 2y \geq x \\ 2y \leq x + 16 \\ 3x \leq y + 24 \\ x + y \leq 28 \end{cases}$$

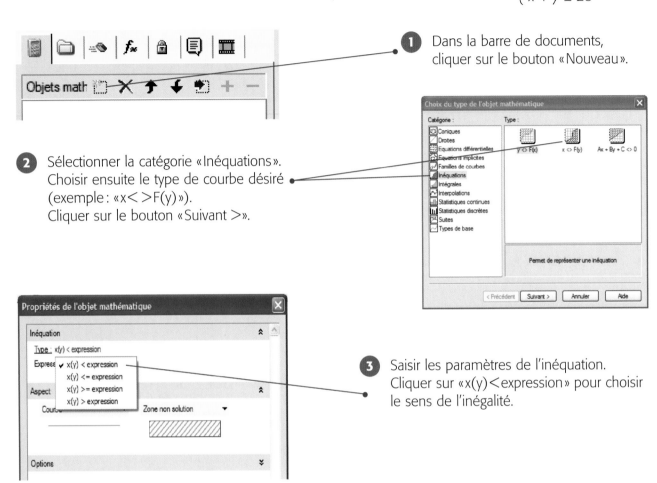

1 Dans la barre de documents, cliquer sur le bouton «Nouveau».

2 Sélectionner la catégorie «Inéquations». Choisir ensuite le type de courbe désiré (exemple : «x<>F(y)»). Cliquer sur le bouton «Suivant >».

3 Saisir les paramètres de l'inéquation. Cliquer sur «x(y)<expression» pour choisir le sens de l'inégalité.

Par exemple, pour l'inéquation $x \geq 4$, choisir «x(y)> = expression» et saisir 4 comme expression.

Attention : Lors de la saisie, il faut utiliser le point décimal («.») et non la virgule décimale («,»), s'il y a lieu. Lorsque les paramètres sont saisis, cliquer sur le bouton «Terminer».

Remarque : En tout temps, il est possible de modifier l'aspect de la courbe dans la section «Aspect».

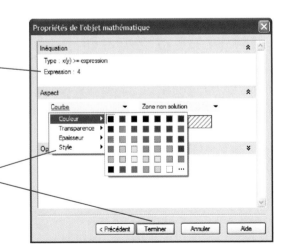

4 On obtient la courbe associée à la règle $x \geq 4$.

Pour tracer les autres inéquations dans le même plan cartésien, répéter les étapes 1 à 3.

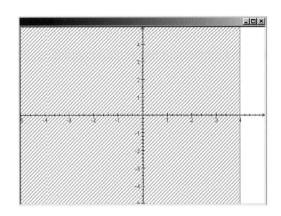

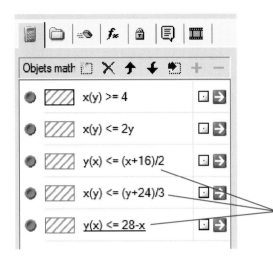

Il faut prendre soin de transformer les inéquations de façon à pouvoir saisir les bonnes expressions (exemple: saisir $y \leq (x + 16)/2$, $x \leq (y + 24)/3$ et $y \leq 28 - x$ pour les trois dernières inéquations du système).

5 Modifier la graduation des axes en sélectionnant «Propriétés» dans le menu «Vue» (ou cliquer dans la zone du graphique avec le bouton de droite de la souris et sélectionner «Propriétés vue»). On peut aussi utiliser la roulette de la souris pour agrandir ou réduire le plan.

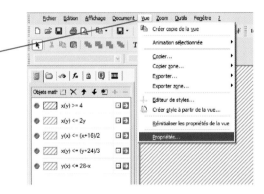

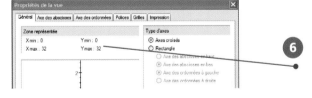

6 Cliquer sur l'onglet correspondant à l'élément dont on veut modifier l'aspect et indiquer les modifications souhaitées.

7 Cliquer sur «OK» pour obtenir le graphique.

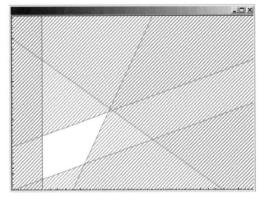

Évaluer les sommets d'un polygone

Il est possible d'évaluer de façon approximative les coordonnées des sommets du polygone.

1 Sélectionner «Visualiseur de points» dans le menu «Affichage».

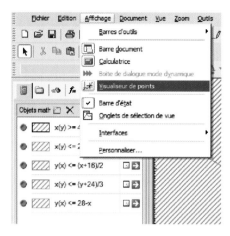

2 Dans le menu déroulant, choisir l'inéquation sur laquelle se trouve le sommet recherché.

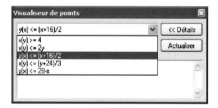

3 Déplacer le curseur jusqu'à ce que la marque soit sur le sommet et appuyer sur «Détails>>». On obtient ainsi les coordonnées approximatives de ce sommet.

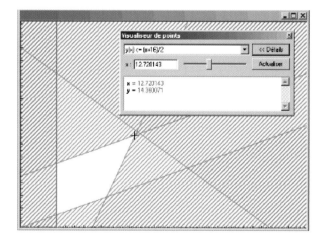

Répéter les étapes 1 à 3 pour obtenir les coordonnées approximatives des autres sommets du polygone.

Le logiciel de géométrie dynamique

L'interface

A priori singulière, l'interface du logiciel de géométrie dynamique devient simple et intuitive après quelques utilisations.

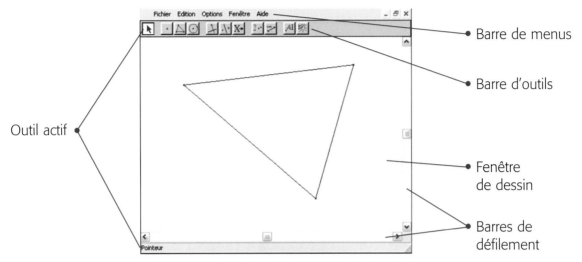

Barre de menus

Barre d'outils

Outil actif

Fenêtre de dessin

Barres de défilement

La barre d'outils

La principale particularité du logiciel vient du fait que les icônes des boutons changent en fonction de l'outil sélectionné. Afin d'obtenir les outils relatifs à une icône, il suffit de maintenir le curseur enfoncé sur celle-ci.

Par exemple, l'icône «Droite perpendiculaire» prend un autre aspect si on choisit l'outil «Bissectrice», et demeure ainsi tant qu'on ne choisit pas un nouvel outil.

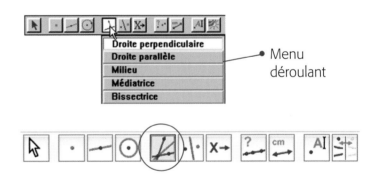

Menu déroulant

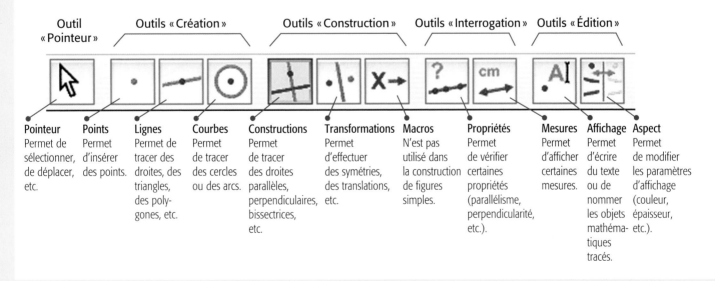

Outil «Pointeur»	Outils «Création»			Outils «Construction»			Outils «Interrogation»		Outils «Édition»	
Pointeur	Points	Lignes	Courbes	Constructions	Transformations	Macros	Propriétés	Mesures	Affichage	Aspect
Permet de sélectionner, de déplacer, etc.	Permet d'insérer des points.	Permet de tracer des droites, des triangles, des polygones, etc.	Permet de tracer des cercles ou des arcs.	Permet de tracer des droites parallèles, perpendiculaires, bissectrices, etc.	Permet d'effectuer des symétries, des translations, etc.	N'est pas utilisé dans la construction de figures simples.	Permet de vérifier certaines propriétés (parallélisme, perpendicularité, etc.).	Permet d'afficher certaines mesures.	Permet d'écrire du texte ou de nommer les objets mathématiques tracés.	Permet de modifier les paramètres d'affichage (couleur, épaisseur, etc.).

Tracer des polygones réguliers et calculer leur périmètre et leur aire

1 Sélectionner l'outil «Polygone régulier» dans le menu déroulant du bouton «Lignes».

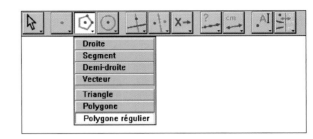

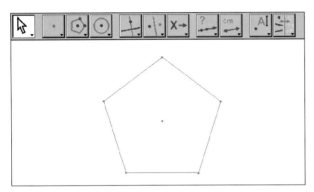

2 Placer le premier point n'importe où : ce sera le centre du polygone régulier. Déplacer la souris à l'endroit désiré et marquer un autre point, qui sera un des sommets du polygone. Déplacer la souris afin de choisir le nombre de côtés du polygone régulier à tracer, puis cliquer pour fixer le nombre de côtés choisi.

3 Pour mesurer le périmètre du polygone, sélectionner l'outil «Distance ou longueur» dans le menu déroulant du bouton «Mesures». Déplacer la souris sur un des côtés de la figure jusqu'à ce que l'expression «Périmètre de ce polygone» apparaisse. Cliquer sur l'expression pour que la mesure s'affiche à l'écran.

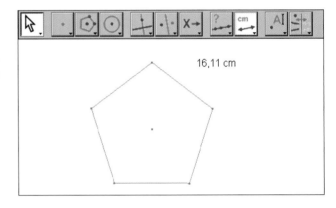

4 Pour mesurer l'aire du polygone, sélectionner l'outil «Aire» dans le menu déroulant du bouton «Mesures». Déplacer la souris sur la figure jusqu'à ce que l'expression «Aire de ce polygone» apparaisse. Cliquer sur l'expression pour que la mesure s'affiche à l'écran.

5 Au besoin, insérer une boîte de texte pour inscrire la mesure du périmètre ou de l'aire. Pour ce faire, utiliser l'outil «Affichage».

Remarque : Déplacer un des sommets du pentagone pour diminuer ou augmenter la mesure de ses côtés. Le logiciel calcule alors automatiquement le périmètre et l'aire de la figure.

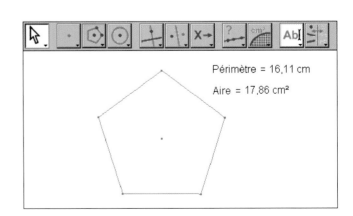

Effectuer des transformations géométriques : la translation

1 Tracer le vecteur «Translation» à l'aide de l'outil «Vecteur» qui se trouve dans le menu déroulant du bouton «Lignes».

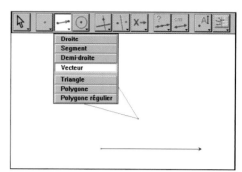

2 Pour obtenir la translation de la figure géométrique suivant le vecteur, cliquer sur l'outil «Translation» du menu déroulant «Transformations» puis sur le vecteur et sur le triangle.

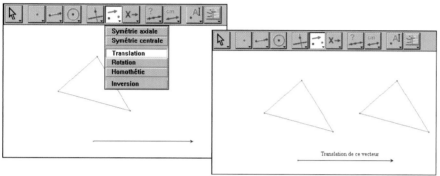

3 On peut travailler sur les propriétés des translations en traçant, par exemple, des parallèles au vecteur de translation qui passent par les sommets de la figure géométrique.

Sélectionner «Droite parallèle» dans le menu déroulant «Constructions» puis cliquer sur le vecteur et sur un des sommets du triangle. Recommencer la procédure pour les deux autres sommets.

Avec l'outil «Pointeur», modifier le sens du vecteur pour observer la propriété.

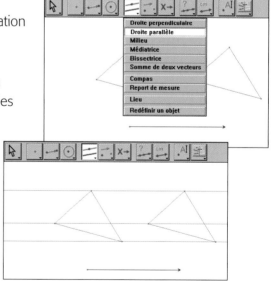

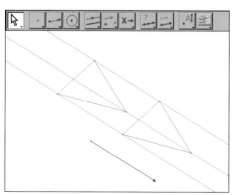

Effectuer des transformations géométriques : la réflexion

La procédure pour la réflexion est similaire à celle de la translation.

1 Tracer une droite ou une demi-droite comme axe de symétrie et cliquer sur «Symétrie axiale» dans le menu déroulant «Transformations».

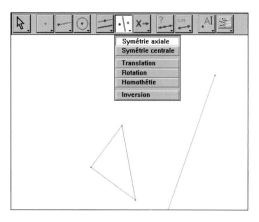 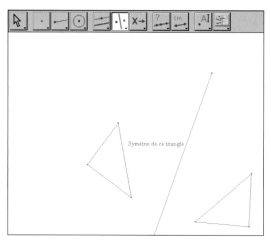

2 Tracer les perpendiculaires à l'axe de réflexion qui passent par les sommets de la figure géométrique et déplacer l'axe de réflexion pour constater que tous les points images restent sur cette droite.

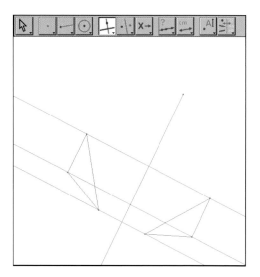 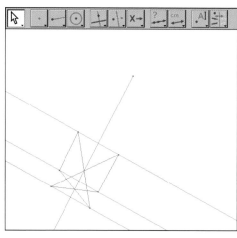

Effectuer des transformations géométriques : la rotation

1 Placer un point à l'aide de l'outil « Point » du menu déroulant « Points ». Ce point représente le centre de rotation. À partir du menu déroulant « Lignes », tracer une figure géométrique.

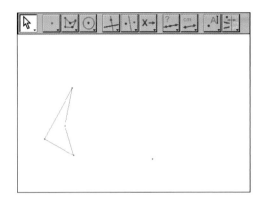

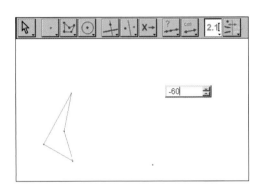

2 À l'aide de l'outil « Nombre » du menu déroulant « Affichage », écrire le nombre qui représente l'angle de rotation voulu.

3 Sélectionner « Rotation » dans le menu déroulant « Transformations » puis cliquer sur la figure géométrique, le centre de rotation et le nombre.

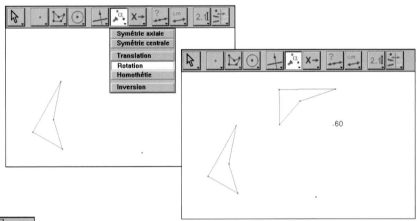

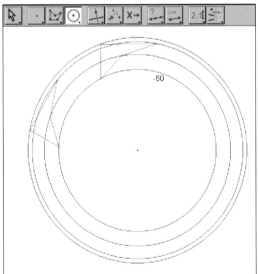

4 Sélectionner « Cercles » dans le menu déroulant « Courbes ». Tracer des cercles qui passent par chacun des sommets de la figure en cliquant sur le centre du cercle et sur le sommet. Cliquer deux fois sur le nombre affiché à l'écran pour faire apparaître deux flèches à sa droite. Cliquer sur l'une d'elles pour faire accroître ou décroître ce nombre et ainsi observer la rotation de la figure.

Le tableur

L'interface

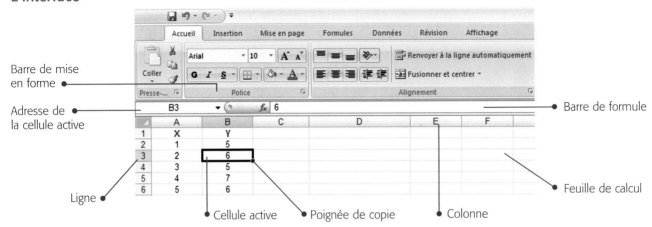

- Barre de mise en forme
- Adresse de la cellule active
- Barre de formule
- Ligne
- Cellule active
- Poignée de copie
- Colonne
- Feuille de calcul

Manipuler des feuilles de calcul

Le tableur est un logiciel informatique qui permet la manipulation de feuilles de calcul. Par exemple, il permet de comparer le périmètre de différents rectangles ayant la même aire.

1 Saisir les données dans les cellules du tableur.

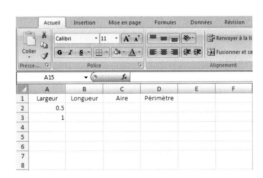

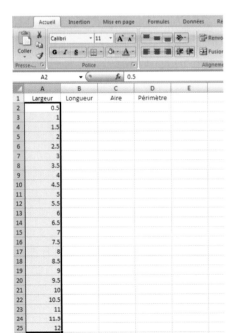

2 Utiliser la poignée de copie des cellules A2 et A3 pour saisir rapidement les autres largeurs dans les cellules A4 à A25.

3 Dans la cellule B2, saisir la formule =24/A2. Utiliser la poignée de copie de la cellule B2 pour recopier la formule dans les cellules B3 à B25.

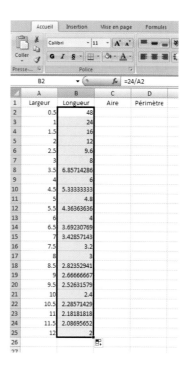

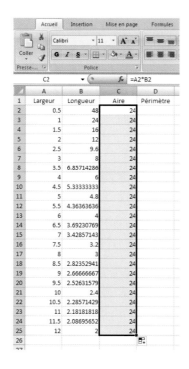

4 Dans la cellule C2, saisir la formule =A2*B2. Comme en **3**, utiliser la poignée de copie de la cellule C2 pour recopier la formule dans les cellules C3 à C25.

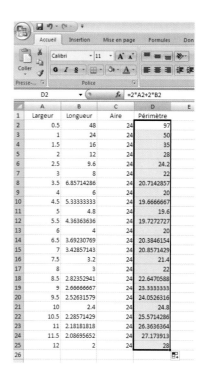

5 Dans la cellule D2, saisir la formule =2*A2+2*B2. Recopier la formule dans les cellules D3 à D25 à l'aide de la poignée de copie.

Trier des données

L'utilisation d'un tableur permet de placer les arêtes d'un graphe selon l'ordre croissant de leur poids.

1 Saisir les données dans les cellules du tableur.

2 Sélectionner les cellules A1 à A17. Sous l'onglet «Données», cliquer sur «Trier».

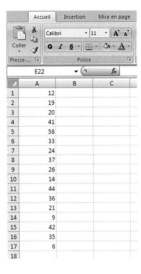

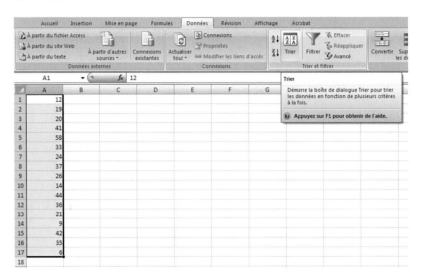

3 Dans la colonne «Ordre», choisir «Du plus petit au plus grand» et cliquer sur «OK». Les données sont alors triées.

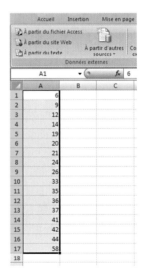

Faire le (point) sur les connaissances antérieures

Faire le ⬤point sur les connaissances antérieures

Algèbre

La traduction d'une situation par une inéquation

Une inéquation est un énoncé mathématique qui comporte une relation d'inégalité et une ou plusieurs variables.

Exemples: $x \le 12$; $x + 5 \ge {}^-7$; $y < x - 8$

Une inéquation dans laquelle on utilise le symbole $<$ ou $>$ est appelée «une inéquation au sens strict». Une inéquation dans laquelle on utilise le symbole $\le$ ou $\ge$ est appelée «une inéquation au sens large».

Le tableau ci-dessous précise la signification des symboles de la relation d'inégalité.

Inéquation	Signification
$x < b$	x est inférieur à b x est plus petit que b
$x > b$	x est supérieur à b x est plus grand que b
$x \le b$	x est inférieur ou égal à b x est au maximum b
$x \ge b$	x est supérieur ou égal à b x est au minimum b

Les contraintes

En mathématique, une contrainte correspond à une condition restrictive imposée à une ou à des variables. Une contrainte se traduit par une équation ou par une inéquation. Ici, ce sont les inéquations qui nous intéressent.

Exemple:

Au Québec, l'âge minimal requis pour conduire une automobile est de 16 ans.

Cette contrainte peut se traduire algébriquement par l'inéquation $a \ge 16$, où a représente l'âge.

Les règles de transformation des inégalités et des inéquations

Voici des règles qui permettent de résoudre des inéquations.

Règles de transformation		Exemples	
Additionner et soustraire une même quantité aux deux membres d'une inéquation conserve le sens de cette inéquation.	$a < b$ $a + c < b + c$ $a - c < b - c$	$6 < 8$ $6 + 2 < 8 + 2$ $8 < 10$	$6 < 8$ $6 - 2 < 8 - 2$ $4 < 6$
Multiplier ou diviser chaque membre d'une inéquation par un même nombre strictement positif conserve le sens de cette inéquation.	$a < b$ $a \times c < b \times c$ $a \div c < b \div c$ où $c \in \mathbb{R}^*_+$	$6 < 8$ $6 \times 2 < 8 \times 2$ $12 < 16$	$6 < 8$ $6 \div 2 < 8 \div 2$ $3 < 4$
Multiplier ou diviser chaque membre d'une inéquation par un même nombre strictement négatif inverse le sens de cette inéquation.	$a < b$ $a \times c > b \times c$ $a \div c > b \div c$ où $c \in \mathbb{R}^*_-$	$6 < 8$ $6 \times {}^-2 > 8 \times {}^-2$ ${}^-12 > {}^-16$	$6 < 8$ $6 \div {}^-2 > 8 \div {}^-2$ ${}^-3 > {}^-4$

Remarque : Inverser le sens du symbole, lorsqu'on multiplie ou divise chaque membre d'une inéquation par un nombre strictement négatif, permet d'obtenir une inéquation équivalente, c'est-à-dire une inéquation qui a le même ensemble-solution.

La résolution d'une inéquation du premier degré à une variable

Lorsqu'on résout une inéquation du premier degré à une variable, il faut la transformer en inéquations équivalentes de plus en plus simples. Ainsi, il faut obtenir une inéquation dont un membre est composé uniquement de la variable et l'autre membre, d'une valeur numérique correspondant à la borne de l'ensemble-solution.

Exemple :

$$3(x - 5) \leq 5x + 7$$

$$3x - 15 \leq 5x + 7$$
$$3x - 5x - 15 \leq 5x - 5x + 7$$
$${}^-2x - 15 \leq 7$$
$${}^-2x - 15 + 15 \leq 7 + 15$$
$${}^-2x \leq 22$$
$$\frac{{}^-2x}{{}^-2} \geq \frac{22}{{}^-2}$$
$$x \geq {}^-11$$

La modélisation algébrique d'une situation par un système d'équations du premier degré à deux variables

Deux contraintes d'égalité qu'on impose simultanément à deux variables forment un système d'équations à deux variables. Pour modéliser une situation à l'aide d'un système d'équations, on doit d'abord définir les variables, puis poser les équations.

La résolution d'un système d'équations

Résoudre un système d'équations consiste à déterminer les valeurs des deux variables qui vérifient simultanément les deux équations. Si la solution est unique, ces valeurs sont les coordonnées du point de rencontre des droites et sont exprimées sous la forme d'un couple-solution (x, y).

Le nombre de solutions d'un système d'équations

Un système d'équations du premier degré à deux variables peut avoir une solution unique, aucune solution ou une infinité de solutions.

Il y a une solution unique si les droites sont sécantes.	Il n'y a aucune solution si les droites sont parallèles.	Il y a une infinité de solutions si les droites sont confondues.
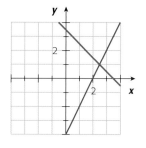	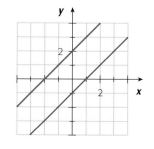	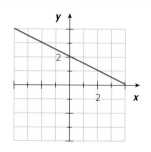

Remarque : La représentation graphique d'un système d'équations fournit toujours la solution du système, même si elle ne permet pas toujours de déterminer avec précision ses coordonnées.

Les méthodes algébriques de résolution d'un système d'équations

Pour résoudre algébriquement un système d'équations du premier degré à deux variables, il faut le transformer pour obtenir une équation à une variable. Pour ce faire, on peut employer les méthodes de comparaison, de substitution et/ou de réduction.

La méthode de comparaison

Exemple :

Le billet pour une voiture et un adulte à bord d'un traversier coûte 28,25 $. Le billet pour deux voitures et quatre adultes coûte 68 $.

Combien coûte le billet pour une voiture à bord de ce traversier ?

Étape	Démarche	
1. Définir les variables et représenter la situation par un système d'équations.	x : tarif pour une voiture y : tarif pour un adulte	$\begin{cases} x + y = 28{,}25 \\ 2x + 4y = 68 \end{cases}$
2. Isoler une même variable dans les deux équations.	$x + y = 28{,}25$ $x = 28{,}25 - y$	$2x + 4y = 68$ $2x = 68 - 4y$ $x = 34 - 2y$
3. **Comparer** les deux expressions algébriques pour former une équation à une variable et résoudre cette équation.	$x = x$ $28{,}25 - y = 34 - 2y$ $y = 5{,}75$	
4. Remplacer la valeur trouvée en **3** dans les deux équations initiales du système pour déterminer et valider la valeur de l'autre variable.	$x + y = 28{,}25$ $x + 5{,}75 = 28{,}25$ $x = 22{,}50$	$2x + 4y = 68$ $2x + 4(5{,}75) = 68$ $2x = 45$ $x = 22{,}50$
5. Communiquer la solution ou la réponse à la question.	Le billet pour une voiture à bord du traversier coûte 22,50 $.	

Remarque : Si les variables de la situation sont discrètes, on peut tout de même représenter la situation par des droites continues. Il faut cependant faire preuve de prudence dans l'interprétation de la solution en contexte.

La méthode de substitution

Exemple : Samedi, il a fait 12 degrés de moins que dimanche. La température moyenne de ces deux jours a été de $^-5$ °C. Quelle température a-t-il fait samedi et dimanche?

Étape	Démarche	
1. Définir les variables et représenter la situation par un système d'équations.	s : température enregistrée samedi d : température enregistrée dimanche	$\begin{cases} s = d - 12 \\ \dfrac{s+d}{2} = {}^-5 \end{cases}$
2. Isoler une variable dans l'une des deux équations.	$\begin{cases} s = d - 12 \\ \dfrac{s+d}{2} = {}^-5 \end{cases}$	
3. **Substituer** à cette variable, dans la seconde équation, l'expression algébrique qui correspond à la variable isolée.	$\dfrac{(d-12)+d}{2} = {}^-5$ $(d-12)+d = {}^-10$ $2d - 12 = {}^-10$ $2d = 2$ $d = 1$	
4. Remplacer la valeur trouvée en **3** dans les deux équations initiales du système pour déterminer et valider la valeur de l'autre variable.	$s = d - 12$ $s = 1 - 12$ $s = {}^-11$	$\dfrac{s+d}{2} = {}^-5$ $s + 1 = {}^-10$ $s = {}^-11$
5. Communiquer la solution ou la réponse à la question.	Il a fait $^-11$ °C samedi et 1 °C dimanche.	

La méthode de réduction

Exemple : Dans un club vidéo, la location de trois films et de deux jeux vidéo coûte 20 $. La location de deux films et de cinq jeux vidéo coûte 25,25 $. Combien coûte la location d'un film et de deux jeux vidéo?

Étape	Démarche	
1. Définir les variables et représenter la situation par un système d'équations.	x : coût de location d'un film y : coût de location d'un jeu vidéo	$\begin{cases} 3x + 2y = 20 \\ 2x + 5y = 25{,}25 \end{cases}$
2. Former un système d'équations équivalent dont les deux équations s'expriment sous la forme $ax + by = c$ et dans lequel les coefficients d'une variable sont opposés (ou égaux).	$\begin{matrix} 2 \cdot (3x + 2y = 20) \\ {}^-3 \cdot (2x + 5y = 25{,}25) \end{matrix} \Rightarrow \begin{cases} 6x + 4y = 40 \\ {}^-6x - 15y = {}^-75{,}75 \end{cases}$	
3. **Réduire** en additionnant (ou en soustrayant) les deux équations et résoudre l'équation.	$+\begin{matrix} 6x + 4y = 40 \\ {}^-6x - 15y = {}^-75{,}75 \end{matrix}$ ${}^-11y = {}^-35{,}75$ $y = 3{,}25$	
4. Remplacer la valeur trouvée en **3** dans les deux équations initiales du système pour déterminer et valider la valeur de l'autre variable.	$3x + 2y = 20$ $3x + 2(3{,}25) = 20$ $3x = 13{,}5$ $x = 4{,}5$	$2x + 5y = 25{,}25$ $2x + 5(3{,}25) = 25{,}25$ $2x = 9$ $x = 4{,}5$
5. Communiquer la solution ou la réponse à la question.	La location d'un film coûte 4,50 $ et celle d'un jeu vidéo, 3,25 $. La location d'un film et de deux jeux vidéo coûte donc 11 $.	

L'aire de figures planes

L'aire de triangles

1)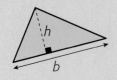

$$A_\Delta = \frac{b \cdot h}{2}$$

2)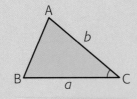

$$A_\Delta = \frac{a \cdot b \cdot \sin C}{2}$$

3)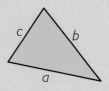

$$A_\Delta = \sqrt{p(p-a)(p-b)(p-c)}$$

où p est le demi-périmètre du triangle.

Remarque : Cette formule se nomme la formule de Héron.

L'aire de quadrilatères

1) Losange

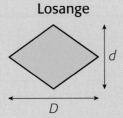

$$A_{losange} = \frac{D \cdot d}{2}$$

3) Cerf-volant

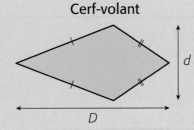

$$A_{cerf\text{-}volant} = \frac{D \cdot d}{2}$$

5) Rectangle

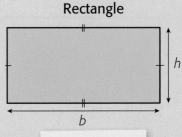

$$A_{rectangle} = b \cdot h$$

2) Parallélogramme

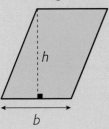

$$A_{parallélogramme} = b \cdot h$$

4) Trapèze

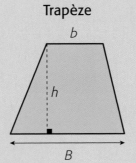

$$A_{trapèze} = \frac{(B + b) \cdot h}{2}$$

6) Carré

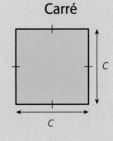

$$A_{carré} = c^2$$

L'aire de polygones réguliers et l'aire d'un disque

1) Polygone à n côtés

$$A_{polygone\ régulier} = \frac{(n \cdot c) \cdot a}{2}$$

2) Disque

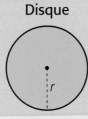

$$A_{disque} = \pi r^2$$

La relation de Pythagore

Dans tout triangle rectangle, le carré de l'hypoténuse est égal à la somme des carrés des cathètes.

Voici deux façons d'utiliser la relation de Pythagore pour trouver des mesures manquantes dans un triangle rectangle.

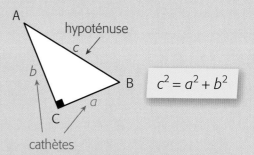

$$c^2 = a^2 + b^2$$

Pour trouver la mesure de l'hypoténuse	Pour trouver la mesure d'une cathète
6 cm, c, 5 cm $c^2 = a^2 + b^2$ $c^2 = 6^2 + 5^2$ $c^2 = 36 + 25$ $c^2 = 61$ $c = \sqrt{61} \approx 7{,}8$ L'hypoténuse mesure environ 7,8 cm	7 cm, b, 4 cm $c^2 = a^2 + b^2$ $7^2 = 4^2 + b^2$ $49 = 16 + b^2$ $33 = b^2$ $b = \sqrt{33} \approx 5{,}7$ La cathète mesure environ 5,7 cm

Afin d'utiliser la relation de Pythagore pour résoudre des problèmes, il faut d'abord relever la présence de triangles rectangles dans les figures planes ou les solides concernés.

Exemple 1 : Dans un triangle isocèle.

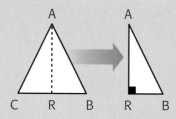

$\overline{AR}$ est la hauteur du triangle isocèle **ABC**.

$\overline{AR}$ est aussi la médiatrice du côté **BC**.

$\overline{AR}$ est une cathète du triangle rectangle **ABR**.

L'autre cathète $\overline{RB}$ mesure donc la moitié de la mesure de la base du triangle **ABC**.

Exemple 2 : Dans une pyramide ou un cône.

Dans toute pyramide **droite régulière** et dans tout **cône droit**, on retrouve un triangle rectangle dont les cathètes sont, pour la pyramide, la **hauteur** et l'apothème de la base et, pour le cône, la **hauteur** et le rayon de la base. L'hypoténuse est l'**apothème de la pyramide et du cône**.

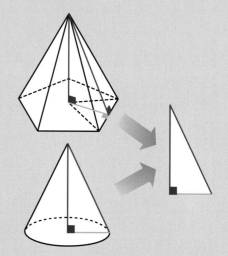

Les relations métriques dans le triangle rectangle

Dans un triangle rectangle, la hauteur relative à l'hypoténuse détermine deux autres triangles rectangles, semblables au premier.

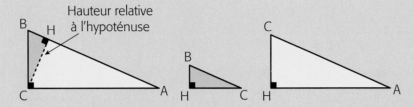

Par la condition minimale de similitude AA :

- $\triangle ABC \sim \triangle CBH$ puisque ces deux triangles ont un angle droit et qu'ils ont l'angle **B** en commun ;

- $\triangle ABC \sim \triangle ACH$ puisque ces deux triangles ont un angle droit et qu'ils ont l'angle **A** en commun.

Par la transitivité de la relation de similitude, $\triangle CBH \sim \triangle ACH$.

La similitude des triangles déterminés par la hauteur relative à l'hypoténuse dans un triangle rectangle permet d'établir trois relations métriques qui facilitent la recherche de mesures manquantes.

> La relation de similitude est transitive, c'est-à-dire que si $\triangle ABC \sim \triangle DEF$ et $\triangle DEF \sim \triangle GHJ$, alors $\triangle ABC \sim \triangle GHJ$.

– Dans un triangle rectangle, la mesure de la hauteur relative à l'hypoténuse est la moyenne proportionnelle des mesures des deux segments qu'elle détermine sur l'hypoténuse.

$$\frac{c_1}{h} = \frac{h}{c_2} \Rightarrow h^2 = c_1 \cdot c_2$$

C'est ce qu'on appelle parfois le théorème de la hauteur relative à l'hypoténuse.

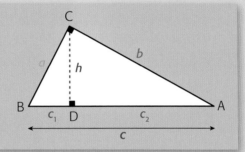

> Lorsque les deux extrêmes ou les deux moyens d'une proportion ont la même valeur, cette valeur est appelée «moyenne proportionnelle des deux autres valeurs».

Exemple :

Voici comment déterminer la mesure de $\overline{BD}$ dans le triangle ci-dessous.

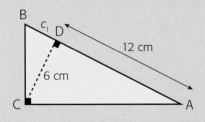

$$h^2 = c_1 \cdot c_2$$
$$6^2 = 12c_1$$
$$36 = 12c_1$$
$$c_1 = 3$$
$$m\,\overline{BD} = 3 \text{ cm}$$

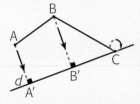

Dans la figure ci-dessous, $\overline{A'B'}$ est la projection orthogonale de $\overline{AB}$ sur la droite d et $\overline{B'C}$ est la projection orthogonale de $\overline{BC}$ sur la droite d.

– Dans un triangle rectangle, la mesure de chaque cathète est la moyenne proportionnelle de la mesure de sa projection orthogonale sur l'hypoténuse et de la mesure de l'hypoténuse.

$$\frac{c_1}{a} = \frac{a}{c} \Rightarrow a^2 = c_1 \cdot c$$

$$\frac{c_2}{b} = \frac{b}{c} \Rightarrow b^2 = c_2 \cdot c$$

C'est ce qu'on appelle parfois le théorème de la cathète.

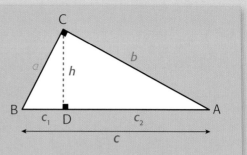

Exemple :

Voici comment déterminer la mesure de $\overline{BC}$ dans le triangle ci-dessous.

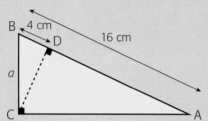

$$a^2 = c_1 \cdot c$$
$$a^2 = 4 \cdot 16$$
$$a^2 = 64$$
$$a = 8$$
$$m\,\overline{BC} = 8 \text{ cm}$$

– Dans un triangle rectangle, le produit des mesures des cathètes égale le produit des mesures de l'hypoténuse et de la hauteur relative à l'hypoténuse.

$$\frac{h}{b} = \frac{a}{c} \Rightarrow a \cdot b = h \cdot c$$

C'est ce qu'on appelle parfois le théorème du produit des cathètes.

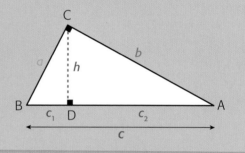

Exemple :

Voici comment déterminer la mesure de $\overline{CD}$ dans le triangle ci-dessous.

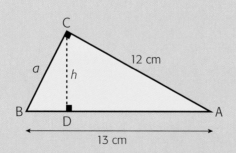

1. Utiliser la relation de Pythagore pour déterminer la mesure de la cathète **BC**.

$$a^2 + 12^2 = 13^2$$
$$a^2 = 169 - 144$$
$$a^2 = 25$$
$$a = \sqrt{25}$$
$$a = 5 \text{ cm}$$

2. Calculer ensuite la mesure de $\overline{CD}$ à l'aide de la relation métrique.

$$a \cdot b = h \cdot c$$
$$5 \cdot 12 = h \cdot 13$$
$$h = \frac{60}{13} \approx 4,6$$
$$m\,\overline{CD} \approx 4,6 \text{ cm}$$

Les rapports trigonométriques dans le triangle rectangle

Puisque tous les triangles rectangles ayant un angle aigu isométrique sont semblables et que les mesures de leurs côtés homologues sont proportionnelles, les rapports entre les mesures des côtés d'un triangle rectangle, pour un angle donné, sont uniques.

Côté opposé à ∠ **B**
Côté adjacent à ∠ **A**

A
Hypoténuse
b c
C a B

Côté opposé à ∠ **A**
Côté adjacent à ∠ **B**

> Pour nommer les côtés d'un triangle, on utilise normalement la même lettre que celle du sommet opposé, mais en minuscule.

Dans un triangle **ABC** rectangle en **C** :

$$\text{sinus } \mathbf{A} = \frac{\text{mesure du côté opposé à } \angle \mathbf{A}}{\text{mesure de l'hypoténuse}} \text{ ou } \sin \mathbf{A} = \frac{a}{c}$$

$$\text{cosinus } \mathbf{A} = \frac{\text{mesure du côté adjacent à } \angle \mathbf{A}}{\text{mesure de l'hypoténuse}} \text{ ou } \cos \mathbf{A} = \frac{b}{c}$$

$$\text{tangente } \mathbf{A} = \frac{\text{mesure du côté opposé à } \angle \mathbf{A}}{\text{mesure du côté adjacent à } \angle \mathbf{A}} \text{ ou } \tan \mathbf{A} = \frac{a}{b} \text{ ou } \tan \mathbf{A} = \frac{\sin \mathbf{A}}{\cos \mathbf{A}}$$

Le sinus et le cosinus d'un angle aigu sont compris entre 0 et 1. La tangente d'un angle aigu est positive.

Pour trouver une mesure manquante dans un triangle rectangle, il faut connaître, en plus de l'angle droit, au moins deux autres mesures, dont une mesure de côté.

Trouver une mesure manquante dans un triangle rectangle dont on connaît une mesure de côté et une mesure d'angle aigu

Exemple : Détermine la mesure de l'hypoténuse du triangle **ABC**.

Étape	Démarche
1. Identifier le côté dont on cherche la mesure.	B 65° c 150 cm C A
2. À partir de l'angle aigu dont on connaît la mesure, identifier le rapport trigonométrique qui met en relation le côté dont on cherche la mesure et celui dont on connaît la mesure et poser une égalité.	$\cos 65° = \dfrac{150}{c}$
3. Trouver la valeur de l'inconnue.	$c = \dfrac{150}{\cos 65°} \approx 354,9$ L'hypoténuse mesure environ 354,9 cm.

Trouver la mesure manquante d'un angle dans un triangle rectangle dont on connaît deux mesures de côtés

Exemple : Détermine la mesure de l'angle **E** du triangle **DEF**.

Étape	Démarche
1. Identifier l'angle dont on cherche la mesure.	E 10 cm ? F 24 cm D
2. À partir de l'angle recherché, déterminer le rapport trigonométrique qui met en relation les deux côtés dont on connaît les mesures et poser une égalité.	$\tan \mathbf{E} = \dfrac{24}{10}$
3. Trouver la mesure de l'angle à l'aide de arc sinus, arc cosinus ou arc tangente.	$m \angle \mathbf{E} = \tan^{-1}\left(\dfrac{24}{10}\right)$ $m \angle \mathbf{E} \approx 67,4°$ L'angle **E** mesure environ 67,4°.

> L'arc tangente permet de calculer la mesure de l'angle à partir de la tangente. On la note aussi $\tan^{-1}$.

La loi des sinus

Dans un triangle, les rapports entre la mesure d'un côté et le sinus de l'angle qui lui est opposé sont équivalents.

$$\frac{a}{\sin \mathbf{A}} = \frac{b}{\sin \mathbf{B}} = \frac{c}{\sin \mathbf{C}}$$

Le sinus d'un angle obtus est égal au sinus de l'angle qui lui est supplémentaire.

$$\sin \mathbf{A} = \sin (180° - \mathbf{A})$$

Exemple : $\sin 150° = \sin (180° - 150°) = \sin 30° = 0,5$

La loi des sinus permet de déterminer des mesures manquantes dans un triangle quelconque, et ce, dès qu'on connaît la mesure d'un angle et celle de son côté opposé ainsi qu'une autre mesure d'angle ou de côté.

La recherche d'une mesure de côté

Exemple : Détermine la mesure du côté **BC** dans le triangle **ABC** ci-contre.

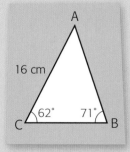

Étape	Démarche
1. Déduire la mesure du troisième angle.	$m \angle \mathbf{A} = 180° - 71° - 62° = 47°$
2. Remplacer les mesures connues dans la loi des sinus et identifier la proportion à résoudre.	$\dfrac{a}{\sin \mathbf{A}} = \dfrac{b}{\sin \mathbf{B}} = \dfrac{c}{\sin \mathbf{C}}$ $\boxed{\dfrac{a}{\sin 47°} = \dfrac{16}{\sin 71°}} = \dfrac{c}{\sin 62°}$
3. Isoler le terme manquant dans la proportion identifiée en **2**.	$a = \dfrac{16 \cdot \sin 47°}{\sin 71°} \approx 12,4$ $\overline{\mathbf{BC}}$ mesure environ 12,4 cm.

La recherche d'une mesure d'angle

Exemple : Dans le triangle **DEF**, m ∠ **F** = 47°, m $\overline{EF}$ = 5 cm et m $\overline{DE}$ = 4 cm. Détermine la mesure de l'angle **D**.

Étape	Démarche
1. Au besoin, illustrer le ou les triangles.	*(Deux triangles illustrés : D–F–E avec angle 47° en F, côté FE = 5 cm, côté DF... D–F–E avec 4 cm, 47°, 5 cm)*
2. Remplacer les mesures connues dans la loi des sinus et identifier la proportion à résoudre.	$\dfrac{d}{\sin \mathbf{D}} = \dfrac{e}{\sin \mathbf{E}} = \dfrac{f}{\sin \mathbf{F}}$ $\boxed{\dfrac{5}{\sin \mathbf{D}}} = \dfrac{e}{\sin \mathbf{E}} \boxed{= \dfrac{4}{\sin 47°}}$
3. Isoler le terme manquant dans la proportion identifiée en **2**.	$\sin \mathbf{D} = \dfrac{5 \cdot \sin 47°}{4} \approx 0{,}9142$
4. Trouver les deux mesures d'angles correspondant à ce sinus.	m ∠ **D** ≈ sin⁻¹ (0,9142) ≈ 66,1° ou m ∠ **D** ≈ 180° − 66,1° ≈ 113,9°
5. Selon la figure ou le contexte, donner la mesure de l'angle aigu, de l'angle obtus ou des deux.	Deux triangles différents ont ces trois mesures. L'angle **D** mesure environ 66,1° ou 113,9°.

> **Pièges et astuces**
>
> La calculatrice fournit toujours la mesure de l'angle aigu associé à un sinus. On doit donc parfois considérer le supplément de l'angle fourni par celle-ci.

La recherche de mesures manquantes : un cas particulier

Dans un triangle quelconque dont on ignore la mesure d'un angle et celle de son côté opposé, on ne peut pas utiliser la loi des sinus. Dans ce cas, tracer une hauteur permet d'obtenir des triangles rectangles et d'avoir recours aux rapports trigonométriques.

Exemple : Détermine la mesure de $\overline{RT}$ dans le triangle **RST** ci-contre.

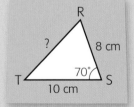

Étape	Démarche
1. Tracer une hauteur *h* relative à un des deux côtés dont on connaît la mesure.	*(Triangle R–T–S avec hauteur h de R à H sur TS, ? en haut à gauche, 8 cm à droite, 70° en S, 10 cm pour TS)*
2. Déterminer *h* à l'aide du sinus de l'angle dans le triangle rectangle dont on connaît la mesure d'un angle aigu.	Dans ΔRHS, $\sin 70° = \dfrac{h}{8}$ $h = 8 \cdot \sin 70° \approx 7{,}52$
3. À l'aide de la relation de Pythagore, déduire la mesure du troisième côté du triangle rectangle **RHS** et la mesure des côtés du triangle rectangle **RHT**.	Dans ΔRHS, m $\overline{SH} \approx \sqrt{(8)^2 - (7{,}52)^2} \approx 2{,}74$ m $\overline{HT} \approx 10 - 2{,}74 \approx 7{,}26$ Dans ΔRHT, m $\overline{RT} \approx \sqrt{(7{,}52)^2 + (7{,}26)^2} \approx 10{,}5$ $\overline{RT}$ mesure environ 10,5 cm.

L'aire de solides

L'aire d'un solide est la somme des aires de toutes ses faces.

1) Calculer l'aire d'un prisme droit à partir de l'aire de sa base (A_{base}), du périmètre de sa base (P_{base}) et de sa hauteur (h).

$$A_{prisme\ droit} = 2 \cdot A_{base} + A_{latérale} = 2 \cdot A_{base} + P_{base} \cdot h$$

2) Calculer l'aire d'un cylindre droit à partir de son rayon (r) et de sa hauteur (h).

$$A_{cylindre\ droit} = 2 \cdot A_{base} + A_{latérale} = 2\pi r^2 + 2\pi rh \quad \text{ou}$$
$$A_{cylindre\ droit} = 2\pi r(r + h)$$

3) Calculer l'aire d'un cône à partir de son rayon (r) et de son apothème (a).

$$A_{cône\ droit} = A_{base} + A_{latérale} = \pi r^2 + \pi ra \quad \text{ou} \quad A_{cône\ droit} = \pi r(r + a)$$

4) Calculer l'aire d'une sphère à partir de son rayon (r).

$$A_{sphère} = 4\pi r^2$$

Le volume de solides

1) Calculer le volume d'un prisme ou d'un cylindre à partir de l'aire de sa base (A_{base}) et de sa hauteur (h).

$$V = A_{base} \cdot h$$

  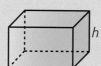

2) Calculer le volume d'une pyramide ou d'un cône circulaire à partir de l'aire de sa base (A_{base}) et de sa hauteur (h).

$$V = \frac{A_{base} \cdot h}{3}$$

3) Calculer le volume d'une boule à partir de son rayon (r).

$$V = \frac{4\pi r^3}{3}$$

Les relations entre les unités de longueur, d'aire, de volume et de capacité

Dans certains contextes, il est nécessaire de passer d'une unité de mesure à l'autre. Le tableau ci-dessous permet d'effectuer ces conversions.

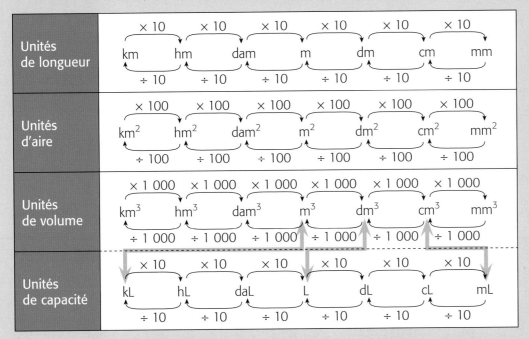

À partir de la définition du litre, qui est la capacité d'un contenant cubique de 1 dm^3 de côté, on peut convertir des mesures de volume en mesures de capacité.

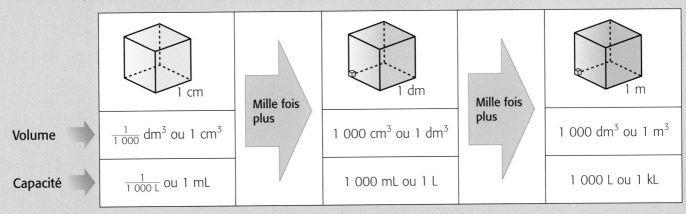

La droite

En géométrie analytique, la droite se définit comme l'ensemble des points d'un plan cartésien dont les coordonnées vérifient une équation du premier degré à deux variables.

La pente

La pente de la droite qui passe par les points $A(x_1, y_1)$ et $B(x_2, y_2)$ est le rapport de l'accroissement des ordonnées à l'accroissement des abscisses entre deux points de cette droite.

Pente de la droite $AB = \dfrac{\Delta y}{\Delta x} = \dfrac{y_2 - y_1}{x_2 - x_1}$

Exemple :

Détermine la pente de la droite qui passe par les points $R(^-2, 5)$ et $S(3, ^-15)$.

Pente de la droite $RS = \dfrac{\Delta y}{\Delta x} = \dfrac{y_2 - y_1}{x_2 - x_1} = \dfrac{^-15 - 5}{3 - ^-2} = \dfrac{^-20}{5} = ^-4$

L'équation d'une droite sous la forme fonctionnelle

Une équation de la forme $y = ax + b$ est l'équation d'une droite sous la forme fonctionnelle.

> **Pièges et astuces**
>
> Les paramètres a et A, comme b et B, n'ont pas la même signification. Il ne faut pas confondre la forme fonctionnelle, où la variable y est isolée, avec la forme générale, où l'un des membres de l'équation est égal à 0.

Dans l'équation d'une droite sous la forme fonctionnelle :

– le paramètre a représente la pente de la droite ;

– le paramètre b représente son ordonnée à l'origine.

L'équation d'une droite sous la forme générale

Une équation de la forme $Ax + By + C = 0$ est l'équation d'une droite sous la forme générale.

Dans l'équation d'une droite sous la forme générale :

– l'ordonnée à l'origine correspond à $\dfrac{^-C}{B}$;

– l'abscisse à l'origine correspond à $\dfrac{^-C}{A}$;

– la pente correspond à $\dfrac{^-A}{B}$.

La représentation graphique d'une équation

On procède différemment pour tracer une droite selon la forme d'équation présentée.

Exemples :

1) Voici les étapes à suivre pour tracer la droite d'équation $y = 2x + 3$.

Étape	Démarche
1. À partir de l'ordonnée à l'origine, placer un autre point en utilisant la pente de la droite.	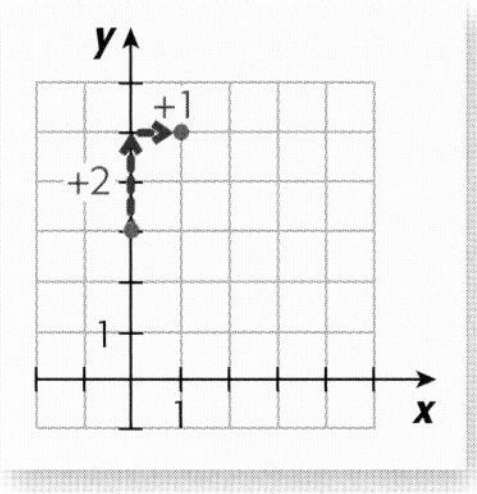
2. Tracer la droite reliant ces points.	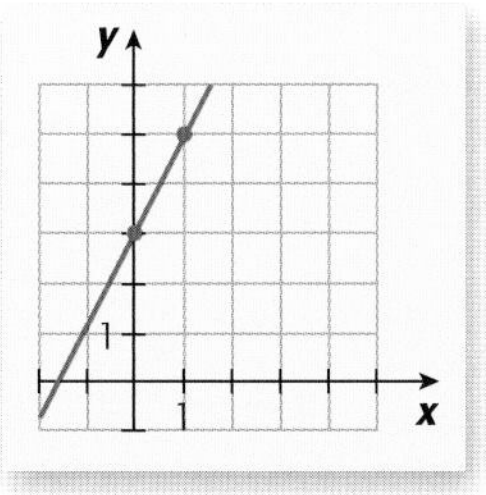

2) Voici les étapes à suivre pour tracer la droite d'équation $4x - 8y + 16 = 0$.

Étape	Démarche
1. Déterminer l'ordonnée à l'origine de la droite en calculant la valeur de y lorsque $x = 0$. Déterminer l'abscisse à l'origine de la droite en calculant la valeur de x lorsque $y = 0$.	<table><tr><th>x</th><th>y</th></tr><tr><td>0</td><td>2</td></tr><tr><td>⁻4</td><td>0</td></tr></table>
2. Placer les coordonnées à l'origine dans un plan cartésien et tracer la droite reliant ces points.	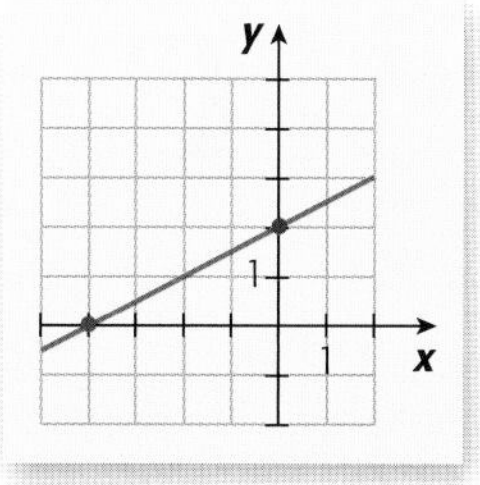

Le passage d'une forme d'équation à une autre

L'équation d'une droite sous la forme générale est équivalente à l'équation de cette droite sous la forme fonctionnelle. Des manipulations algébriques permettent donc de passer d'une forme d'équation à une autre.

Exemples :

1) Il suffit d'isoler la variable y d'une équation de forme générale pour l'exprimer sous la forme fonctionnelle.

$$3x - 4y - 12 = 0$$
$$^-4y = {}^-3x + 12$$
$$y = \frac{3}{4}x - 3$$

2) Il suffit de rassembler tous les termes du même côté du signe d'égalité d'une équation de forme fonctionnelle pour l'exprimer sous la forme générale.

$$y = \frac{^-1}{2}x - 9$$
$$\frac{1}{2}x + y + 9 = 0$$
$$x + 2y + 18 = 0$$

> Il n'est pas nécessaire que les coefficients A, B et C de l'équation d'une droite sous la forme générale soient des nombres entiers. Cependant, on choisit habituellement de les présenter ainsi.

Les droites parallèles

Deux droites parallèles ne se coupent jamais. Cette propriété géométrique se manifeste algébriquement par le fait que deux droites parallèles ont la même pente.

Exemple :

Voici le graphique de deux droites.

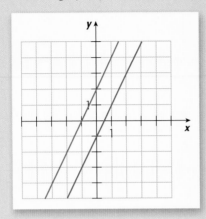

Les équations des deux droites sont

$$y = 2x + 2$$
$$y = 2x - 1$$

La pente correspond au paramètre a.

$$2 = 2$$

Puisqu'elles ont la même pente, les droites sont parallèles.

Remarque : Des droites parallèles qui ont la même ordonnée à l'origine sont des droites confondues.

La distance entre deux points

La distance entre deux points $A(x_1, y_1)$ et $B(x_2, y_2)$ dans un plan cartésien, notée $d(A, B)$, est la longueur du segment AB. À partir de l'accroissement des abscisses et de l'accroissement des ordonnées entre ces deux points, on utilise la relation de Pythagore pour calculer $d(A, B)$.

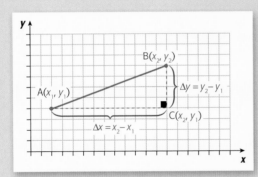

$$(m\,\overline{AB})^2 = (m\,\overline{AC})^2 + (m\,\overline{BC})^2$$
$$(d(A, B))^2 = (\Delta x)^2 + (\Delta y)^2$$
$$(d(A, B))^2 = (x_2 - x_1)^2 + (y_2 - y_1)^2$$

L'expression qui permet de calculer la distance entre A et B est

$$d(A, B) = \sqrt{(x_2 - x_1)^2 + (y_2 - y_1)^2}.$$

Exemple :

Voici comment calculer la distance entre les points $C(8, 7)$ et $D(^-1, 10)$.

$$d(C, D) = \sqrt{(^-1 - 8)^2 + (10 - 7)^2} = \sqrt{(^-9)^2 + 3^2} = \sqrt{81 + 9} = \sqrt{90} \approx 9,5$$

Le demi-plan

En géométrie analytique, un demi-plan se définit comme l'ensemble des points d'un plan dont les coordonnées vérifient une inéquation du premier degré à deux variables.

Tracer un demi-plan

Pour tracer un demi-plan, on trace d'abord la droite qui constitue la frontière du demi-plan. Ensuite, on se base sur le signe d'inégalité pour déterminer la région à hachurer.

Exemple :

Trace le demi-plan d'inéquation $3x - 4y + 24 > 0$.

Étape	Démarche
1. Tracer la droite $3x - 4y + 24 = 0$. Puisque le signe d'inégalité est strict ($>$), cette droite doit être en tirets.	 	x	y	 	0	6	 	⁻8	0	
2. Choisir un point-test et remplacer ses coordonnées dans l'inéquation du demi-plan.	Point-test : $(0, 0)$ $3(0) - 4(0) + 24 > 0$ Puisque $24 > 0$, l'origine fait partie de la région à hachurer.
3. Hachurer la région correspondant au demi-plan selon la conclusion à laquelle on arrive à l'étape **2**.	

> Le point-test ne doit pas se trouver sur la droite qui borne le demi-plan.

Déterminer l'inéquation qui décrit un demi-plan

Pour déterminer l'inéquation qui décrit un demi-plan, on détermine d'abord l'équation de la droite qui constitue la frontière du demi-plan. Ensuite, à l'aide d'un point-test, on détermine le signe d'inégalité qui correspond à la région hachurée du demi-plan.

Les expériences aléatoires, les résultats et les événements

– Une expérience aléatoire est une expérience dont le résultat dépend du hasard.

– Certaines expériences aléatoires nécessitent plusieurs étapes.

– L'univers des résultats possibles d'une expérience aléatoire est désigné par la lettre grecque Ω (oméga).

– Un événement est un sous-ensemble de Ω.

– Un événement élémentaire est un événement qui comporte un seul résultat.

Exemples :

Expérience aléatoire	Expérience aléatoire à plusieurs étapes
«Lancer un dé à six faces et noter le résultat» est une expérience aléatoire. {1, 2, 3, 4, 5, 6} est l'ensemble des résultats possibles (Ω) de cette expérience aléatoire. {Obtenir un nombre pair} est un événement.	«Lancer une pièce de monnaie deux fois et noter le résultat» est une expérience aléatoire à plusieurs étapes. {PP, PF, FP, FF} est l'ensemble des résultats possibles (Ω) de cette expérience aléatoire. {Obtenir FP} est un événement élémentaire.

Remarque : On peut noter un événement ainsi : A = {Obtenir un nombre pair}.

Le dénombrement des résultats d'une expérience aléatoire

Il existe plusieurs moyens de dénombrer les résultats possibles d'une expérience aléatoire à plusieurs étapes. On peut les représenter dans un tableau à double entrée, à l'aide d'un diagramme en arbre, les énumérer de façon systématique, etc.

Exemple :

«Lancer deux fois une pièce de monnaie et noter le résultat»

Tableau	Diagramme en arbre	Énumération systématique
 	1er lancer / 2e lancer / Résultat P → P : PP P → F : PF F → P : FP F → F : FF	Ω = {PP, PF, FP, FF}

1er \ 2e	Pile	Face
Pile	(P, P)	(P, F)
Face	(F, P)	(F, F)

Les expériences aléatoires avec ou sans remise

Une expérience aléatoire peut être «avec remise» ou «sans remise».

Exemples :

Expérience aléatoire avec remise	Expérience aléatoire sans remise
On lance un dé à six faces trois fois. Cette expérience aléatoire est «avec remise», car l'ensemble des résultats possibles demeure le même lors des trois étapes de l'expérience aléatoire.	On tire successivement trois cartes d'un jeu de 52 cartes sans les remettre dans le paquet. Cette expérience aléatoire est «sans remise», car le nombre de résultats possibles change à chaque étape. À la première étape, il y a 52 cartes, à la deuxième, 51, à la troisième, 50.

Le principe de multiplication

Le nombre total de résultats possibles d'une expérience aléatoire à plusieurs étapes est égal au produit du nombre de résultats possibles de chacune des étapes.

Exemple :

On effectue l'expérience aléatoire qui consiste à tirer trois lettres d'un sac qui contient les dix premières lettres de l'alphabet.

Avec remise	Sans remise
10 • 10 • 10 = 1 000 résultats possibles	10 • 9 • 8 = 720 résultats possibles

Les événements compatibles, incompatibles et complémentaires

Dans une expérience aléatoire, il existe plusieurs types de relations entre les événements.

Soit l'expérience aléatoire «Lancer un dé à six faces et noter le nombre obtenu».

Type de relation	Définition	Exemple
Événements compatibles	Événements qui peuvent se réaliser en même temps.	A = {Obtenir un diviseur de six} et B = {Obtenir un nombre pair}
Événements incompatibles	Événements qui ne peuvent pas se réaliser en même temps.	C = {Obtenir un nombre pair} et D = {Obtenir un multiple de cinq}
Événements complémentaires	Événements qui n'ont pas de résultats communs et qui contiennent tous les résultats possibles.	E = {Obtenir un nombre impair} et F = {Obtenir un nombre pair}

Remarque : Des événements complémentaires sont nécessairement incompatibles. L'événement complémentaire à l'événement A est noté A'.

Le calcul de probabilités à l'aide d'un diagramme de Venn

Le diagramme de Venn peut être utile pour calculer la probabilité de la réunion ou de l'intersection de deux événements. Ce diagramme comporte une région où peuvent être placés les résultats communs aux événements compatibles.

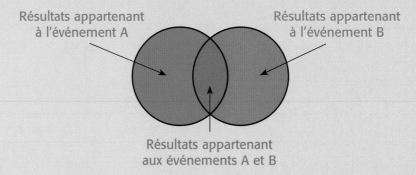

Résultats appartenant à l'événement A

Résultats appartenant à l'événement B

Résultats appartenant aux événements A et B

Exemple :

Soit l'expérience aléatoire «Lancer un dé et noter le nombre obtenu». On considère l'événement A = {Obtenir un nombre premier} et l'événement B = {Obtenir un nombre impair}.

La réunion de ces deux événements, notée A ∪ B, correspond à l'événement {Obtenir un nombre premier OU un nombre impair}. L'intersection de ces deux événements, notée A ∩ B, correspond à l'événement {Obtenir un nombre premier ET un nombre impair}.

Quelle est la probabilité que :

a) l'événement A ∪ B se réalise ?

b) l'événement A ∩ B se réalise ?

Étape	Exemple
1) Construire un diagramme de Venn comportant autant d'ensembles que la question comporte d'événements.	Nombre premier Nombre impair
2) Représenter l'ensemble des résultats possibles (Ω) de l'expérience aléatoire dans les régions appropriées du diagramme de Venn.	Nombre premier Nombre impair 4 2 3 5 1 6
3) Déterminer les probabilités demandées.	**a)** P(A ∪ B) : 4 résultats sur 6 se retrouvent dans les ensembles, donc P(A ∪ B) = $\frac{4}{6}$, ou $\frac{2}{3}$. **b)** P(A ∩ B) : 2 résultats sur 6 se retrouvent dans l'intersection, donc P(A ∩ B) = $\frac{2}{6}$, ou $\frac{1}{3}$.

Remarque : On peut aussi écrire des nombres de résultats possibles ou des probabilités plutôt que des résultats dans les régions d'un diagramme de Venn.

La distinction entre différents types de probabilités

Une probabilité peut être théorique, fréquentielle ou subjective selon qu'on la calcule à l'aide d'un modèle théorique, qu'on l'estime à l'aide d'une expérience aléatoire ou qu'on l'évalue en faisant appel à son jugement.

La probabilité théorique

Il est possible de calculer la probabilité théorique d'un événement lorsqu'on peut modéliser une situation sans nécessairement recourir à l'expérimentation.

Lorsque les résultats d'une expérience aléatoire sont équiprobables, la probabilité d'un événement se calcule de la façon suivante.

$$\text{Probabilité théorique d'un événement} = \frac{\text{Nombre de résultats favorables}}{\text{Nombre de résultats possibles}}$$

La valeur d'une probabilité est toujours comprise dans l'intervalle [0, 1].

La probabilité fréquentielle (ou expérimentale)

La probabilité fréquentielle est une estimation de la probabilité théorique faite à partir de résultats observés à la suite de plusieurs réalisations d'une expérience aléatoire. Lorsque l'expérience aléatoire est effectuée un très grand nombre de fois, la probabilité fréquentielle tend à se rapprocher de la probabilité théorique. La probabilité fréquentielle constitue alors une bonne estimation de la probabilité théorique.

$$\text{Probabilité fréquentielle d'un événement} = \frac{\text{Nombre de réalisations de l'événement}}{\text{Nombre de réalisations de l'expérience aléatoire}}$$

Même si un des résultats n'a pas été observé en effectuant l'expérience aléatoire, on ne peut pas conclure que ce résultat est impossible.

La probabilité subjective

Une probabilité subjective reflète l'avis d'une personne sur la probabilité qu'un événement se réalise. Cette probabilité est subjective parce qu'elle fait appel au jugement et correspond à une évaluation personnelle basée à la fois sur des connaissances et des opinions. On évalue une probabilité subjective dans le cas où il est impossible de calculer une probabilité théorique ou de l'estimer à l'aide d'une probabilité fréquentielle.

Les prévisions de résultats sportifs et certaines prévisions météorologiques font appel à la probabilité subjective.

Remarque: La probabilité subjective qu'un événement se réalise peut être évaluée différemment d'une personne à une autre.

Les «chances pour» et les «chances contre»

Dans certaines situations, les probabilités théorique, fréquentielle ou subjective sont exprimées en «chances pour» et en «chances contre». Les «chances pour» et les «chances contre» au moment de la réalisation d'un événement sont exprimées par les rapports suivants.

$$\text{«Chances pour»} = \frac{\text{Nombre de cas favorables}}{\text{Nombre de cas défavorables}}$$

$$\text{«Chances contre»} = \frac{\text{Nombre de cas défavorables}}{\text{Nombre de cas favorables}}$$

De la probabilité aux chances et des chances à la probabilité

La relation entre le nombre de cas possibles et le nombre de cas favorables et défavorables à la réalisation d'un événement permet d'exprimer une probabilité en «chances pour» ou en «chances contre», ou l'inverse.

> Nombre de cas possibles = Nombre de cas favorables + Nombre de cas défavorables

Remarques:

- Le rapport «chances pour» est l'inverse du rapport «chances contre».
- L'expression «3 chances sur 11» est équivalente à l'expression «des chances de 3 contre 8».

L'espérance mathématique

L'espérance mathématique est la moyenne pondérée des résultats d'une expérience aléatoire dans laquelle les facteurs de pondération sont les probabilités d'obtenir chacun des résultats. Il s'agit donc de la somme des produits des résultats et des probabilités correspondantes.

Exemple:

On fait tourner la flèche de la roulette ci-dessous et on remporte le lot inscrit dans le secteur où la flèche s'immobilise.

Pièges et astuces

Pour calculer l'espérance mathématique, il est souvent plus simple de ne pas réduire les fractions correspondant aux probabilités.

Résultat	0 \$	2 \$	5 \$	12 \$
Probabilité	$\frac{5}{16}$	$\frac{4}{16}$	$\frac{4}{16}$	$\frac{3}{16}$

> Espérance mathématique $= 0 \cdot \frac{5}{16} + 2 \cdot \frac{4}{16} + 5 \cdot \frac{4}{16} + 12 \cdot \frac{3}{16}$
>
> Espérance mathématique $= \frac{0 + 8 + 20 + 36}{16} = \frac{64}{16} = 4$

L'espérance mathématique de cette roulette est de 4 \$.

Cela signifie qu'en faisant tourner la flèche de la roulette un très grand nombre de fois, on peut s'attendre à gagner en moyenne 4 \$ chaque fois qu'on la fait tourner.

Remarques:

- La valeur moyenne des résultats obtenus en répétant une expérience aléatoire un très grand nombre de fois tend vers l'espérance mathématique.
- On note parfois l'espérance mathématique avec la lettre E. Par exemple, l'espérance mathématique d'une roulette peut se noter E(Roulette).

L'interprétation de l'espérance mathématique et l'équité

Dans un jeu qui consiste à effectuer une expérience aléatoire et où il est possible de gagner ou de perdre des points, des objets ou de l'argent, il y a trois possibilités. Le jeu est:

- **favorable** à la joueuse ou au joueur si l'espérance mathématique est positive;
- **défavorable** à la joueuse ou au joueur si l'espérance mathématique est négative;
- **équitable** si l'espérance mathématique est nulle.

L'espérance mathématique d'un jeu de hasard dépend du prix à payer pour y participer.

> Toutes les loteries sont des jeux défavorables à la joueuse ou au joueur.

Exemples:

Voici deux façons équivalentes de calculer l'espérance mathématique du jeu si on doit payer 5 $ pour faire tourner la flèche de la roulette ci-contre.

1) Soustraire le prix à payer de l'espérance mathématique de la roulette pour obtenir l'espérance mathématique du jeu.

Espérance mathématique du jeu	=	Espérance mathématique de la roulette	−	Prix à payer pour jouer à la roulette

$$E(\text{Jeu}) = 4\ \$ - 5\ \$ = {}^-1\ \$$$

L'espérance mathématique de ce jeu est de $^-1$ $.

Cela signifie qu'en jouant un très grand nombre de fois, on peut s'attendre à perdre en moyenne 1 $ par participation. Par exemple, pour 5 participations, on peut s'attendre à perdre 5 fois 1 $, donc perdre 5 $ au total.

2) Calculer le gain net ou la perte nette en soustrayant le prix à payer de chacun des résultats possibles.

Résultat	0 $	2 $	5 $	12 $
Probabilité	$\frac{5}{16}$	$\frac{4}{16}$	$\frac{4}{16}$	$\frac{3}{16}$
Gain net ou perte nette	$^-5$ $	$^-3$ $	0 $	7 $

Calculer ensuite l'espérance mathématique du jeu.

$$E(\text{Jeu}) = {}^-5 \cdot \frac{5}{16} + {}^-3 \cdot \frac{4}{16} + 0 \cdot \frac{4}{16} + 7 \cdot \frac{3}{16} = {}^-1$$

L'espérance mathématique de ce jeu est de $^-1$ $.

Pour que ce jeu soit un jeu équitable, le prix à payer pour y participer doit être de 4 $. Si le prix à payer pour y participer est inférieur à 4 $, le jeu est alors favorable à la joueuse ou au joueur; s'il est supérieur à 4 $, le jeu lui est alors défavorable.

Graphisme, notation et symboles

$\mathbb{N}$	L'ensemble des nombres naturels	k^3	Le rapport des volumes
$\mathbb{Z}$	L'ensemble des nombres entiers	$A \cap B$	L'ensemble des éléments qui appartiennent à la fois à A et à B
$\mathbb{Q}$	L'ensemble des nombres rationnels	$A \cup B$	L'ensemble des éléments qui appartiennent à A ou à B
$\mathbb{Q}'$	L'ensemble des nombres irrationnels	$P(A)$	La probabilité de l'événement A
$\mathbb{R}$	L'ensemble des nombres réels	$P(B|A)$	La probabilité conditionnelle de B sachant que A s'est réalisé
$\blacksquare^*$	La notation qui indique l'absence du zéro dans les ensembles de nombres $\mathbb{N}$, $\mathbb{Z}$, $\mathbb{Q}$ et $\mathbb{R}$	Ω	L'ensemble des résultats possibles d'une expérience aléatoire
$\blacksquare_+$	La notation qui indique les nombres positifs des ensembles de nombres $\mathbb{Z}$, $\mathbb{Q}$, $\mathbb{Q}'$ et $\mathbb{R}$	{ } ou $\varnothing$	L'ensemble-solution vide
$\blacksquare_-$	La notation qui indique les nombres négatifs des ensembles de nombres $\mathbb{Z}$, $\mathbb{Q}$, $\mathbb{Q}'$ et $\mathbb{R}$	∞	L'infini
a^2	Le carré de a	$\in$	… est élément de…
a^3	Le cube de a	$|x|$	La valeur absolue de x
$\sqrt{a}$	La racine carrée de a	$\angle$ A	L'angle **A**
$\sqrt[3]{a}$	La racine cubique de a	m $\angle$ A	La mesure de l'angle **A**
π	La constante « pi » $\pi \approx 3,1416$	$\overline{AB}$	Le segment **AB**
$=$	… est égal à…	m $\overline{AB}$	La mesure du segment **AB**
$\approx$	… est approximativement égal à…	$\triangle$**ABC**	Le triangle **ABC**
$\cong$	… est isométrique à…	sin **A**	Le sinus de l'angle **A**
$\sim$	… est semblable à…	cos **A**	Le cosinus de l'angle **A**
$\parallel$	… est parallèle à…	tan **A**	La tangente de l'angle **A**
$\perp$	… est perpendiculaire à…	$[a, b]$	L'intervalle fermé a, b
$\neq$	… n'est pas égal à…	$]a, b[$	L'intervalle ouvert a, b
$<$	… est inférieur à…	**P**(a, b)	Le point **P** de coordonnées a et b
$\leq$	… est inférieur ou égal à…	$a : b$	Le rapport de a à b
$>$	… est supérieur à…	(a, b)	Le couple a b
$\geq$	… est supérieur ou égal à…	$d(\mathbf{A}, \mathbf{B})$	La distance de **A** à **B**
k	Le rapport de similitude		
k^2	Le rapport des aires		